MON COURS DE BRODERIE*

*30 leçons pour tout apprendre

DE LIN & DE COTON
EN TOUS GENRES
& FILTERIES
ALOST

MARION MADEL

MON COURS DE BRODERIE*

*30 leçons pour tout apprendre

PHOTOGRAPHIES DE RICHARD BOUTIN
STYLISME DE VANIA LEROY-THUILLIER

MADE IN MARABOUT

MODE D'EMPLOI

Vous vous êtes sans doute déjà extasiée sur un marquoir ancien, êtes tombée en admiration devant des monogrammes brodés sur des draps en lin, avez regardé avec envie des blouses personnalisées au point de bourdon, au point de tissage... En regrettant que ce savoir-faire si bien maîtrisé par nos grands-mères ne vous ait pas été transmis. Alors, si vous doutez de vos capacités de brodeuse ou souhaitez améliorer vos connaissances, cet ouvrage vous est destiné.

Très didactique, conçu en deux parties distinctes, ce livre répertorie dans un premier temps le matériel utile à toute brodeuse et détaille les points techniques à connaître pour aborder la broderie sans souci. Un chapitre très important pour les novices... Et dans lequel les brodeuses plus expérimentées pourront se replonger pour vérifier qu'elles n'ont rien oublié.

Ensuite, quand vous aurez bien acquis ou revu ces notions techniques, vous pourrez passer à la pratique, la seconde partie de l'ouvrage. Cette seconde partie est découpée en cinq chapitres, chacun regroupant des points de broderie comportant de grandes similitudes, d'une même « famille », et d'une difficulté évolutive, le premier chapitre étant une initiation aux points de base. Chaque chapitre comporte des projets simples à réaliser, accompagnés d'explications pas à pas claires et détaillées illustrées par des photos.

En fin d'ouvrage, deux pages de petits exercices ludiques vous sont proposées si vous voulez recouvrir des boutons ou des badges avec les points appris dans ce livre – une façon de s'exercer qui permet d'utiliser intelligemment ses échantillons. Un index des points figure aussi à la fin de cet ouvrage, pour que vous visualisiez d'un seul coup d'œil les différents points proposés et puissiez choisir un projet en conséquence.

Maintenant, à vous de jouer, lancez-vous et vous verrez que vous aussi vous êtes capable de réaliser des merveilles.

Marion Madel

30 LEÇONS POUR TOUT APPRENDRE

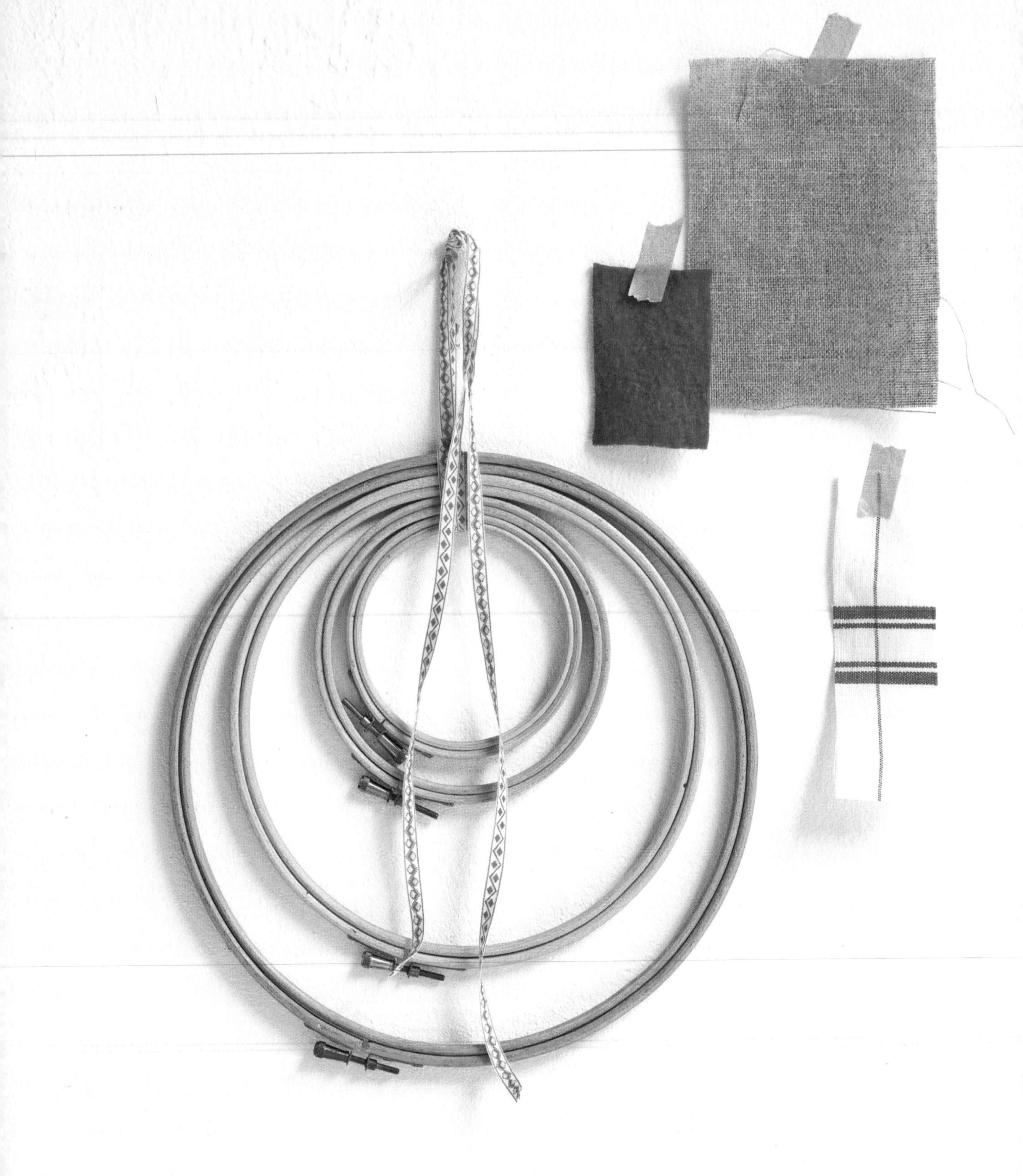

TOUT SAVOIR SUR LE MATÉRIEL ET LES FOURNITURES

La broderie est une technique qui demande peu de chose, une aiguille, du fil et un peu de tissu...

Alors si vous décidez de vous lancer, ne vous précipitez pas dans une mercerie, lisez ce chapitre, qui vous explique clairement de quel matériel vous aurez besoin. Le matériel utile à toute brodeuse débutante est en fait très succinct, et vous pourrez l'étoffer par la suite au fil du temps en achetant au fur et à mesure ce qui vous paraîtra utile et pratique ou si vous désirez vous faire de petits plaisirs en investissant dans des fournitures de qualité ou plus « professionnelles ».

Vous apprendrez également dans ce chapitre à reconnaître un coton Mouliné d'un coton Perlé, saurez comment dérouler le fil d'une échevette et choisir une aiguille en fonction de la nature du tissu et de la grosseur du fil. Les différents tissus et toiles y sont également répertoriés, pour que vous puissiez faire votre choix en toute connaissance de cause.

100
20 MÈTRES
DAE
DAE
100
Gütermann
Gütermann

LES PRINCIPAUX FILS À BRODER

Le coton Mouliné : 100 % coton et grand teint, il est composé de six brins. Suivant la nature du tissu, le nombre de brins préconisé avec lesquels travailler est différent. Il s'utilise aussi bien pour la broderie traditionnelle que pour la broderie à points comptés.
Le fil métallisé Mouliné : c'est un fil synthétique qui imite l'aspect du métal. Il supporte les lavages jusqu'à 40 °C. Il s'emploie comme le Mouliné mais il doit se travailler en petites aiguillées de 25 cm au maximum car il est très cassant.
Le coton Perlé : c'est un fil très brillant en 100 % coton, grand teint et très torsadé. Il est disponible en plusieurs grosseurs qui s'emploient en fonction du tissu et de l'effet désiré.
Le coton Retors : c'est un fil épais et mat 100 % coton, grand teint, qui se présente en échevettes. Il est employé sur des tissus à trames lâches comme le canevas ou les grosses étamines.
Le coton Spécial à broder DMC : avec un aspect satiné, torsadé, 100 % coton, ce fil s'utilise principalement pour le travail des festons de certaines broderies de jours et les monogrammes. Il existe différentes grosseurs allant du n° 12, épais, au n° 40, très fin.
La laine à tapisserie : fil épais, 100 % laine vierge, il est traité antimites et les teintures sont résistantes à la lumière. Cette laine s'utilise souvent pour la broderie sur du canevas.

LES ÉCHEVETTES

Le fil se présente sous différentes formes : bobines, cônes, cartonnettes... mais c'est sous la forme d'échevettes plus ou moins longues qu'il est le plus courant. Les échevettes de coton Mouliné, de Spécial à broder, de Retors ou de laine sont directement utilisables. Il suffit de tirer le fil extérieur pour que le fil se déroule. Les échevettes torsadées comme celles du coton Perlé doivent subir une petite préparation. Enlevez les bagues puis déroulez l'échevette pour obtenir un long écheveau. Coupez les brins à une extrémité de l'écheveau. Tressez ensuite les brins en réintégrant dans le tressage la bague de numéro de coloris. Pour obtenir une aiguillée, tirez un brin à une extrémité de la tresse. En procédant de cette manière, les brins ne s'emmêlent pas.
Quelques conseils pour éviter de s'énerver
– Utilisez des aiguillées d'environ 30 centimètres de long.
– Afin d'éviter l'usure du fil sur le chas de l'aiguille, enfilez l'aiguille puis piquez-la dans le brin à environ 6 cm de l'extrémité du fil. Tirez sur la boucle jusqu'au chas. L'aiguille se trouve ainsi fixée au fil. Cette astuce permet d'utiliser des aiguillées courtes sans qu'elles se désenfilent. D'autre part, vous économiserez du fil car celui-ci demeure intact jusqu'au bout de l'aiguillée.
– Au cours de la broderie, vous constaterez que le fil perd de sa torsion et de sa régularité. Il est nécessaire de restituer la torsion régulièrement en tenant la broderie en hauteur, à l'envers, en lâchant l'aiguille et en laissant pendre le fil. Le fil va tourner sur lui-même jusqu'à retrouver la bonne torsion.

Que les fils se présentent en écheveaux, en échevettes, en bobines, en cônes ou sur des cartonnettes, il faut toujours vérifier les aspects techniques comme la composition, la grosseur et la longueur disponible, sans oublier les conseils d'entretien... Faire quelques points sur un échantillon de tissu est souvent nécessaire, surtout si les fils ne comportent pas de mention particulière.

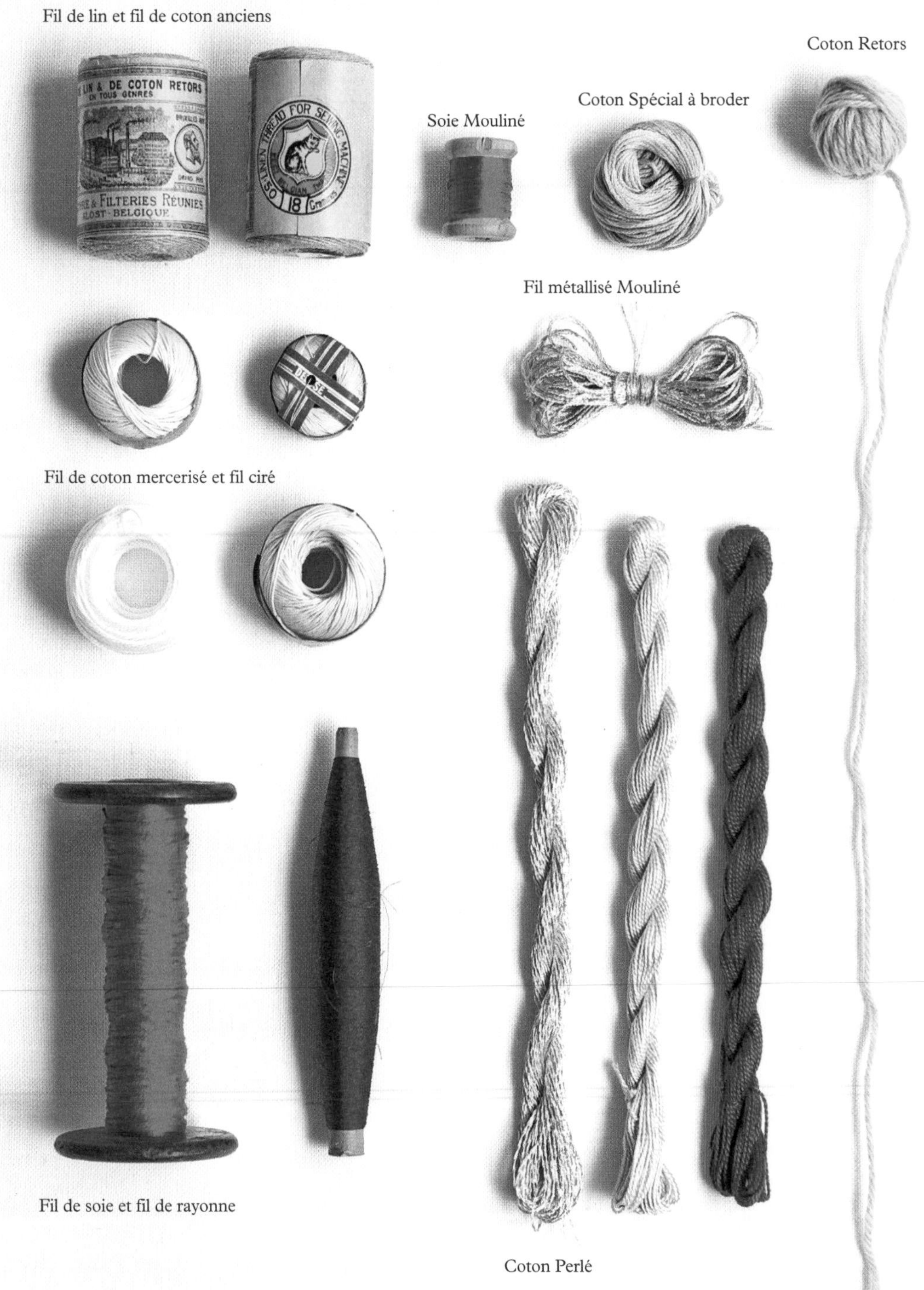

Fil de lin et fil de coton anciens

Soie Mouliné

Coton Spécial à broder

Coton Retors

Fil métallisé Mouliné

Fil de coton mercerisé et fil ciré

Fil de soie et fil de rayonne

Coton Perlé

Coton Perlé

Coton Mouliné

Fil métallisé Mouliné

Laine à tapisserie

LES AIGUILLES

Il existe une grande variété d'aiguilles à broder... presque autant que de types de fils ! Elles sont le plus souvent assez courtes avec un chas plus ou moins large et, suivant la technique de broderie pratiquée, il faut les prendre à bout arrondi ou pointu. Un chas large permet d'enfiler des fils assez épais et plusieurs fils ensemble et de passer à travers la toile en écartant le tissage sans le trouer et sans user les fils de broderie.

Les aiguilles à broder à bout pointu sont numérotées de 1 à 10. Le numéro le plus élevé correspond à l'aiguille la plus fine. Il faut adapter la grosseur de l'aiguille à la nature du tissu et à la grosseur du fil.

Les aiguilles à broder à bout rond sont spécialement conçues pour de la broderie sur les étamines ou sur le canevas. Elles sont numérotées de 12 à 26. Plus le numéro est élevé, plus l'aiguille est courte et fine. Sur les toiles de lin très fines, il faut utiliser des aiguilles n° 26. Les plus épaisses sont également vendues sous la mention d'« aiguilles à tapisserie ».

Les aiguilles à perles sont utilisées pour coudre les perles fines de rocaille. Elles sont très longues pour pouvoir en enfiler plusieurs à la fois si nécessaire. Leur chas est minuscule et il faut alors choisir un fil à la fois fin et résistant, comme par exemple un fil Nylon.

Les aiguilles à laine sont pointues, dotées d'un chas très long et assez large spécialement conçu pour y enfiler de gros brins de laine ou de coton épais. Le large chas permet d'écarter les fibres du tissu et de laisser un passage plus large que le fil employé. De cette manière, le fil ne s'use pas durant le travail.

Les aiguilles à coudre demeurent indispensables pour le montage et la réalisation des finitions des ouvrages. Elles se présentent sous trois formes : longues (pour les points de bâti), demi longues (pour les surfilages et les ourlets) et courtes (pour les coutures). Elles sont pointues avec un petit chas rond et existent du n° 1 au n° 12. Les numéros standard sont les numéros 6 à 9.

LES TISSUS ET LES TOILES

Tous les tissus peuvent se broder mais en fonction de leur texture on adapte la grosseur du fil et de l'aiguille ; cela détermine aussi les points que l'on utilise.

Les toiles à trame apparente

La broderie à points comptés nécessite l'emploi d'étoffes bien particulières car il faut que la trame soit la plus régulière possible et surtout carrée pour que l'on obtienne de jolis points. On brode directement sur le tissu en comptant les fils de la trame du tissu sans passer par l'étape du traçage.

Les toiles employées sont des étamines à croisement simple ou double appelées « étamines » ou « nattés ». La plus répandue et la plus simple d'utilisation est l'étamine de coton, que l'on trouve dans le commerce sous le nom de « toile Aïda ». Elle est présentée en différentes épaisseurs allant de 3 à 7 points au centimètre, et dans divers coloris. La toile Aïda la plus courante est la 5,5 points au centimètre et se travaille avec 2 ou 3 brins de fils à broder Mouliné.

Les toiles de lin unifil sont plus fines et légères que les étamines et permettent de réaliser des motifs plus fins et donc plus sophistiqués. Elles existent en différentes épaisseurs allant de 3 à 14 fils au centimètre. Plus le nombre de fils au centimètre est élevé et plus le motif brodé sera petit (voir page 31). Sur ces étamines unifil, il est nécessaire de travailler les points comptés sur 2 ou 3 fils de la trame en hauteur et en largeur.

Les tissus

La broderie à partir d'un traçage permet l'emploi de nombreux points fantaisie et de toutes sortes de fils. On peut donc utiliser des tissus à trames fines et serrées comme la popeline ou le voile de coton, le lin pour les nappes, le taffetas de soie ou le drap de laine. Ces étoffes sont en vente dans certaines merceries, les magasins de tissus vendus au mètre, des catalogues spécialisés.

Cette technique de broderie est idéale pour customiser toutes sortes de vêtements. Il suffit de reporter un motif à l'aide d'un feutre, d'un carbone ou tout simplement de tracer à main levée avec un crayon à l'endroit voulu et de broder pour qu'un habit prenne tout de suite une autre allure.

→ **CONSEIL**

L'utilité de l'échantillon

Avant de commencer la broderie, il est conseillé de réaliser un test sur un échantillon du même tissu. Il est important de savoir si la grosseur et la nature du fil sont adaptées au point, si l'aiguille entre dans l'étoffe sans abîmer sa trame ou si le chas n'use pas trop vite le fil à broder, enfin, si le tissu ne se déforme pas au cours du travail.

Tous les types de tissus peuvent se broder, cependant avant de commencer, il est conseillé de réaliser un petit échantillon de quelques points. Effectivement, il est important de déterminer le type et le nombre de brins de fil nécessaires par rapport au tissu choisi. En règle générale, plus le tissu est épais plus le nombre de fils doit être important, et inversement.

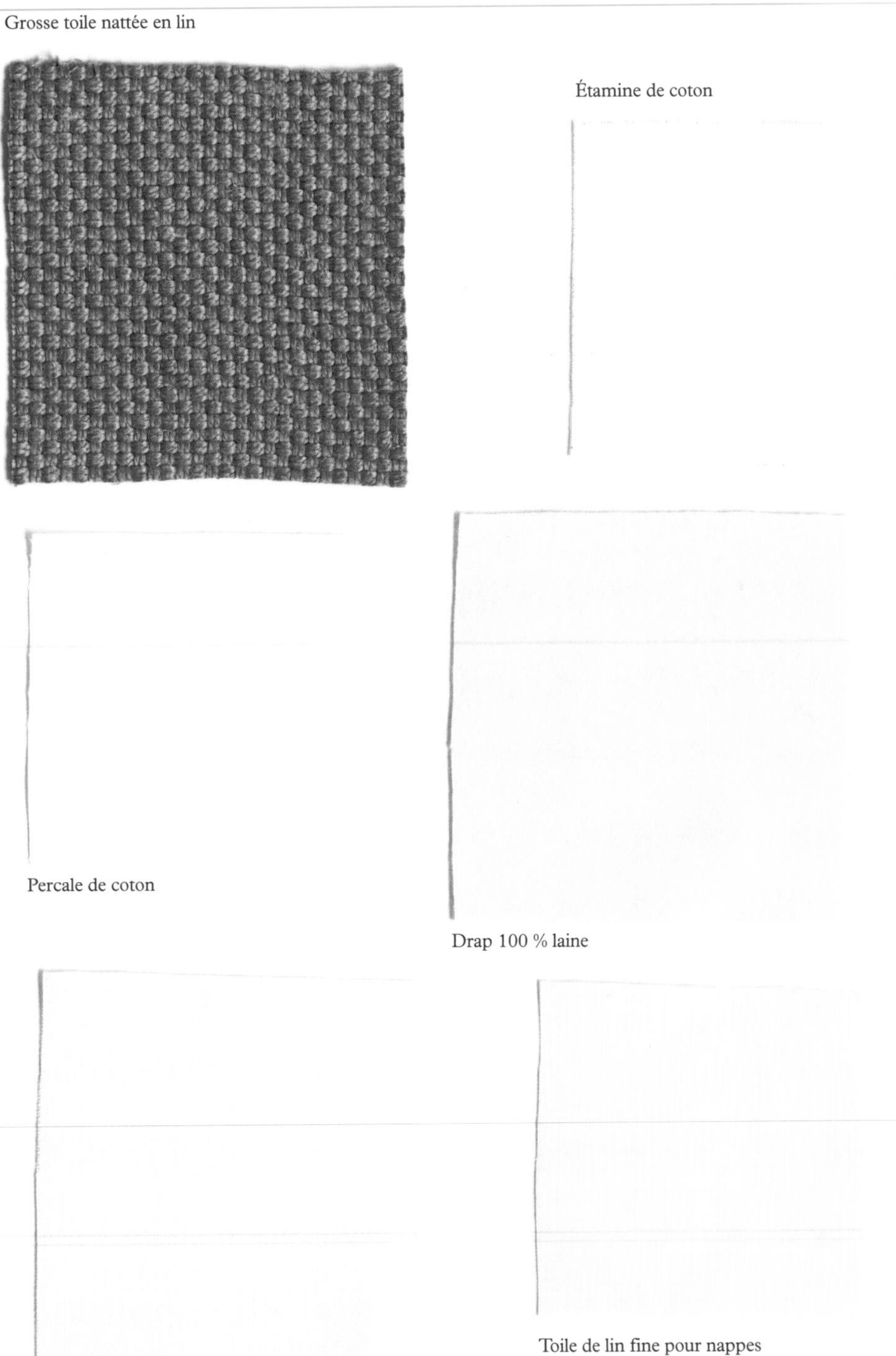

Grosse toile nattée en lin

Étamine de coton

Percale de coton

Drap 100 % laine

Toile de lin fine pour nappes

Toile de lin 11 fils/cm

Toile de lin épaisse

Canevas unifil

Étamine Aïda 5,5 points/cm

Toile de lin 12 fils/cm

Toile de lin 11 fils/cm

Étamine de coton 7 points/cm

La broderie a l'avantage de s'adapter à tous les supports... Coton, lin, jean, soie, drap ou flanelle, laine bouillie... tous les tissus peuvent se broder. Avant de commencer, il faut s'assurer que la toile soit grand teint et qu'elle ne rétrécisse pas au lavage. Il est donc conseillé de la laver avant de commencer à broder et de la laisser sécher à plat pour qu'elle ne se déforme pas.

Flanelle 100 % laine

Toile de lin 12 fils/cm

Étamine de coton 11 points/cm

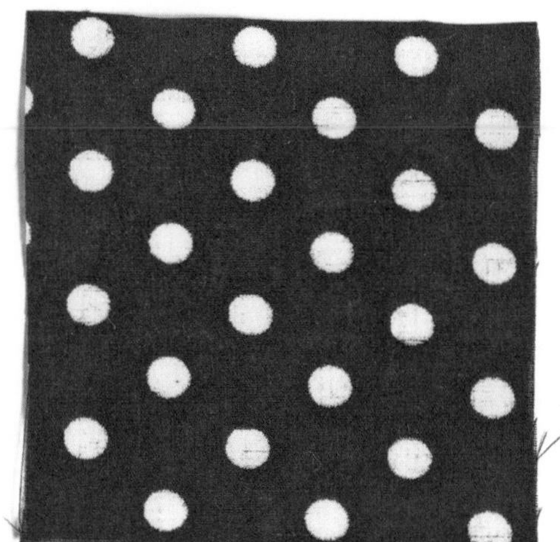

Tissu 100 % coton

Laine bouillie

Drap de laine et cachemire

Toile de jean 100 % coton

Sergé 100 % coton

Étamine fine 100 % lin

Tissage chevron 100 % lin

Toile de torchon 100 % lin

Voile de coton

La boîte à broderie de base peut être composée uniquement de quatre petits outils, mais ils sont indispensables : les ciseaux de couturière, les ciseaux à broder, les aiguilles et le tambour (choisissez-les de bonne qualité car ils vous suivront durant toute votre vie de brodeuse). Et une multitude de petits outils qui, sans être essentiels, facilitent le travail.

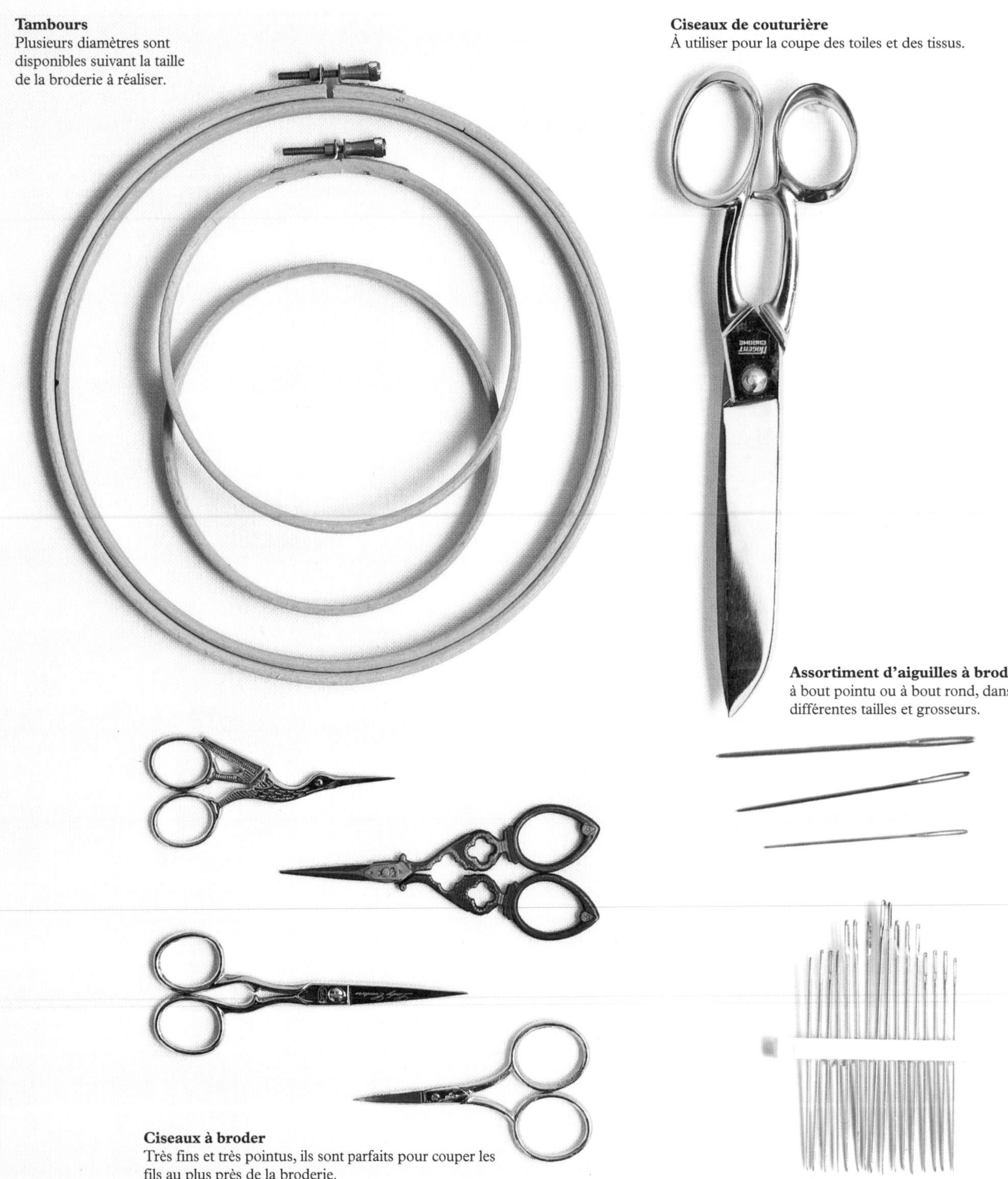

Tambours
Plusieurs diamètres sont disponibles suivant la taille de la broderie à réaliser.

Ciseaux de couturière
À utiliser pour la coupe des toiles et des tissus.

Assortiment d'aiguilles à broder, à bout pointu ou à bout rond, dans différentes tailles et grosseurs.

Ciseaux à broder
Très fins et très pointus, ils sont parfaits pour couper les fils au plus près de la broderie.

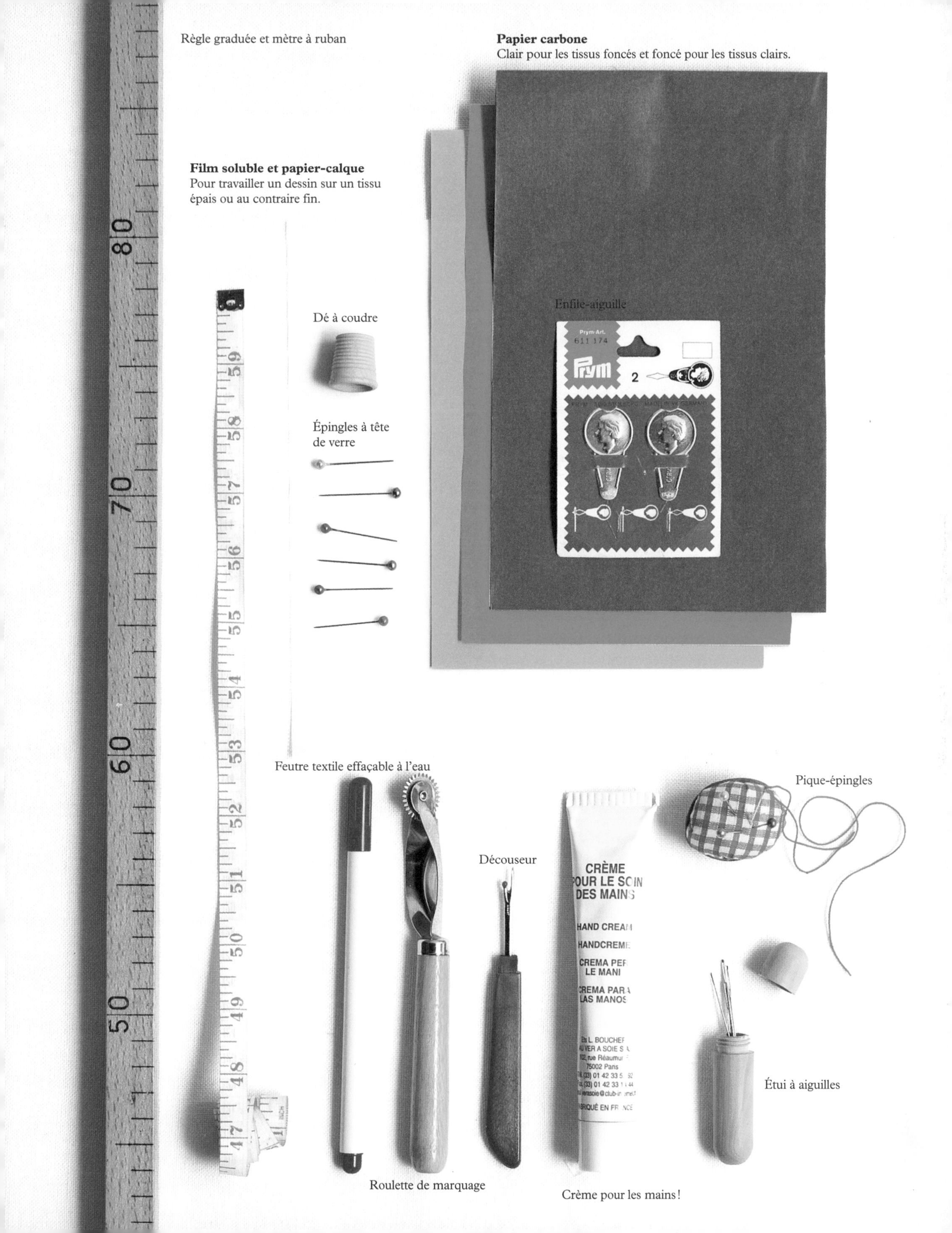

Règle graduée et mètre à ruban

Papier carbone
Clair pour les tissus foncés et foncé pour les tissus clairs.

Film soluble et papier-calque
Pour travailler un dessin sur un tissu épais ou au contraire fin.

Enfile-aiguille

Dé à coudre

Épingles à tête de verre

Feutre textile effaçable à l'eau

Pique-épingles

Découseur

Étui à aiguilles

Roulette de marquage

Crème pour les mains !

La boîte à broderie est inséparable de la boîte à couture. Véritable boîte à trésor, elle doit contenir une multitude de petites fournitures de mercerie qui s'avèrent souvent utiles pour terminer un projet.

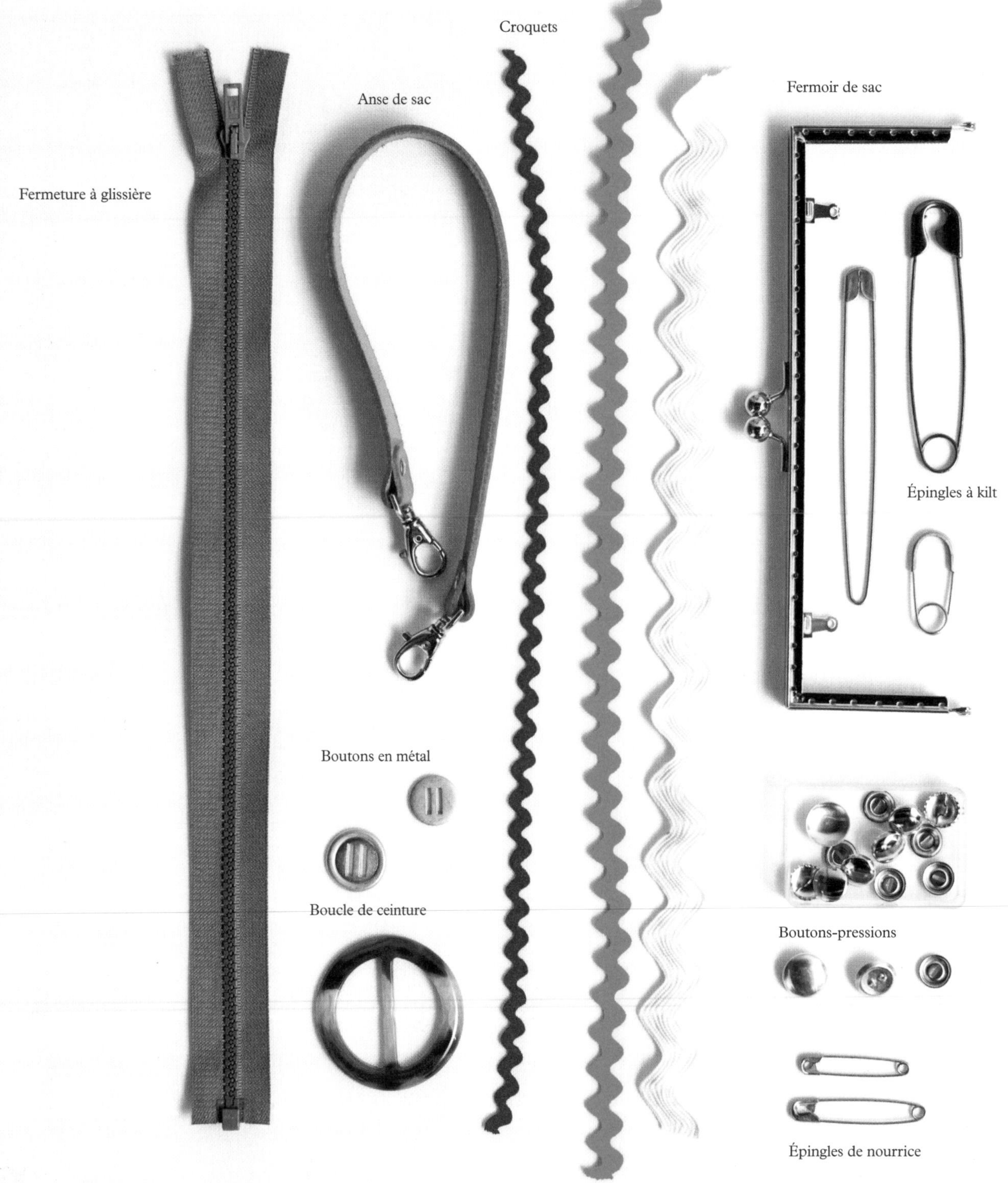

Boutons fantaisie

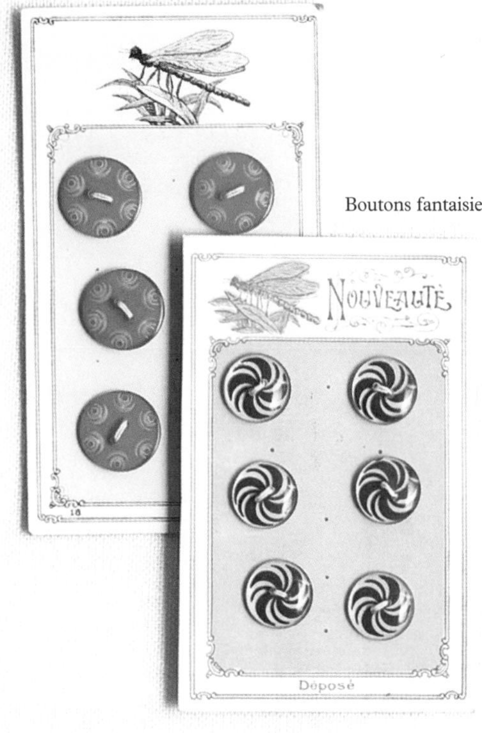

Boutons de nacre

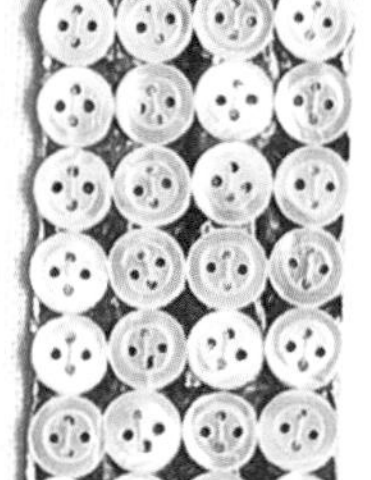

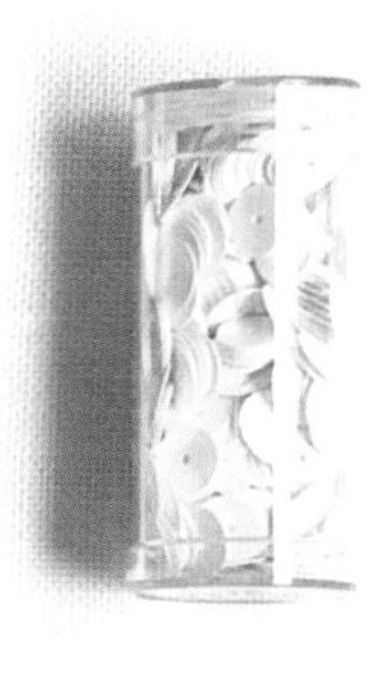

Rubans

Paillettes

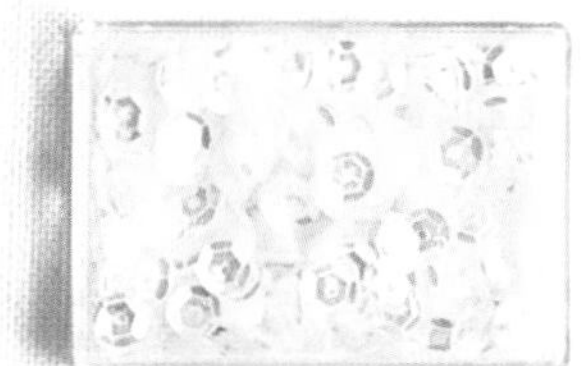

Perles

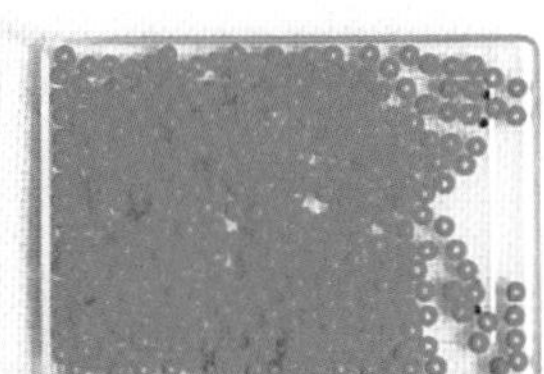

Ruban tissé

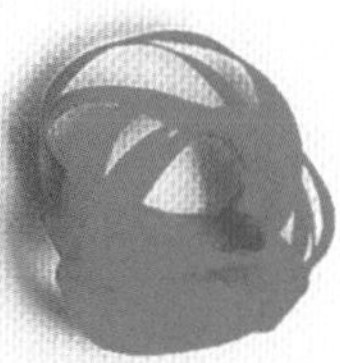

Ruban de soie

0.3
uni pin FINE LINE

Voici les quelques règles de base de la broderie, comme le surfilage de la toile avant le début du travail, l'utilisation d'un tambour à broder, la façon de séparer des fils, d'enfiler une aiguille, de commencer et de terminer une broderie. La lecture d'une grille est également expliquée, tout comme les différentes façons de reporter un motif.

Mais ne vous laissez pas impressionner, vous pouvez tout à fait débuter sur un petit morceau de tissu sans préparation et obtenir une belle broderie à appliquer. Souvenez-vous que la broderie est une technique simple et qu'avec un peu de patience et de pratique vous pourrez customiser des vêtements ou même créer de belles « pièces » à transmettre à votre famille.

SURFILER

Avant de commencer la broderie, il faut préparer un minimum le support. Les dimensions de la broderie sont indiquées dans les explications de chaque modèle. Il est indispensable de laisser suffisamment de tissu autour afin de positionner plus facilement le tambour à broder. Il faut donc ajouter 10 cm sur tout le tour de l'ouvrage ou bien suivre les indications données dans les explications, puis procéder au surfilage des bords afin que le tissu ne s'abîme pas durant le travail.

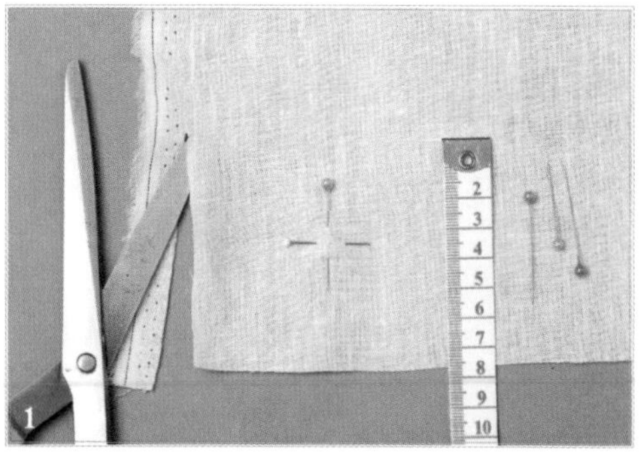

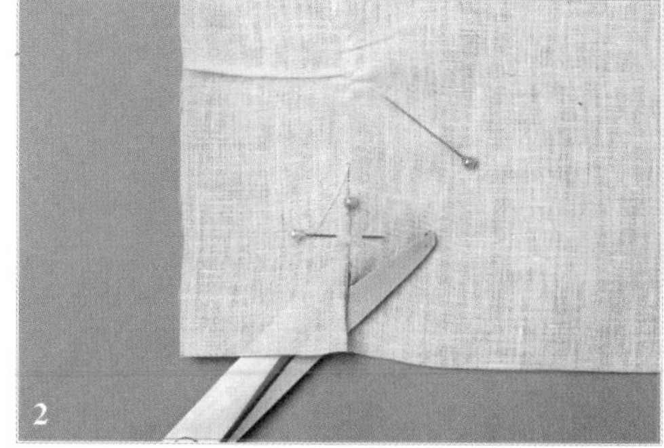

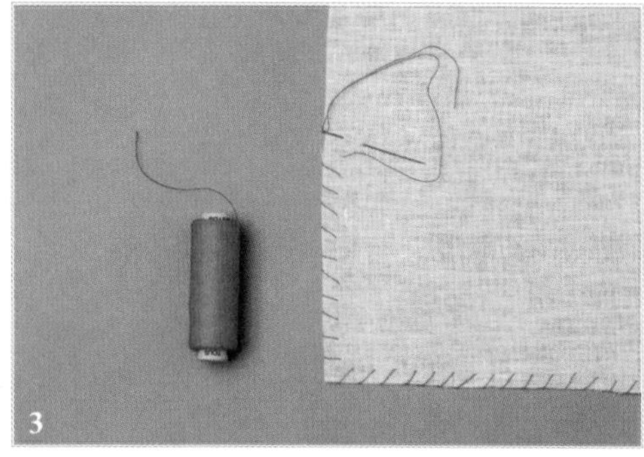

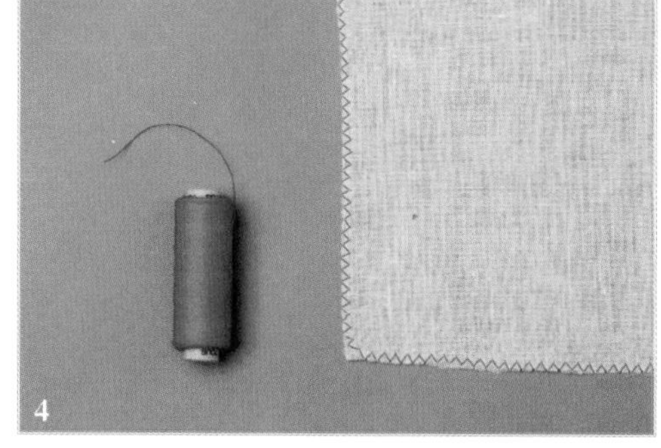

1 – Couper les lisières du tissu s'il y en a. Reporter sur le tissu les dimensions de la broderie plus le bord tournant (les marges à ajouter tout autour de la broderie), à l'aide d'une règle graduée et d'épingles.

2 – Entailler le bord de la toile sur 2 cm avec les ciseaux de couturière, au niveau d'un des repères. Dégager un fil de la toile et couper le long de celui-ci en le soulevant au fur et à mesure de la coupe. Ce fil sert de guide et permet une découpe dite droit-fil.

3 – Prendre une grande aiguillée de fil à coudre, faire un nœud au bout. Piquer dans la toile régulièrement en faisant des points obliques à cheval sur le bord du tissu.

4 – Répéter les étapes 2 et 3 sur les trois autres côtés de la broderie. Arrêter en faisant plusieurs points rapprochés. Enlever les points uniquement quand la broderie est terminée.

LE TAMBOUR

Le tambour ou le métier à broder est un outil indispensable pour obtenir des points réguliers et ne pas déformer la toile. Il est composé de deux cercles en bois et d'une vis montée sur le cercle extérieur pour ajuster la tension du tissu. Il faut adapter la taille du tambour à celle de la broderie et, pour ne pas abîmer la toile, la protéger en enroulant un ruban ou du papier de soie autour des cercles et en desserrant le tambour à la fin de chaque séance de broderie.

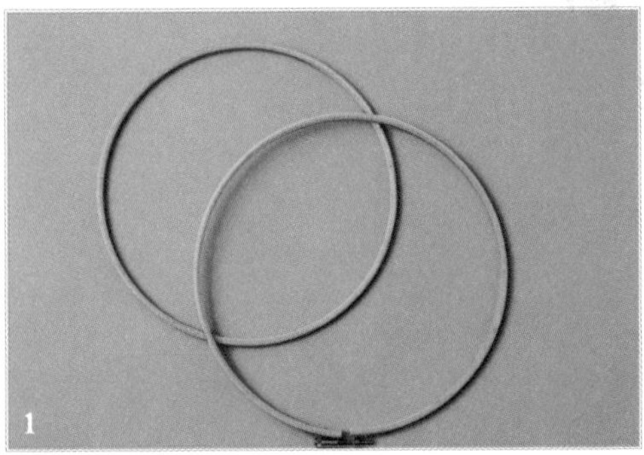

1

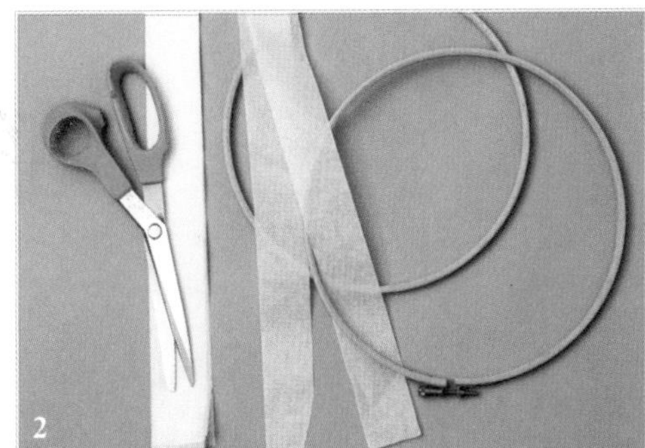

2

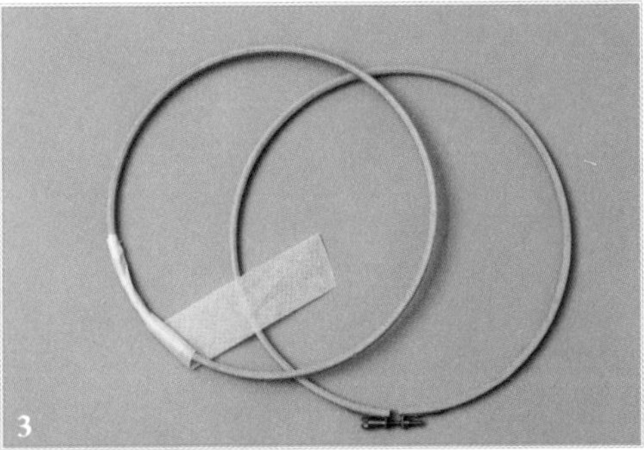

3

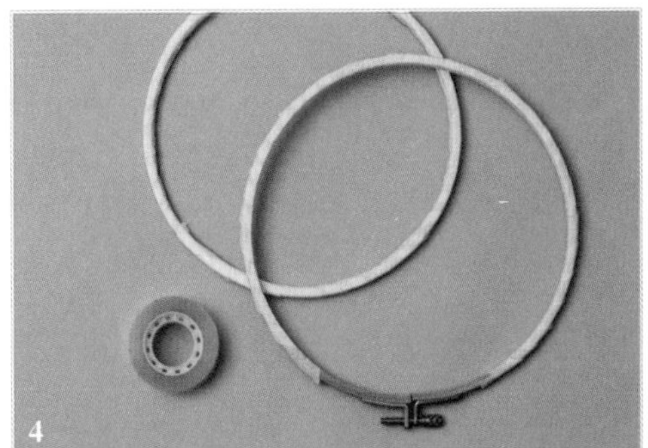

4

1 – Desserrer la vis du tambour et séparer le cercle extérieur de celui placé à l'intérieur.
2 – Découper deux à trois bandes de 5 cm de large dans du papier de soie blanc ou d'une couleur qui ne risque pas de se déposer sur le tissu.
3 – Plier en biais l'extrémité d'une bande de papier de soie sur 3 à 4 cm pour la fixer sur le cercle intérieur. Enrouler la bande en la serrant régulièrement sur l'armature en bois.

4 – À la fin de la première bande, replier l'extrémité de la suivante comme précédemment en la faisant chevaucher de quelques centimètres la précédente. Lorsque le cercle est entièrement recouvert, couper l'excédent de papier et fixer l'extrémité par un petit morceau de ruban adhésif.

SÉPARER LES FILS

Certains fils à broder comme le coton Mouliné sont composé de 6 brins et ne s'emploient pas forcément tels quels. Les explications de broderie indiquent le nombre de brins à employer. Afin de ne pas former des « chignons » de fils non réutilisables, il faut procéder ainsi pour séparer les fils.

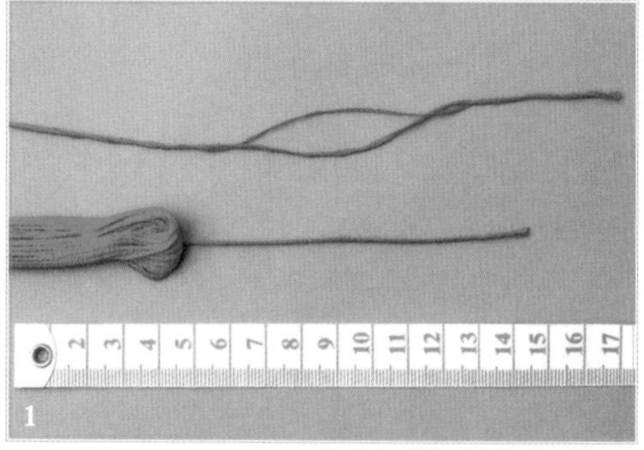

1 – Couper une longueur de fil de 30 cm environ. Placer le centre du fil entre pouce et index et tourner dans le sens inverse de la torsion du fil. Les 6 fils se séparent naturellement.

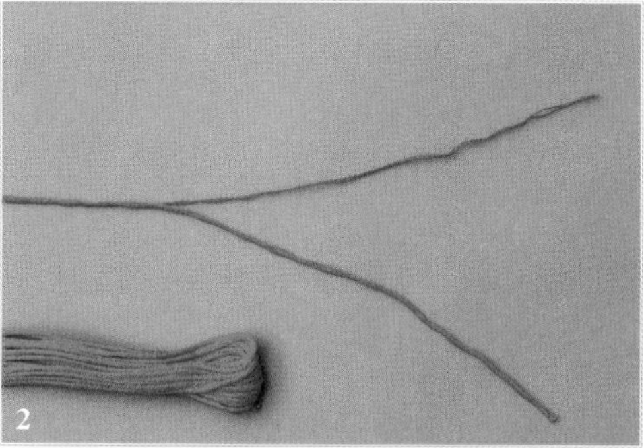

2 – Prendre le nombre de brins désiré dans une main, le reste dans l'autre et tirer. Au milieu, lâcher les extrémités, les reprendre et continuer à tirer jusqu'à ce qu'ils soient séparés.

ENFILER LES FILS

Les fils sont plus ou moins faciles à enfiler dans le chas d'une aiguille en fonction de la fibre qui les compose.

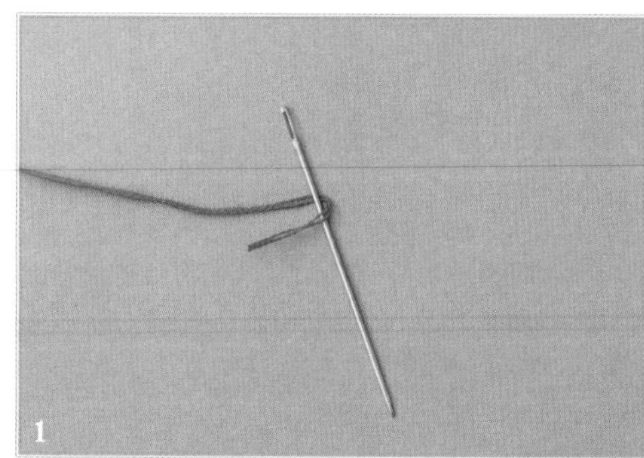

1 – Couper le fil net. Plier en deux sur 2 cm l'extrémité du fil en le positionnant à cheval sur l'aiguille. Insister pour bien marquer la pliure.

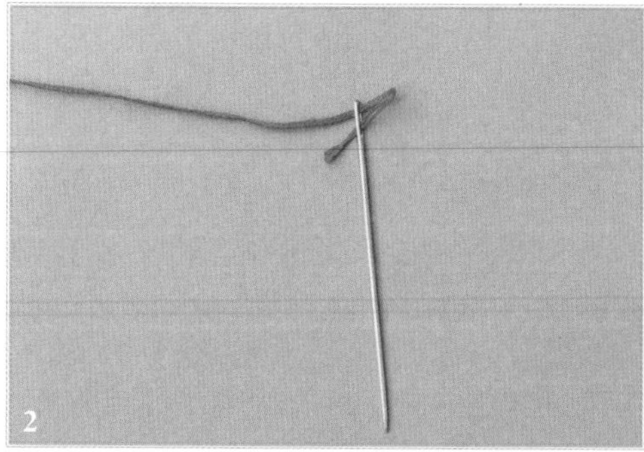

2 – Présenter le pli du fil devant le chas de l'aiguille puis pousser pour introduire les brins dans celui-ci. Attraper la boucle de fil et tirer.

COMMENCER UNE AIGUILLÉE

En principe, il ne faut jamais commencer un point de broderie par un nœud. Au fur et à mesure de la réalisation, ces derniers forment des reliefs au dos de l'ouvrage et marquent la surface de la toile. D'autre part, les nœuds ne sont pas très solides et sur les ouvrages souvent manipulés ils se défont facilement.

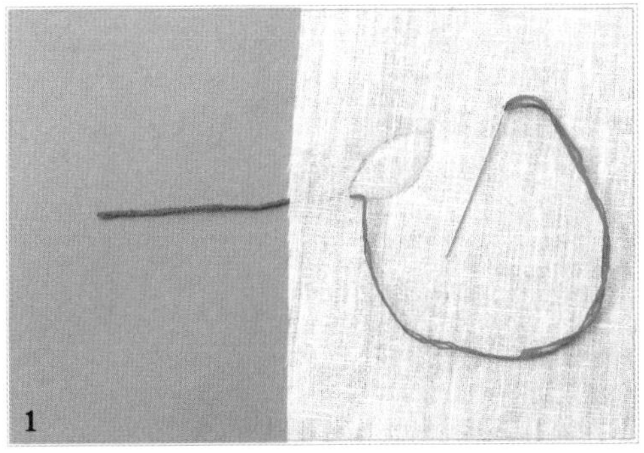

1 – Piquer l'aiguille dans la toile et laisser pendre au dos de l'ouvrage 3 à 4 cm de fil.

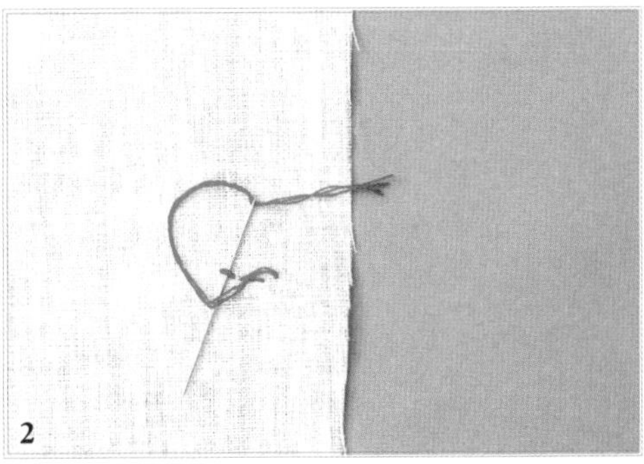

2 – Réaliser les 3 ou 4 premiers points. Sur l'envers de la broderie et avec une autre aiguille, glisser le fil flottant sous ces premiers points.

TERMINER UNE AIGUILLÉE

Il ne faut jamais terminer une aiguillée par un nœud pour les mêmes raisons qu'il ne faut jamais commencer par un nœud !

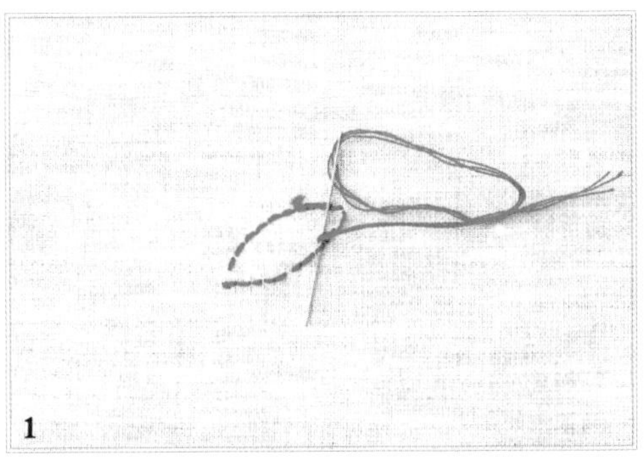

1 – Lors du dernier point, piquer l'aiguille vers l'envers de l'ouvrage puis la glisser sous 3 ou 4 points sans piquer dans la toile. Tirer l'aiguillée.

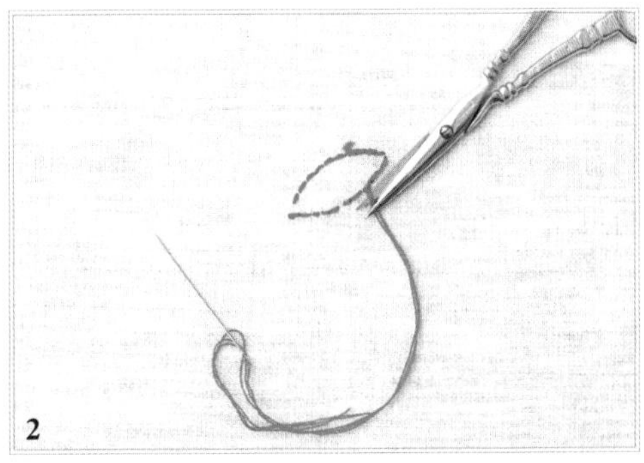

2 – Faire un point arrière en glissant à nouveau l'aiguille sous ces mêmes points. Couper le fil le plus près possible de la toile.

LIRE UNE GRILLE

Les ouvrages à points comptés se réalisent à partir d'un dessin reporté sur une grille. Il existe plusieurs manières de présenter une grille mais chaque carreau signalé correspond toujours à un point à broder.

LE DIAGRAMME AVEC DES SYMBOLES

Chaque coloris correspond à un symbole inscrit dans les carreaux de la grille. Les carrés laissés en blanc doivent être laissés vierges.
Le récapitulatif des symboles utilisés et les correspondances avec les coloris sont indiqués le plus souvent en marge de la grille.

LE DIAGRAMME EN COULEURS

C'est peut-être la manière la plus employée car elle permet une lecture facile et rapide durant le travail.
Chaque carré coloré correspond au coloris de fil à broder à employer.
Un récapitulatif des coloris est indiqué le plus souvent en marge de la grille.

→ **CONSEIL**

En général, une broderie se commence par le point situé au centre de la grille. Un repère en fil de bâti doit également être effectué au centre de la toile. Si le diagramme n'indique pas le centre du motif, il faut le calculer avant de commencer l'ouvrage.
Rayer les rangées réalisées au fur ou à mesure ou bien dessiner un repère dans la marge du rang brodé à l'aide d'un crayon à papier facilite la lecture de la grille. Cette méthode permet de ne pas se tromper de ligne et de broder tous les points.

Cette abeille a été brodée sur des toiles de différentes tailles avec des nombres de brins de coton Mouliné différents. Plus la toile comporte de fils (et donc de points) au centimètre plus le motif est petit, et inversement !
(voir page 81, motif de 17 x 19 points)

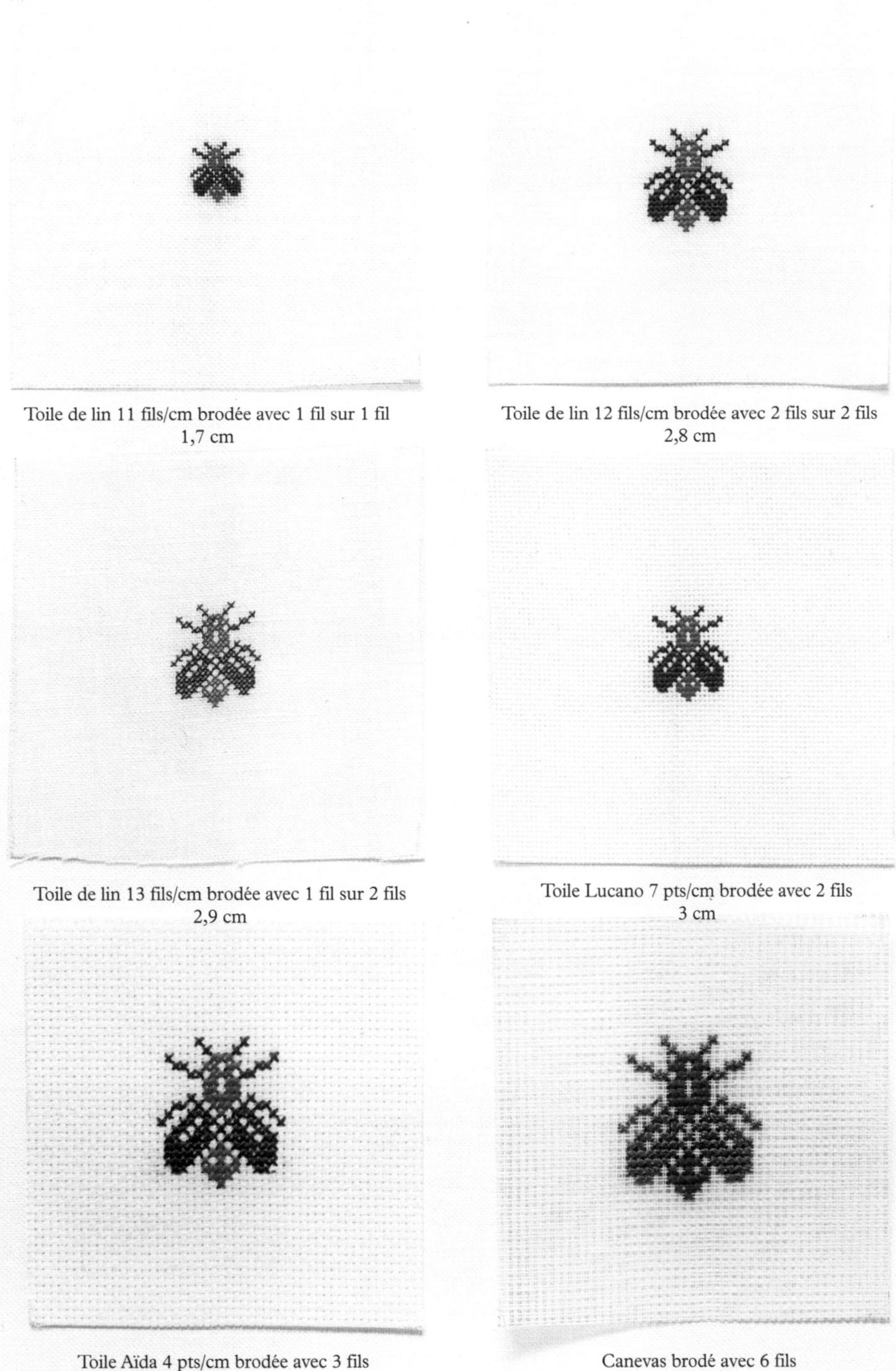

Toile de lin 11 fils/cm brodée avec 1 fil sur 1 fil
1,7 cm

Toile de lin 12 fils/cm brodée avec 2 fils sur 2 fils
2,8 cm

Toile de lin 13 fils/cm brodée avec 1 fil sur 2 fils
2,9 cm

Toile Lucano 7 pts/cm brodée avec 2 fils
3 cm

Toile Aïda 4 pts/cm brodée avec 3 fils
4,5 cm

Canevas brodé avec 6 fils
5 cm

REPORTER UN MOTIF

PAR TRANSPARENCE

Il existe plusieurs façons de reporter un motif sur un tissu. Lorsque le tissu est fin et de couleur assez claire, il est possible de reporter le dessin par transparence. Cette méthode est la plus simple et la plus rapide.

1

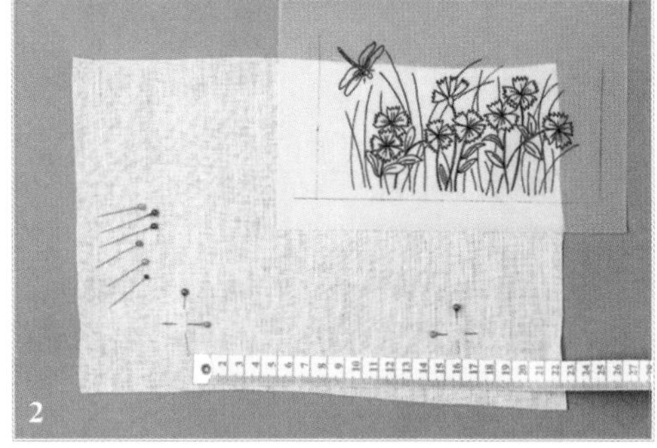

2

3

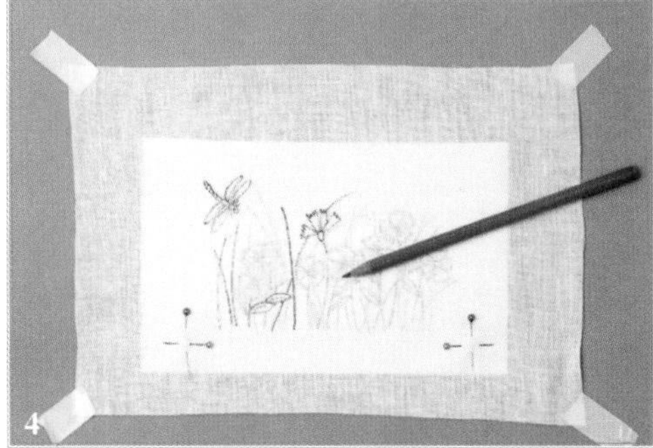

4

1 – Après avoir relevé le motif sur du papier-calque avec un feutre noir, le placer sur le plan de travail. Maintenir les angles par des morceaux de ruban adhésif si le papier bouge.

2 – Faire des repères de placement sur la toile, à l'aide d'une règle graduée et d'épingles.

3 – Placer la toile sur le papier-calque en respectant les repères. Maintenir la toile en posant du ruban adhésif autour ou en plaçant des poids aux angles.

4 – Reporter le motif sur la toile avec un crayon à papier. Le tracé disparaîtra sous les points de broderie.

AVEC DU PAPIER CARBONE

Lorsque la toile est épaisse ou de couleur foncée, il faut utiliser un papier carbone spécial textile, que vous trouverez dans les merceries ou les magasins de loisirs créatifs. Le papier carbone foncé est préconisé pour les tissus de ton clair ou moyen, celui de couleur clair est utilisé pour des tissus foncés.

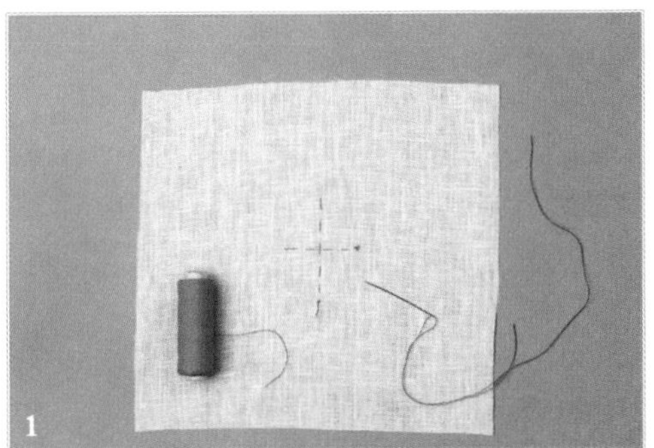

1 – Marquer des repères sur le tissu avec quelques points de bâti afin de centrer le motif. Poser le tissu repassé sur le plan de travail.
2 – Décalquer le dessin et le positionner en tenant compte des repères. Fixer le papier-calque au tissu avec des épingles sur un bord.

3 – Soulever le papier-calque et glisser le papier carbone dessous, face colorée contre le tissu. Maintenir les trois épaisseurs (tissu/carbone/calque) par des épingles.
4 – Repasser sur le tracé du motif avec un stylo à pointe dure ; l'encre va se déposer sur le tissu. Ce tracé s'effacera au premier lavage.

AVEC UN CRAYON TRANSFERT

C'est la même technique de report que pour celui par transparence. Ce type de crayons est disponible en mercerie et dans les magasins spécialisés.

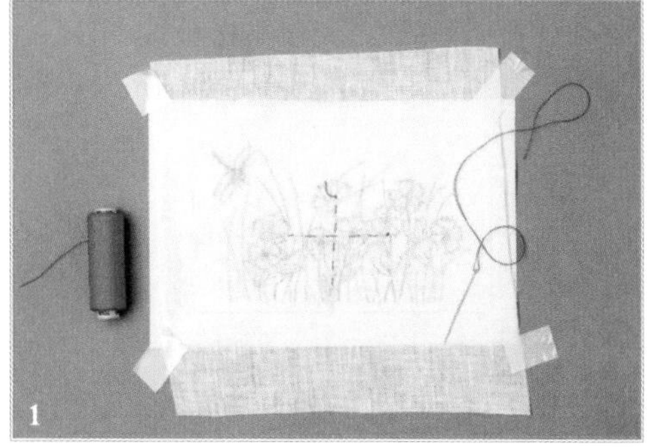

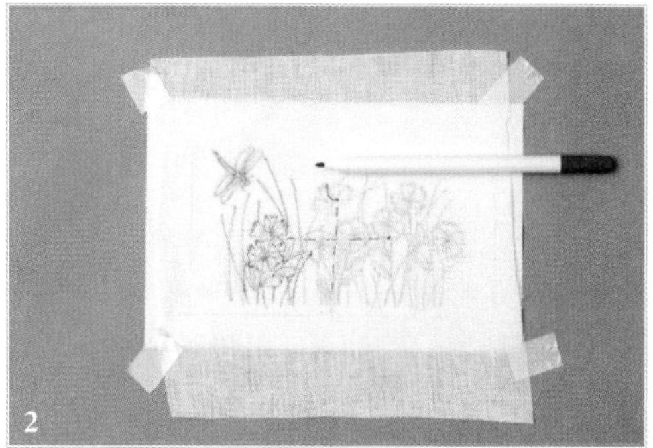

1 – Relever le motif sur du papier-calque. Faire des repères de placement sur la toile. Positionner la toile sur le papier-calque. Maintenir la toile en posant du ruban adhésif.

2 – Relever le motif sur la toile avec le crayon transfert.

AVEC DU FILM SOLUBLE

Cette technique issue de l'industrie textile permet de reporter des motifs sur des supports qui n'acceptent aucune autre technique. Ce film, présenté en rouleaux, est disponible dans les magasins de machines à coudre.

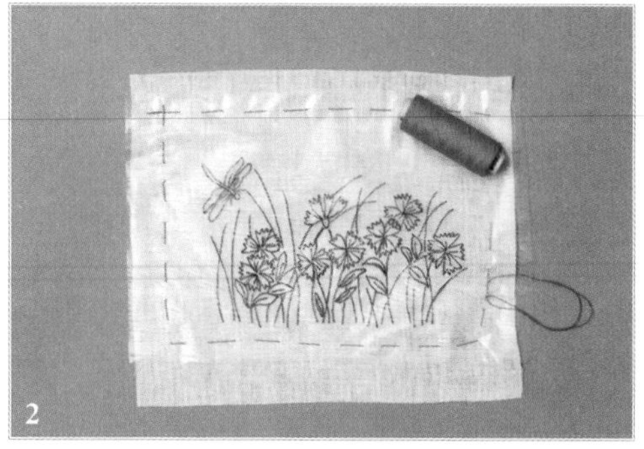

1 – Décalquer le motif sur le film. Faire des repères de placement sur la toile, à l'aide d'une règle et d'épingles.

2 – Bâtir le film sur le tissu. Broder les deux épaisseurs. Tremper dans de l'eau tiède pour dissoudre le film.

Un motif peut tout à fait être réduit ou agrandi suivant l'utilisation prévue. Il suffit d'utiliser une photocopieuse jusqu'à trouver la bonne taille, puis de décalquer le motif suivant la méthode choisie. Il ne reste plus qu'à le broder en adaptant le nombre de fils de broderie nécessaires. Ce papillon a été modifié six fois. Plus le taux d'agrandissement est grand, plus le motif sera imposant, et inversement !

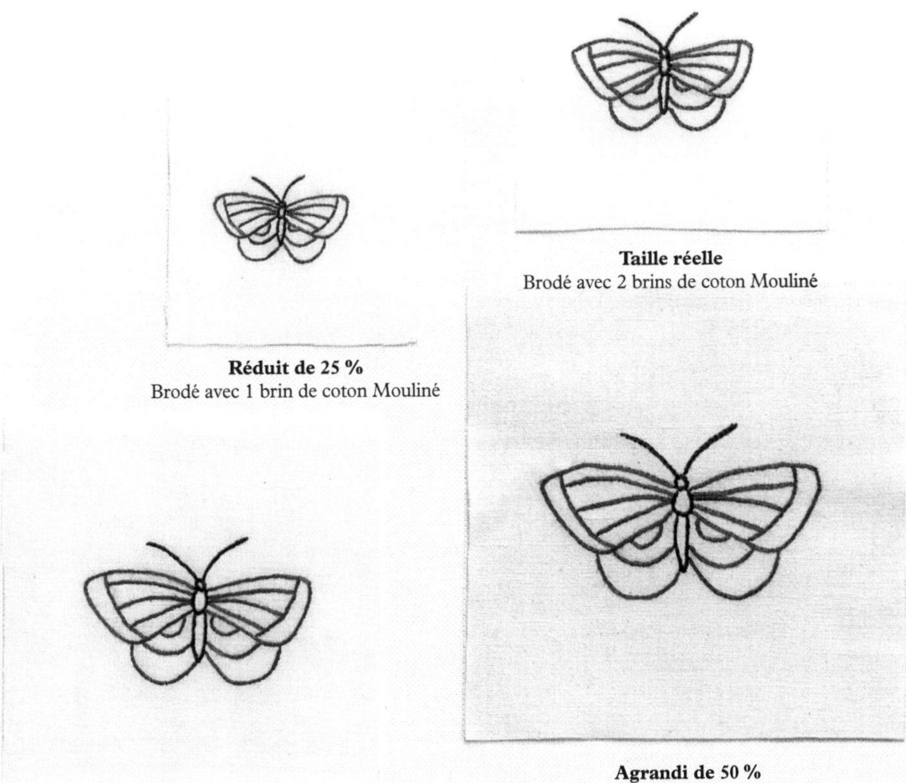

Taille réelle
Brodé avec 2 brins de coton Mouliné

Réduit de 25 %
Brodé avec 1 brin de coton Mouliné

Agrandi de 50 %
Brodé avec 2 brins de coton Mouliné

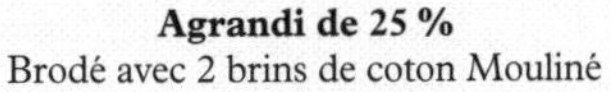

Agrandi de 25 %
Brodé avec 2 brins de coton Mouliné

Agrandi de 100 %
Brodé avec 3 brins de coton Mouliné

Agrandi de 150 %
Brodé avec 3 brins de coton Mouliné

CHAPITRE 1

MAÎTRISER LES POINTS DE BASE

CHAPITRE 1

leçon n° 1

MAÎTRISER LES POINTS DE BASE

LEÇON N° 1

LE POINT AVANT*

exercice : recouvrir des boutons

explications → page 40 • montage → page 41 • motifs → pages 40-41
variantes → pages 208-211

FOURNITURES

Chutes de coton et de lainage

Boutons à recouvrir de 38 mm diamètre

Échevette de coton Spécial à broder n° 16 DMC rouge (321), vert (471) et beige (3033)

MATÉRIEL

Aiguille à broder à bout pointu n° 7

Stylo feutre blanc

Ciseaux à broder

Ciseaux de couturière

Règle

DIMENSIONS DE LA BRODERIE

38 mm de diamètre

POINT EMPLOYÉ

Le point avant

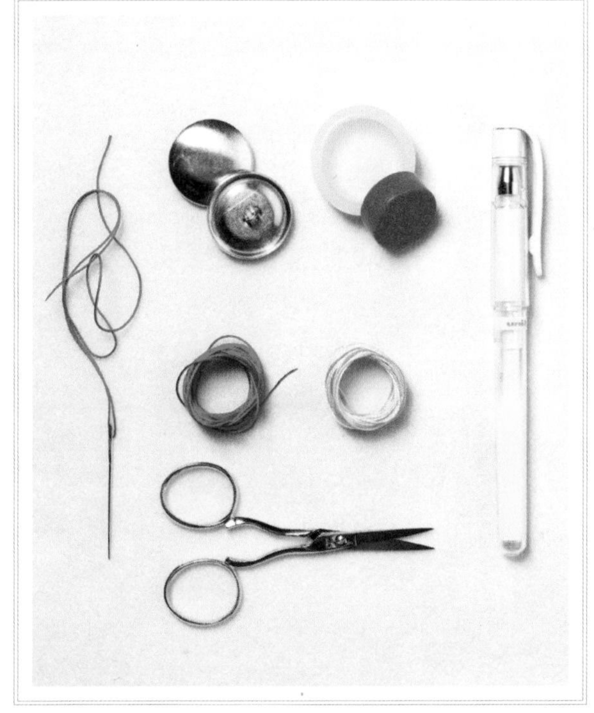

* C'est le point le plus simple en broderie, mais il sert également en couture. Utilisé comme point de contour, il se travaille de droite à gauche et consiste à piquer la toile régulièrement par-dessus puis par-dessous le long du motif. On le trouve aussi sous le nom de point de devant.

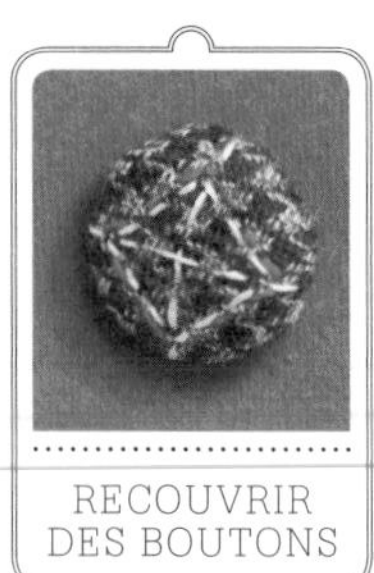

RECOUVRIR DES BOUTONS

1 / Tracer

Avec le feutre blanc, relever sur les tissus le contour de la calotte du bouton à recouvrir. En s'inspirant des motifs, reporter, à main levée ou à l'aide de la règle, les motifs au centre des cercles tracés.

2 / Couper

Couper les tissus en laissant 5 cm autour des motifs.

3 / Broder

Broder les motifs en respectant les couleurs proposées vous reportant aux couleurs des modèles ou bien en choisissant d'autres coloris.

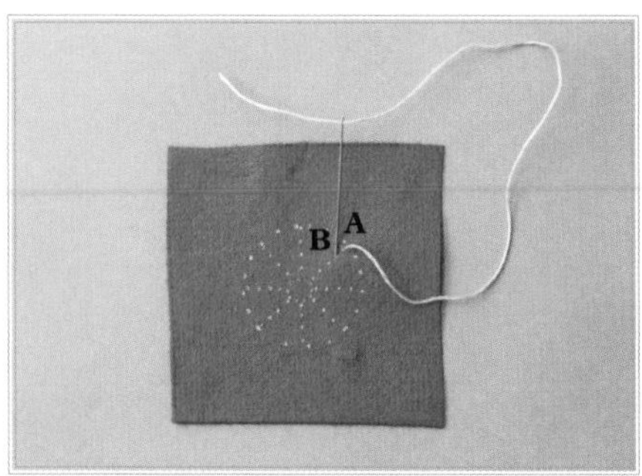

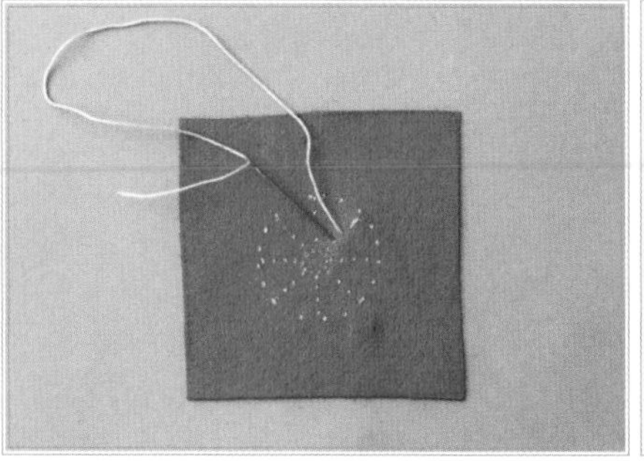

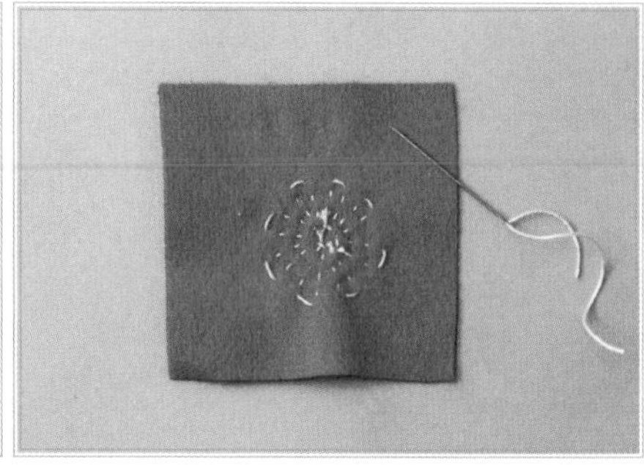

1 Tirer l'aiguillée en A et la repiquer à quelques millimètres sur le tracé en B. Tirer le fil au dos pour former le premier point.

2 Piquer à nouveau par-dessous à quelques millimètres sur le tracé en respectant la même distance que pour le premier point et repiquer dans le tissu vers la gauche pour former le second point. Procéder ainsi tout le long du tracé du motif.

3 Au dos de l'ouvrage, le motif est également composé de petits points avant. Ce point doit être très régulièrement brodé et à petits points pour être vraiment joli.

motifs de broderie des différents boutons

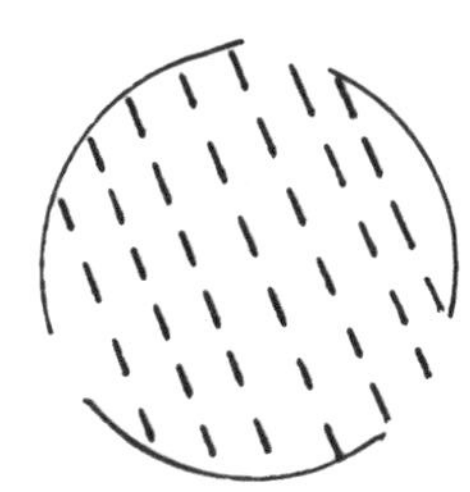

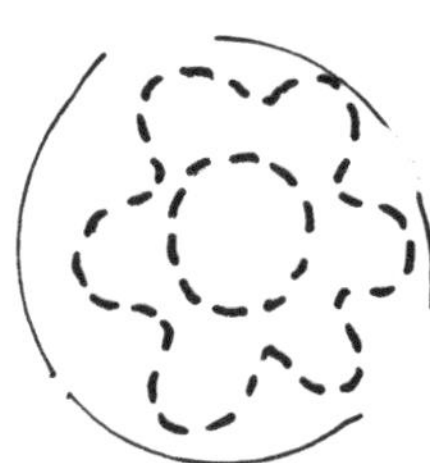

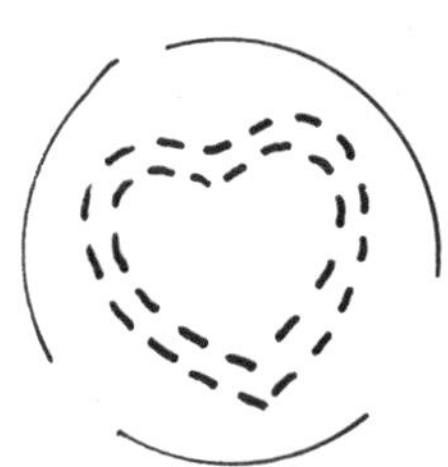

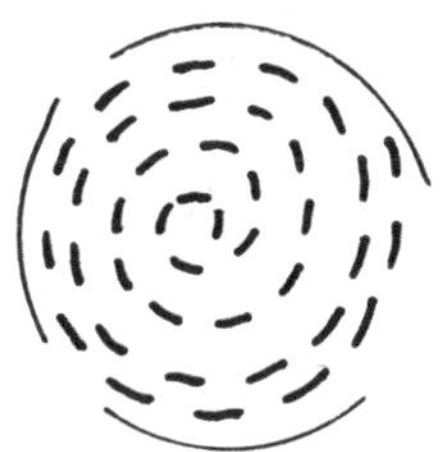

4 / Recouvrir les boutons

Une fois les broderies réalisées, couper les fils à ras sur l'envers de la broderie pour éviter les épaisseurs qui risqueraient de se voir ensuite.

1 Recouper le tissu à 1 cm du tracé.

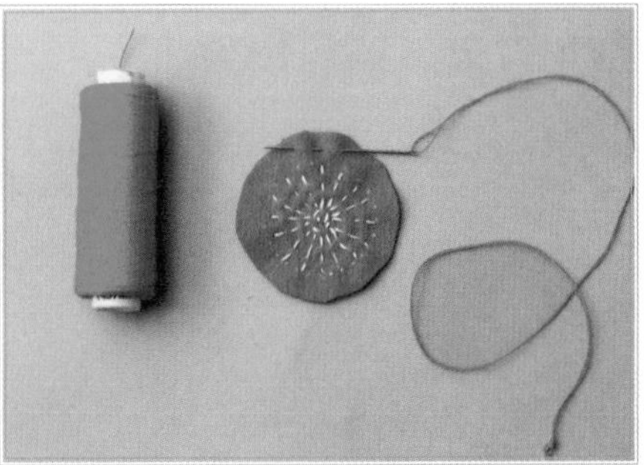

2 Passer un fil de fronces à 5 mm du contour extérieur du tracé. Resserrer le fil afin de former une petite poche.

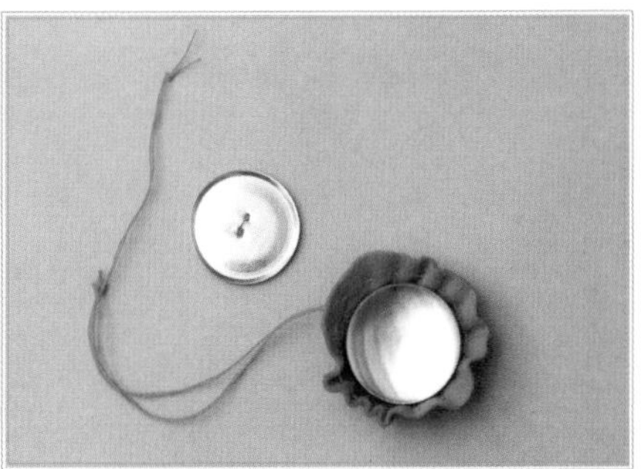

3 Placer la calotte du bouton dans la petite poche précédemment formée, côté bombé contre le tissu.

4 Resserrer complètement le fil de fronces et nouer les extrémités du fil. Le tissu doit parfaitement gainer la calotte.

5 Placer la seconde partie du bouton dans le creux de la calotte et appuyer fortement. Le bouton est terminé.

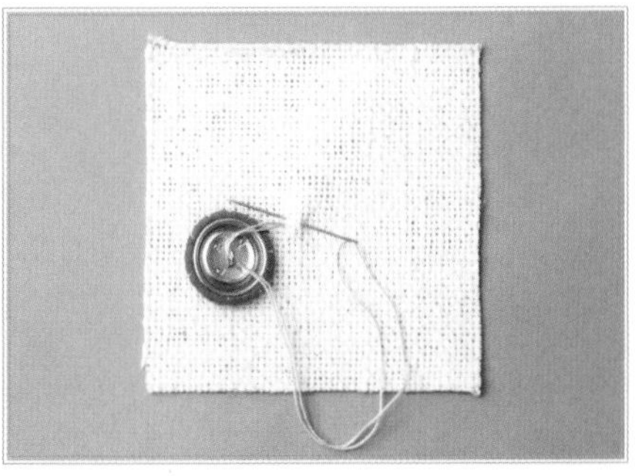

6 Coudre la queue du bouton avec un fil à coudre monté en double et en le fixant par plusieurs points arrière piqués dans le tissu.

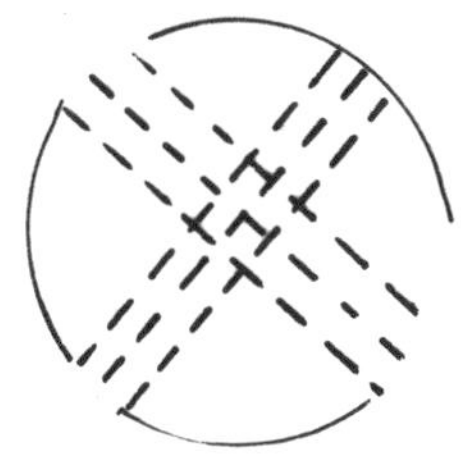

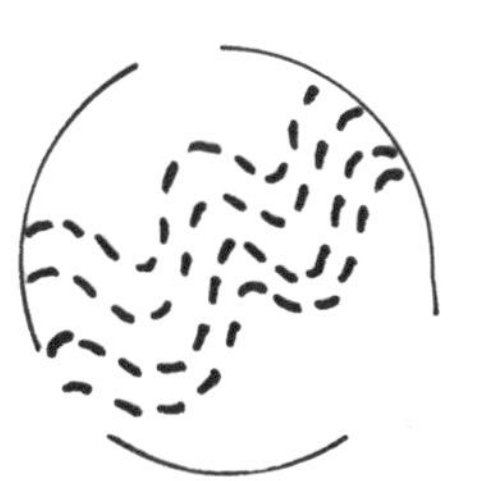

—— **point avant**

CHAPITRE 1

leçon n° 2

MAÎTRISER LES POINTS DE BASE

LEÇON N° 2

LE POINT DE PIQÛRE*

exercice : réaliser un tablier avec une poche brodée

explications → page 44 • couture → page 45 •
schéma coté et plan de coupe → page 46 • motif → page 47

FOURNITURES

150 x 110 cm de coton beige

2 boutons de nacre de 23 mm de diamètre

Échevette de coton Mouliné DMC bleu (312)

Fil à coudre coordonné

MATÉRIEL

Aiguille à broder à bout pointu n° 9

Épingles

Tambour à broder

Ciseaux à broder

Ciseaux de couturière

Papier-calque et papier carbone

Papier quadrillé à carreaux de 5 cm de côté

Crayon à papier

Règle

TAILLE UNIQUE

DIMENSIONS DE LA BRODERIE

18 x 20 cm

POINT EMPLOYÉ

Le point de piqûre

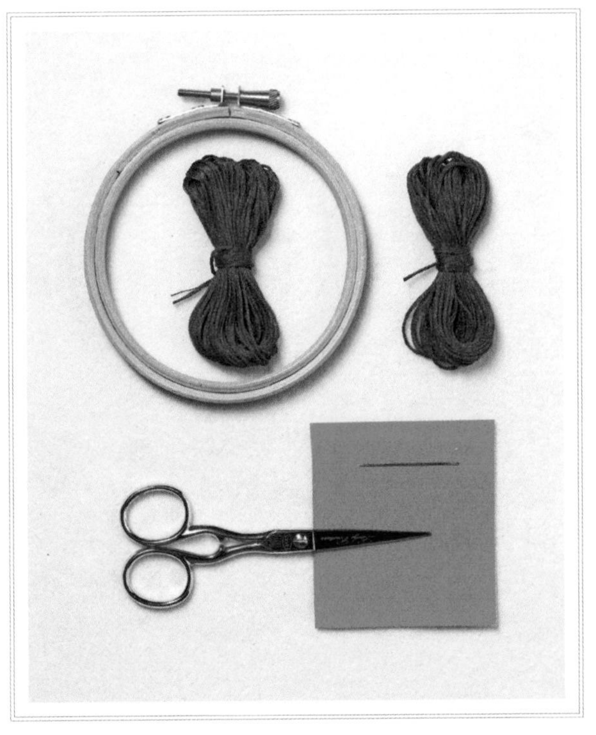

* En broderie, le point de piqûre permet de réaliser des petits points bien plats pour cerner avec précision un motif. Au dos de l'ouvrage, le point de piqûre a l'aspect d'un point de tige.

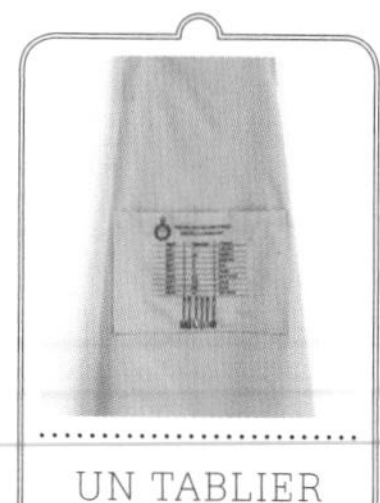

1 / Tracer

Tracer le patron du tablier sur une feuille quadrillée à carreaux de 5 cm de côté en se référant au schéma coté puis noter les repères de couture. Couper ensuite les différentes parties du patron.

2 / Couper

Placer le patron du tablier dans le biais et les autres pièces dans le droit-fil. Tracer les contours des pièces à l'aide du crayon à papier et de la règle. Couper à 1,5 cm du tracé.

3 / Broder

Relever le motif à broder sur le papier-calque. Centrer le motif sur la poche et tracer en employant la méthode du décalque au carbone. Monter la poche sur le tambour et broder avec 2 brins de Mouliné.

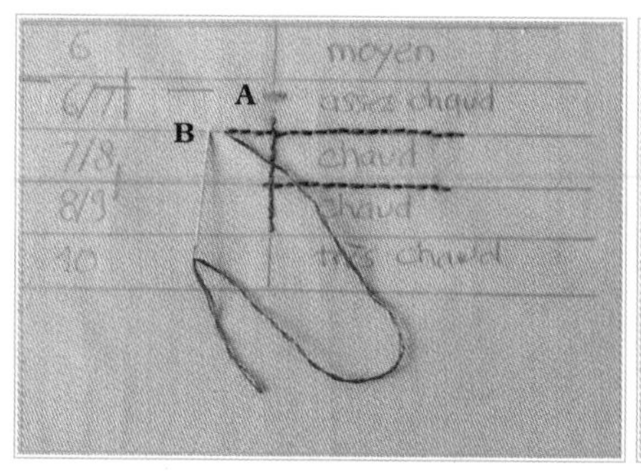

1 Sortir la pointe de l'aiguille sur le tracé en A et la repiquer à quelques millimètres vers la gauche en B.

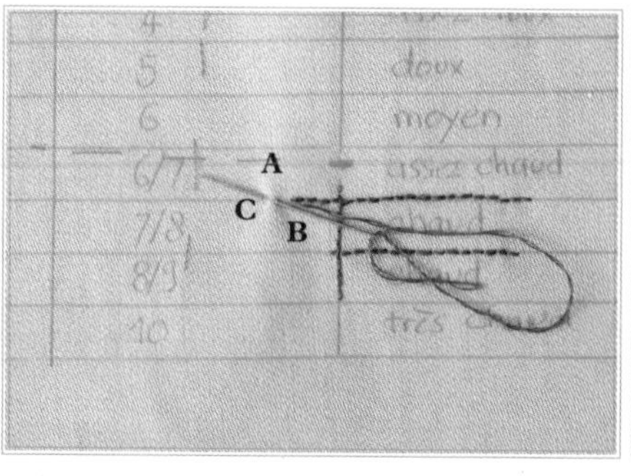

2 Sortir la pointe de l'aiguille vers la gauche en C à quelques millimètres du premier point. Tirer souplement l'aiguillée.

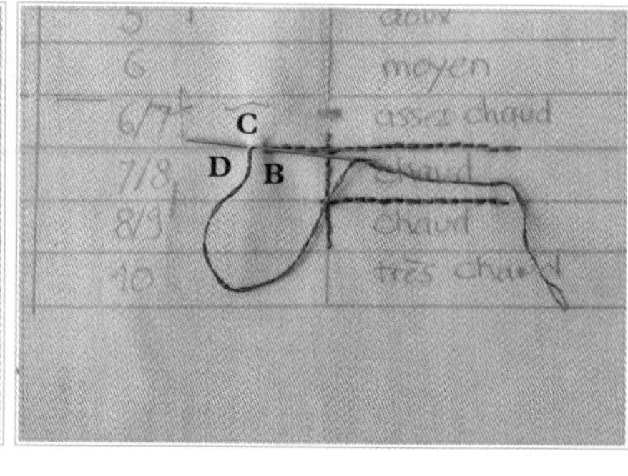

3 Réaliser le point suivant en repiquant en B et en ressortant à gauche en D.

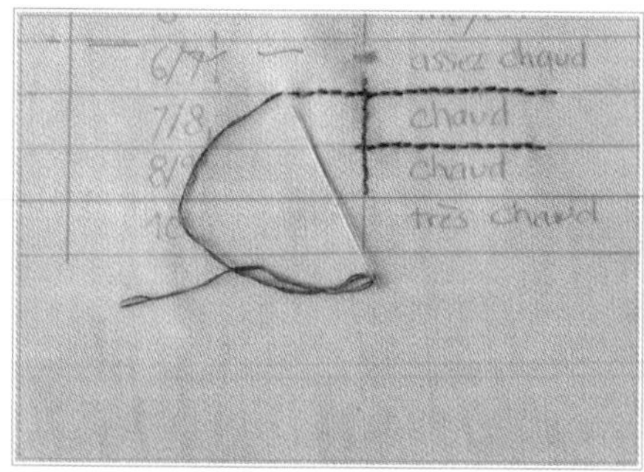

4 Tirer l'aiguillée et continuer en piquant à droite et en ressortant à gauche, en réalisant des points d'égale longueur.

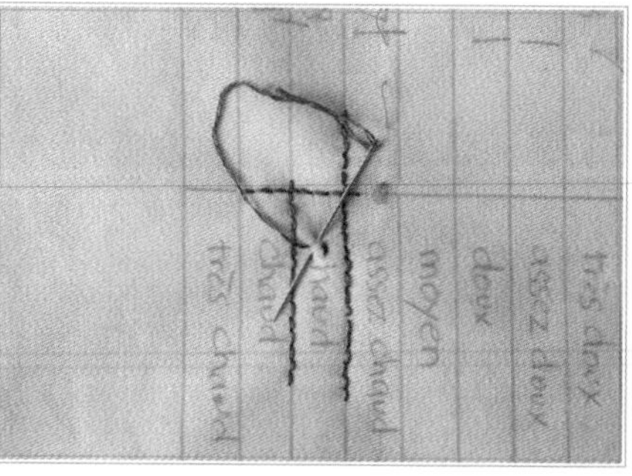

5 Sur les courbes, orienter le tissu au fur et à mesure de l'avancée de l'ouvrage de façon à toujours travailler de la droite vers la gauche.

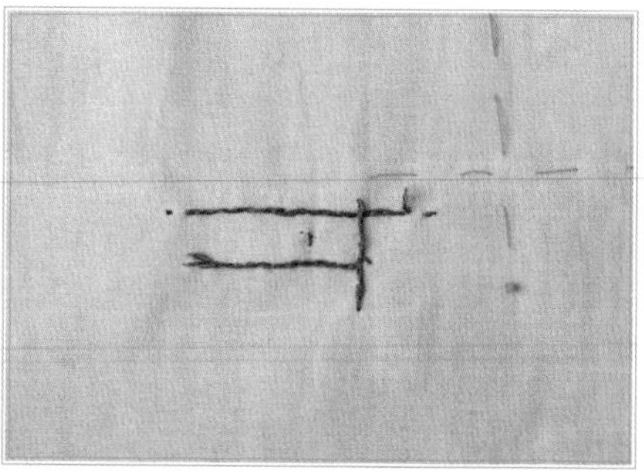

6 L'envers de la broderie présente des lignes continues brodées au point de tige. La broderie de la poche terminée, retirer le tambour et repasser la poche avant de la coudre.

4 / Coudre

Surfiler le contour des pièces, sauf les arrondis. Faire un rentré autour des emmanchures et piquer. Ourler le haut de la bavette et les côtés du tablier. Préparer la poche et la piquer sur le tablier. Réaliser les bretelles et les piquer sur le tablier. Faire deux boutonnières et coudre deux boutons en vis-à-vis. Faire un ourlet en bas du tablier.

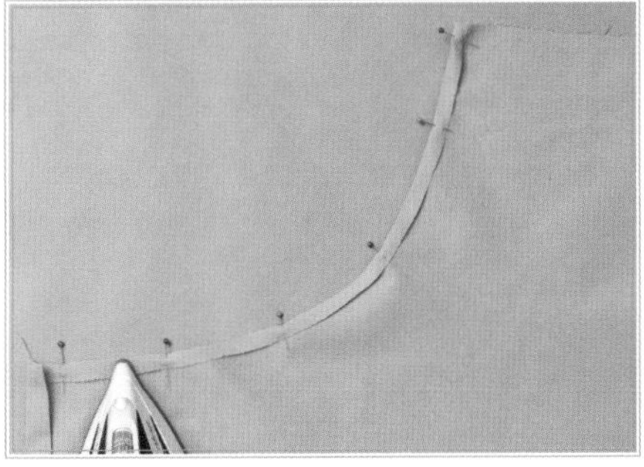

1 Former au fer un rentré de 1,5 cm sur les emmanchures du tablier. Épingler puis piquer à 1 cm du bord.

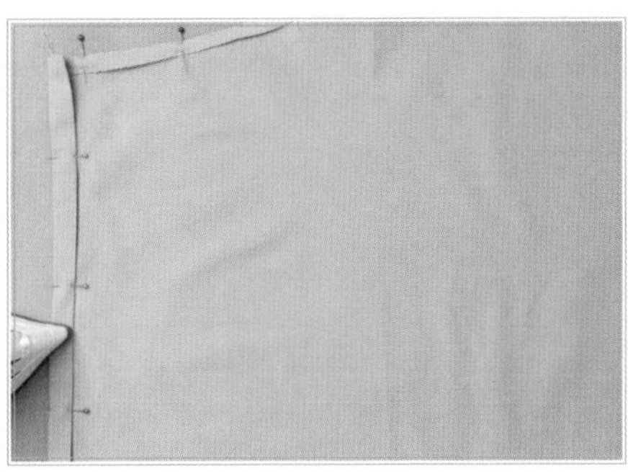

2 Former un ourlet sur le haut de la bavette et les côtés du tablier. Faire un premier repli de 5 mm et un second de 1,5 cm. Épingler puis piquer à 1 cm du bord.

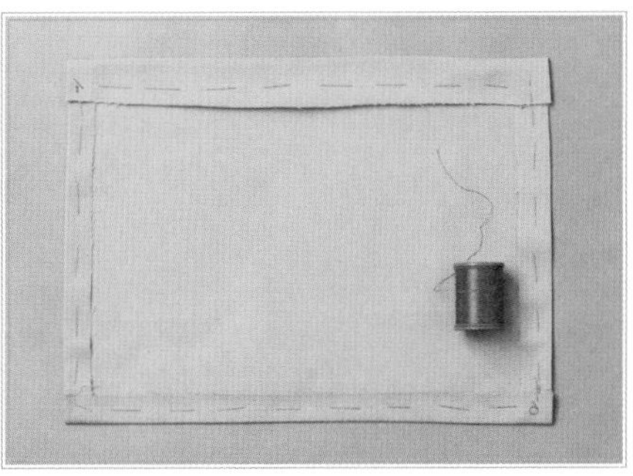

3 Pour préparer la poche, faire un rentré de 3 cm sur le haut de la poche et un rentré de 1,5 cm sur les trois autres côtés. Bâtir les quatre côtés. Piquer l'ourlet du haut à 1,5 cm du bord.

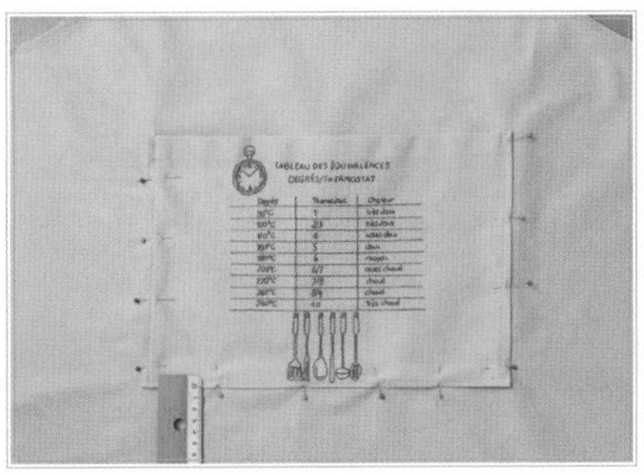

4 Centrer la poche sur l'endroit du tablier en respectant les indications du schéma coté. Épingler puis piquer les 3 côtés à 3 mm du bord. Réaliser une couture centrale pour partager la poche en deux parties.

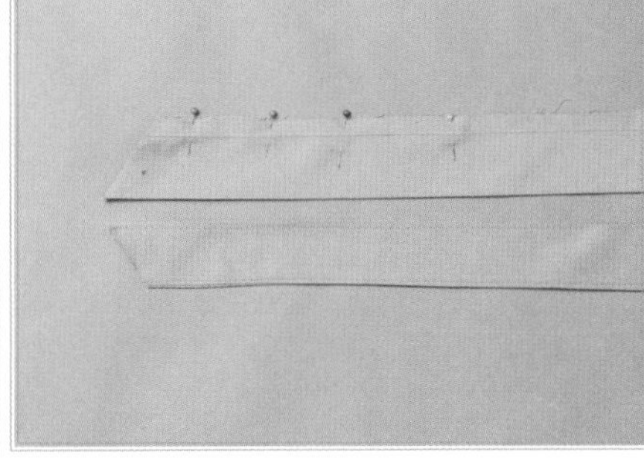

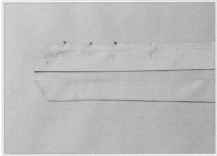

5 Plier en deux les bretelles, au fer, épingler les côtés et les piquer. Laisser les extrémités ouvertes. Ouvrir les coutures au fer. Retourner sur l'endroit et repiquer les deux longueurs des bretelles à 3 mm du bord.

6 Replier les extrémités des bretelles sur 1 cm à l'intérieur du montage. Épingler une extrémité des bretelles de chaque côté du haut de la bavette, sur l'envers. Piquer.

7 Croiser les bretelles, épingler la seconde extrémité des bretelles sur les repères indiqués sur le schéma coté. Piquer. Avant de piquer, ajuster la hauteur des bretelles.

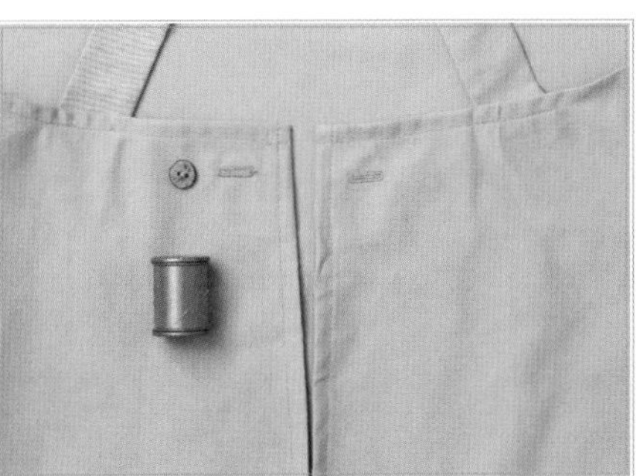

8 Régler la machine sur le point de boutonnière. Mettre en place le pied adapté. Broder une boutonnière aux emplacements indiqués. Coudre ensuite les boutons en vis-à-vis et en croisant les pans du tablier.

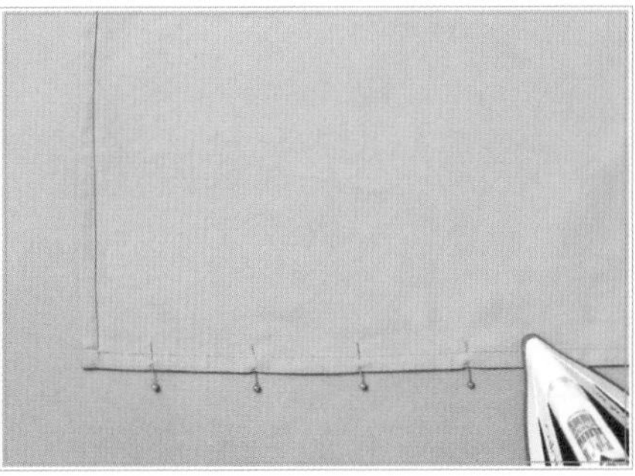

9 Former un ourlet au fer en bas du tablier. Faire un premier repli de 1 cm et un second de 1,5 cm. Épingler puis piquer à 1 cm du bord.

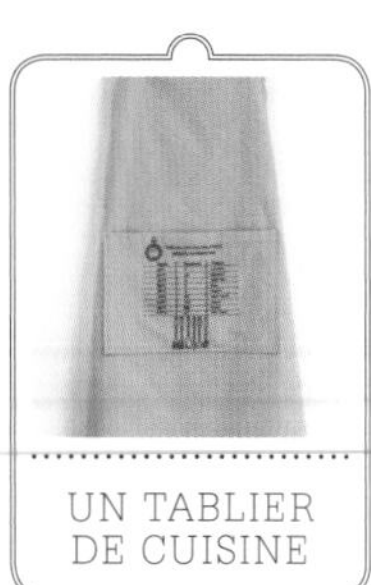

✻ **schéma coté**

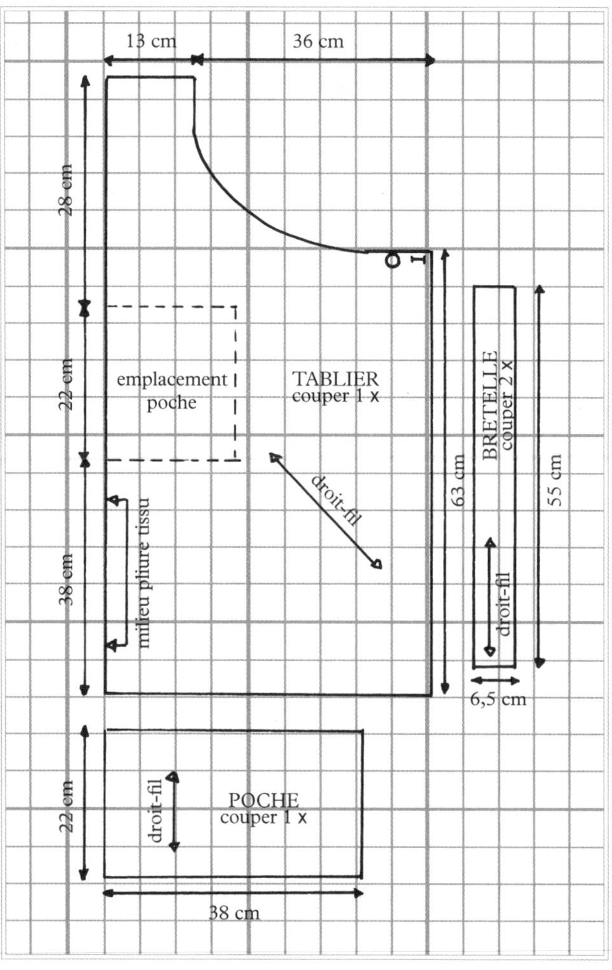

✻ **plan de coupe**

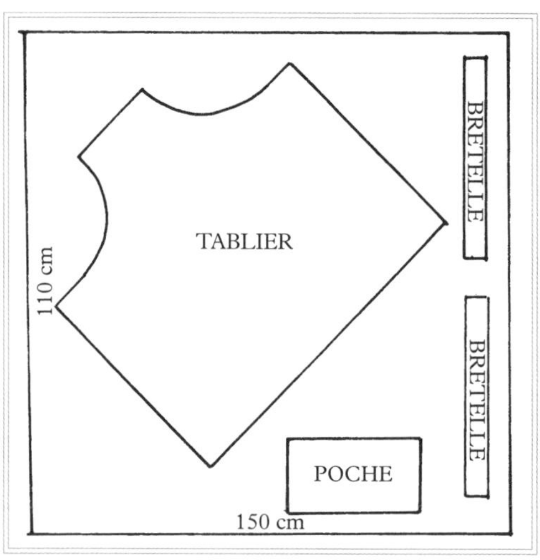

→ **ASTUCE**

Au cours du travail, le fil à broder a tendance à se tordre. Le fil devient alors fragile, s'use facilement et les points sont moins réguliers. Régulièrement durant la broderie, il faut laisser pendre le fil et l'aiguille à la manière d'un fil à plomb. Le fil va tourner sur lui-même et reprendre sa torsion initiale.

TABLEAU DES ÉQUIVALENCES DEGRÉS/THERMOSTAT

Degrés	Thermostat	Chaleur
50°C	1	très doux
100°C	2/3	très doux
120°C	4	assez doux
150°C	5	doux
180°C	6	moyen
200°C	6/7	assez chaud
220°C	7/8	chaud
240°C	8/9	chaud
260°C	10	très chaud

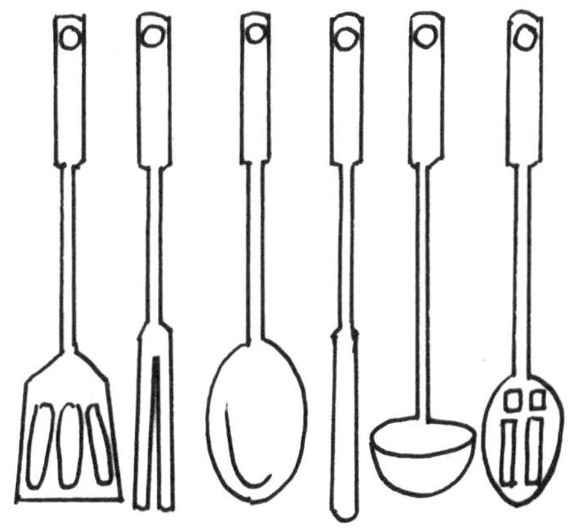

——— point de piqûre

CHAPITRE 1

leçon n° 3

MAÎTRISER LES POINTS DE BASE

LE POINT DE TIGE*

exercice : broder une frise et réaliser une jupe portefeuille

explications → page 50 • couture → page 51
schéma coté et plan de coupe → page 52 • motifs → page 53

FOURNITURES

90 x 110 cm (S), 90 x 120 cm (M) et (L) de large de lainage marine

2 m de gros-grain marine de 2,5 cm de large

Échevette de coton Spécial à broder n° 20 DMC blanc

Fil à coudre coordonné

MATÉRIEL

Aiguille à broder à bout pointu n° 7

Épingles

Tambour à broder

Ciseaux à broder

Ciseaux de couturière

Papier-calque et papier carbone blanc

Papier quadrillé à carreaux de 5 cm de côté

Roulette

Règle

TAILLES

S = 36/38

M = 38/40

L = 40/42

DIMENSIONS DE LA BRODERIE

8 x 40 cm

POINT EMPLOYÉ

Le point de tige

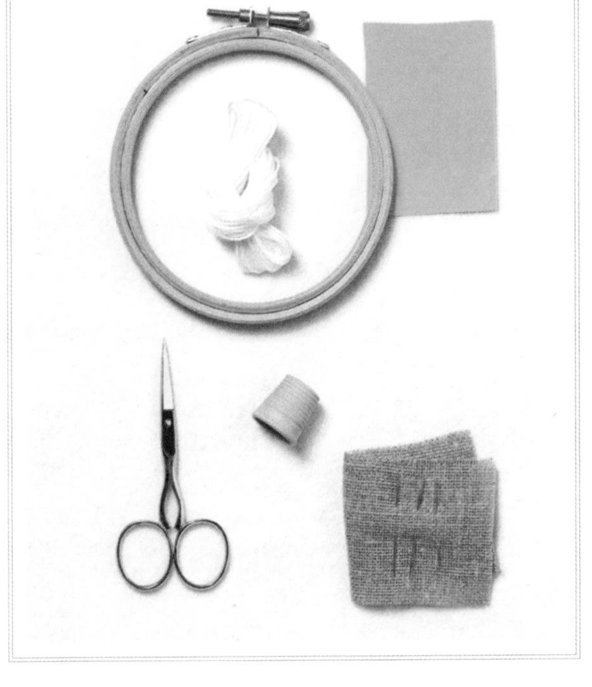

* Le point de tige est dénommé ainsi parce qu'il est idéal pour suivre des contours, et donc en broderie traditionnelle il sert le plus souvent à cerner des motifs, à broder les volutes, les tiges et les vrilles des motifs floraux.

UNE JUPE PORTEFEUILLE

1 / Tracer

Tracer le patron sur une feuille quadrillée à carreaux de 5 cm de côté en se référant au schéma coté puis noter les repères de couture. Couper ensuite les différentes parties du patron.

2 / Couper

Plier le tissu en deux et placer les pièces du patron en respectant le droit-fil. Tracer les contours des pièces à l'aide du papier carbone, de la roulette et de la règle. Couper sur le tracé.

3 / Broder

Relever 2 fois la frise à broder sur le papier-calque. Placer le motif à broder sur le pan du dessus de la jupe, à 8 cm (ourlets de la jupe terminés) du côté et du bas de la jupe. Tracer les motifs avec le carbone. Monter la pièce de tissu sur le tambour.

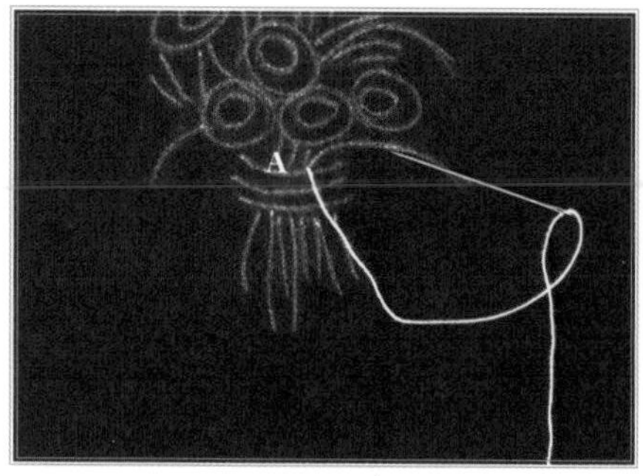

1 Commencer la broderie par les tiges du motif. Sortir l'aiguille au début du tracé en A. Le point de tige se travaille de la gauche vers la droite.

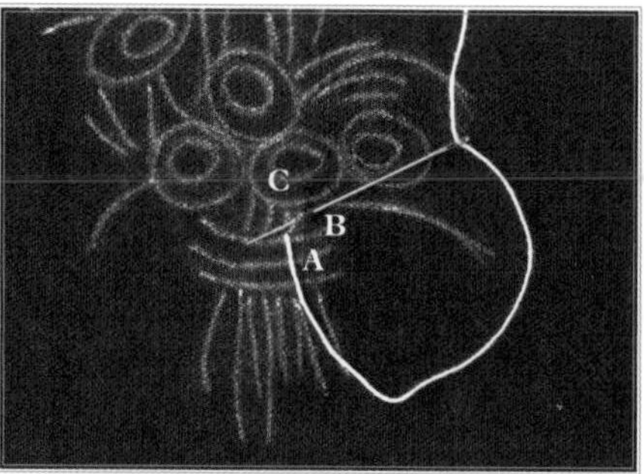

2 Piquer en B à quelques millimètres vers la droite et sortir la pointe de l'aiguille en C, au milieu des points A et B.

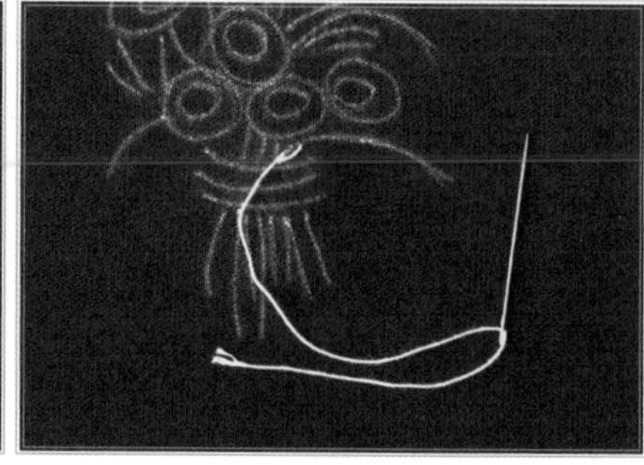

3 Orienter le fil vers le bas et tirer souplement l'aiguillée pour former le premier point.

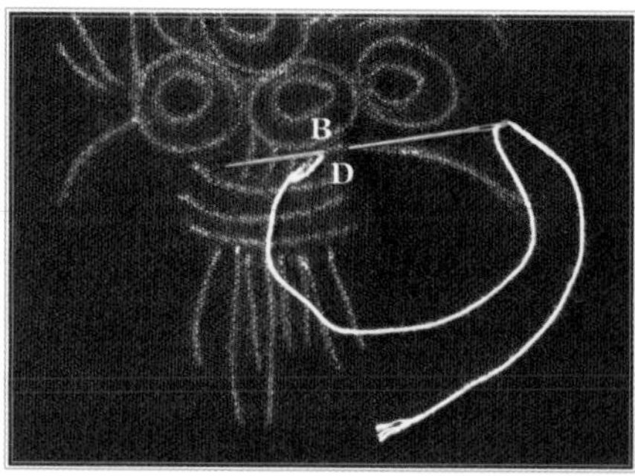

4 Réaliser un second point en piquant en D vers la droite et en revenant en B.

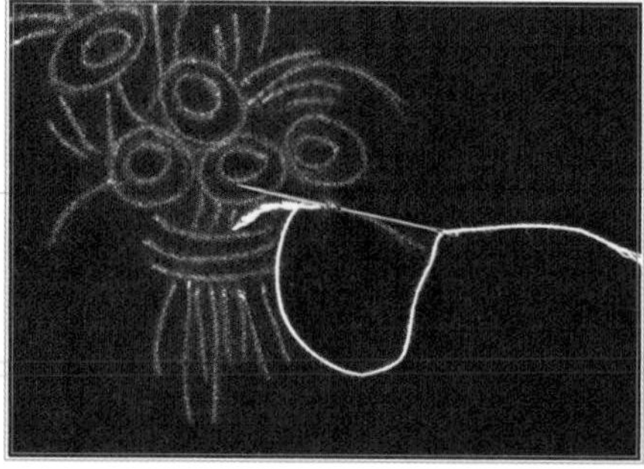

5 Continuer toujours ainsi pour les points suivants.

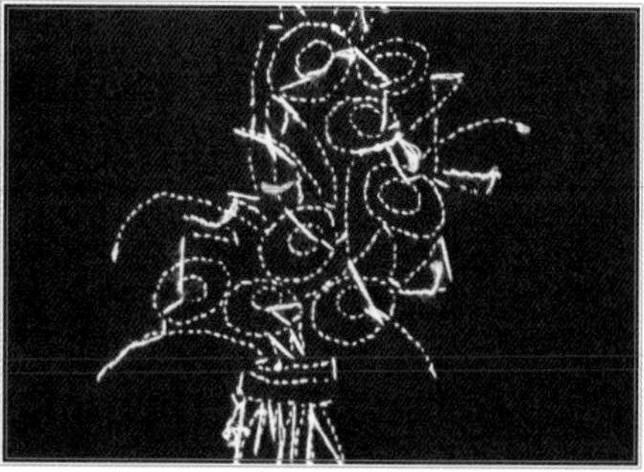

6 Au dos de la broderie, le motif est composé de petits points de piqûre.

4 / Coudre

Surfiler le contour des pièces. Commencer en réalisant les pinces, puis piquer les côtés et faire un rentré sur le bord de chaque panneau du devant. Monter ensuite la ceinture et, pour terminer, faire un ourlet en bas.

1 Plier les pinces sur l'envers du tissu des pièces devant et dos, en superposant les lignes du tracé. Épingler.

2 Piquer les pinces sur le tracé. Au fer à repasser, rabattre les marges de couture des pinces vers les coutures de côté.

3 Superposer le tracé des côtés des devants et du dos, tissus endroit contre endroit. Épingler. Réaliser une couture simple à 1,5 cm du bord.

4 Piquer depuis le bas puis laisser ouvert entre les deux repères. Reprendre la couture jusqu'à la ceinture de la jupe. Ouvrir les coutures au fer.

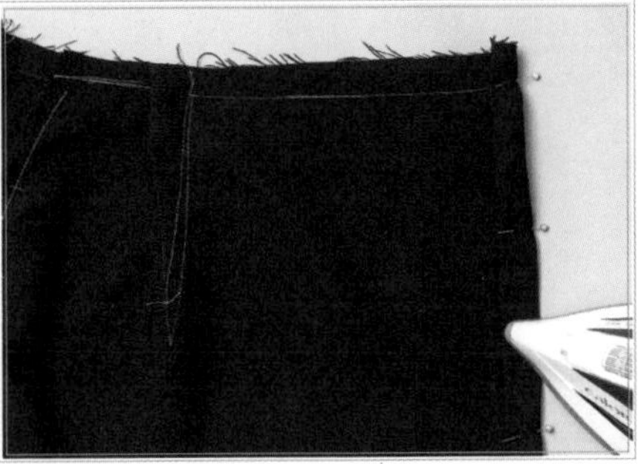

5 Former au fer un rentré double sur le bord extérieur de chaque panneau du devant. Le premier de 1 cm et le second de 1,5 cm. Piquer à 1 cm du bord.

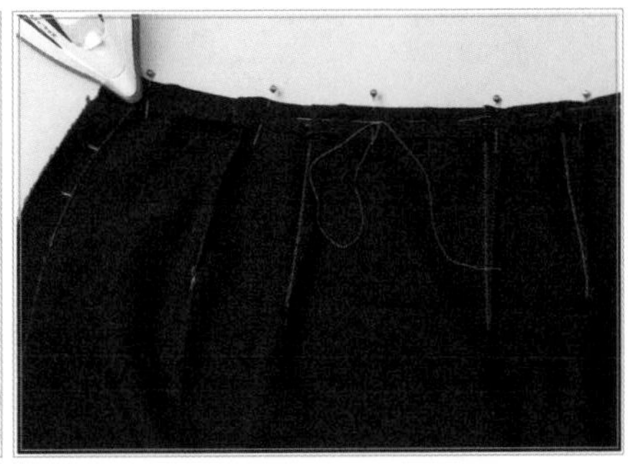

6 Pour la ceinture, former au fer à repasser un rentré de 2 cm de haut vers l'intérieur de la jupe. Bâtir ce rentré.

7 Plier le gros-grain en deux pour marquer le milieu et placer ce repère au milieu dos de la ceinture. Épingler le gros-grain à plat par-dessus le rentré de la ceinture.

8 Piquer le gros-grain sur le bord supérieur de ce dernier, à 3 mm du bord.

9 Pour réaliser l'ourlet du bas, former au fer à repasser deux rentré vers l'envers de la jupe, le premier de 1,5 cm et le second de 2 cm. Piquer à 1,5 cm du bord.

schéma coté

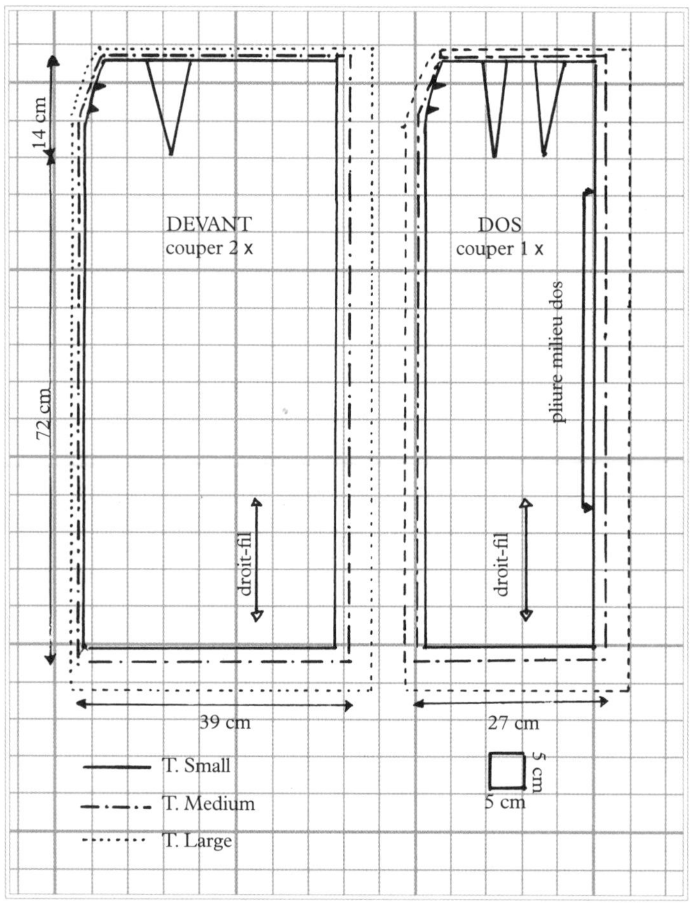

plan de coupe

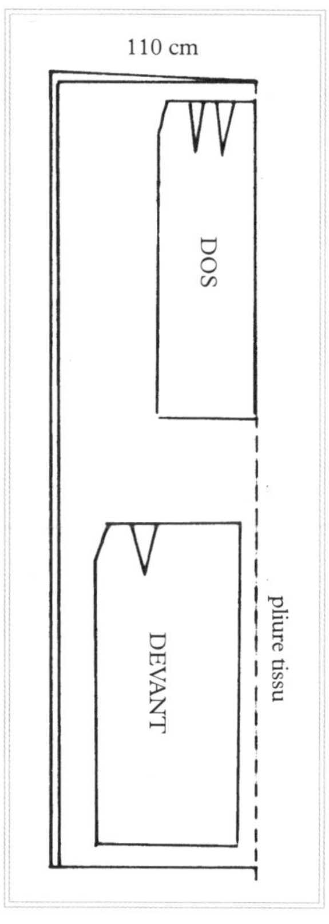

ASTUCE

Dans les courbes du motif, travailler le point de tige en plaçant l'aiguille vers l'extérieur du tracé. Le point sera plus régulier et la courbe plus facile à suivre.

——— point de tige

CHAPITRE 1

leçon n° 4

MAÎTRISER LES POINTS DE BASE

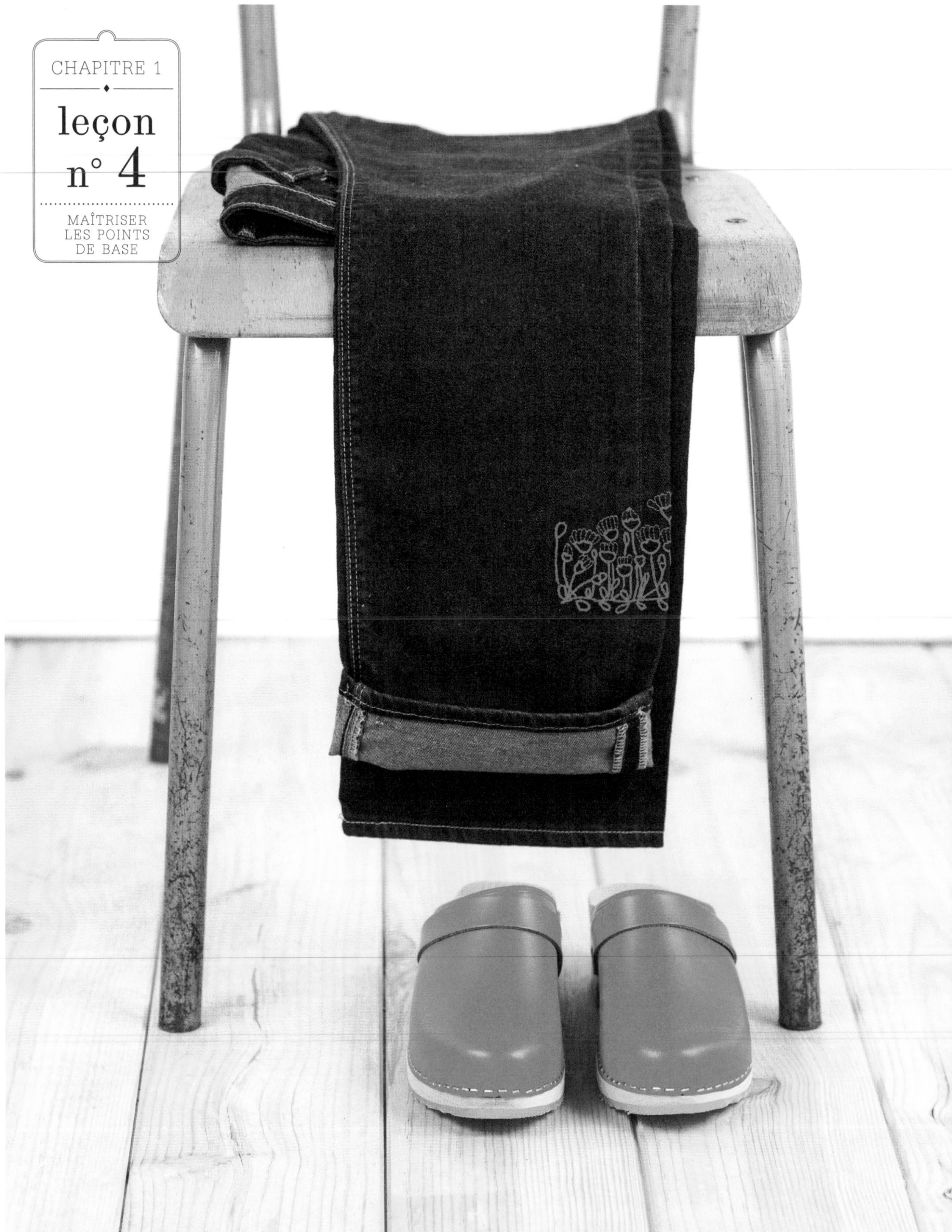

LEÇON N° 4

LE POINT DE CHAÎNETTE*

exercice : customiser un jean

explications → page 56 • motifs → page 57

FOURNITURES

Jean

Échevette de coton Mouliné DMC rouge (321), rouge foncé (304) et bordeaux (816)

MATÉRIEL

Aiguille à broder à bout pointu n° 7

Épingles

Ciseaux à broder

Papier-calque et papier carbone

Règle

DIMENSIONS DE LA BRODERIE

12 x 7 cm

POINTS EMPLOYÉS

Le point de chaînette

Le point avant

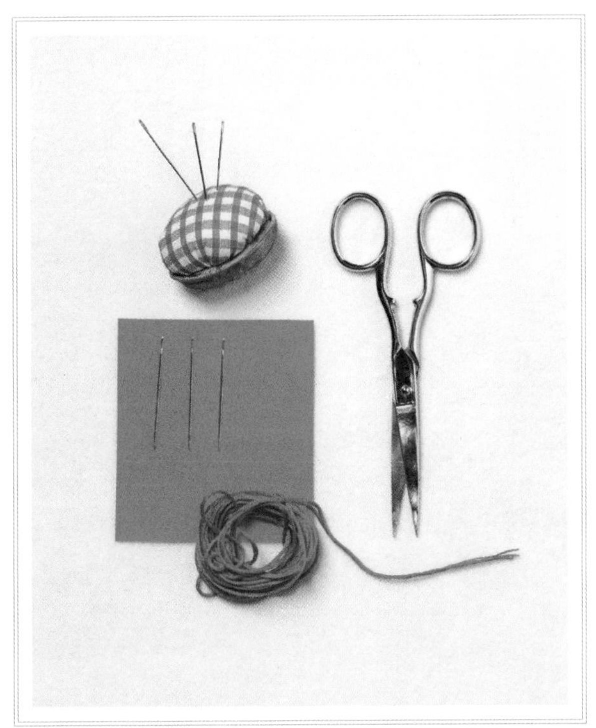

* Le point de chaînette s'emploie pour broder les contours d'un motif mais également pour remplir des surfaces. Dans ce dernier cas, il est travaillé en rangs parallèles serrés les uns contre les autres.

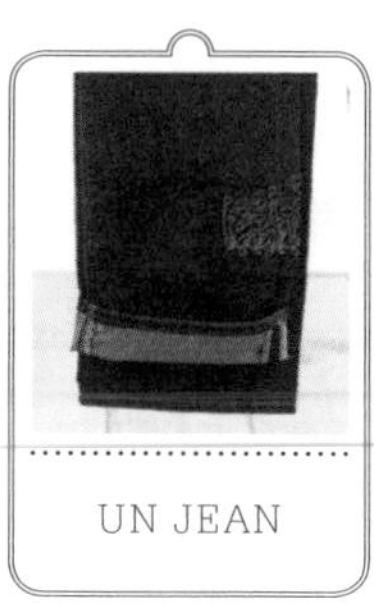

UN JEAN

1 / Tracer

Relever le motif sur la feuille de papier-calque. Épingler le motif sur le côté extérieur d'une jambe du jean et à 13 cm du bas. Placer un morceau de carton fort entre les deux épaisseurs de la jambe du jean. Glisser le papier carbone entre tissu et calque et relever le motif.

2 / Broder

Dédoubler le Mouliné pour travailler avec 2 brins. Enfiler l'aiguillée et commencer le premier point. Broder les motifs en respectant cet ordre : commencer par le point de chaînette des feuilles et des tiges et réaliser ensuite les pétales des fleurs au point avant.

→ **ASTUCE**

Choisir un motif, le répéter sur les deux jambes du pantalon ou le mettre uniquement sur une seule. Pour encore plus d'originalité, broder deux motifs différents !

1 Sortir l'aiguillée en A sur le haut du tracé et repiquer dans le même trou.

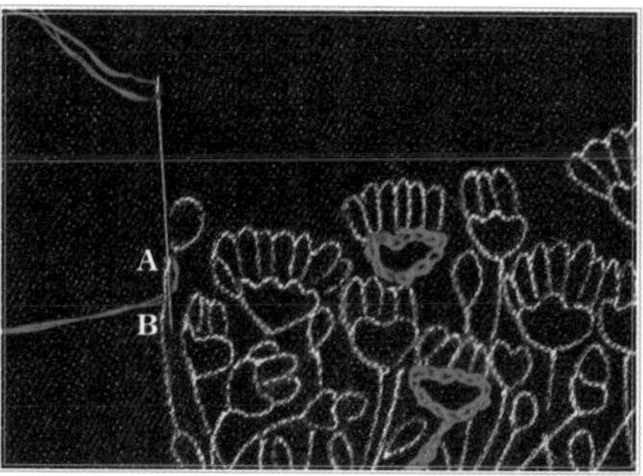

2 Sortir la pointe de l'aiguille en B, quelques millimètres plus bas sur le tracé. Placer le fil sous l'aiguille.

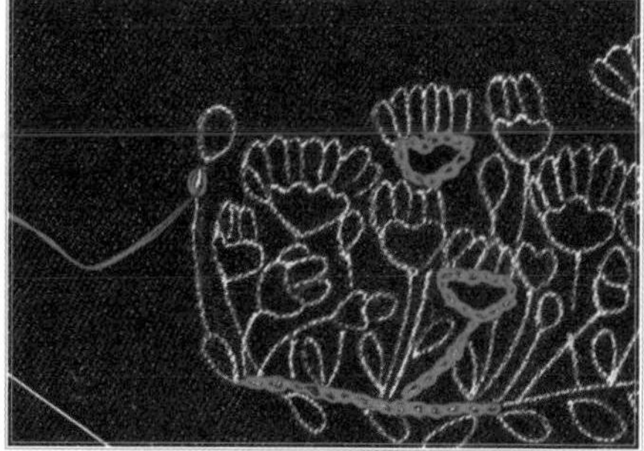

3 Tirer souplement l'aiguillée. Une boucle se forme. C'est le premier point de chaînette.

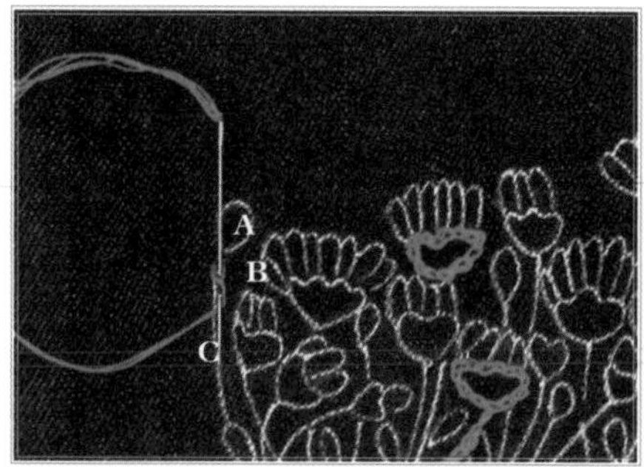

4 Repiquer l'aiguille en B dans le même trou que celui de la sortie du fil. Répéter les étapes 2 et 3 pour former le second point et les suivants.

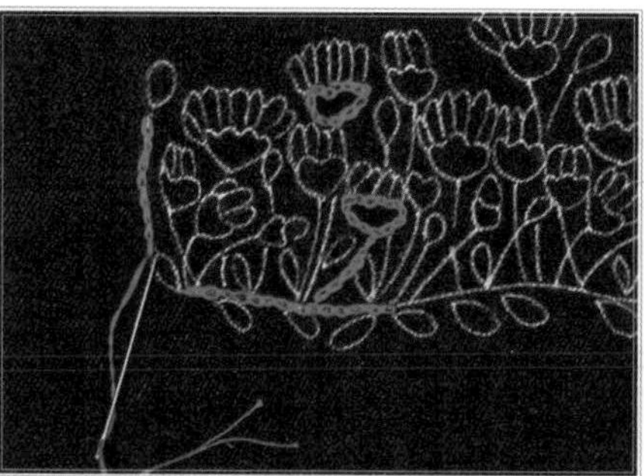

5 En fin de tracé et pour arrêter le point, après avoir formé la dernière boucle du point de chaînette, piquer l'aiguille de l'autre côté de la boucle. Tirer l'aiguillée, un petit point vertical bloque la boucle.

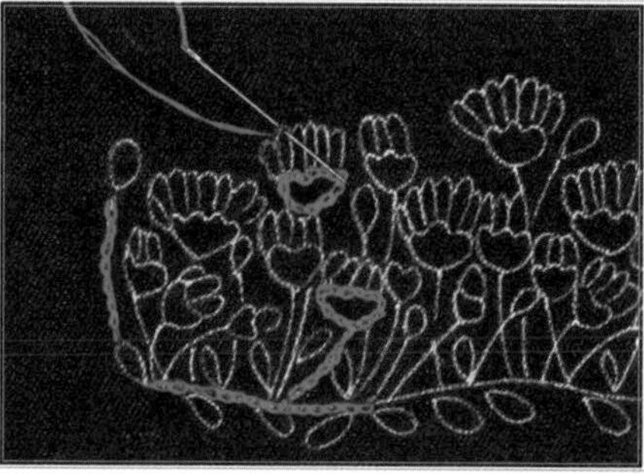

6 Une fois les tiges et les feuilles brodées au point de chaînette, travailler les pétales des fleurs au point avant.

------ point avant ——— point de chaînette

CHAPITRE 1

leçon n° 5

MAÎTRISER LES POINTS DE BASE

LEÇON N° 5

LE POINT DE FESTON*

exercice : réaliser un cabas

explications → page 60 • couture → page 61 • variantes → pages 62-63

FOURNITURES

75 x 60 cm de laine bouillie rouge

10 cm de ruban de coton noir de 5 cm de large

Échevette de laine à tapisserie DMC blanc (1535)

Échevette de coton Spécial à broder n° 16 DMC blanc

MATÉRIEL

Aiguille à broder à bout pointu n° 7

Aiguille à tapisserie n° 6

Épingles

Ciseaux à broder

Ciseaux de couturière

Papier-calque et papier carbone

Papier quadrillé à carreaux de 5 cm de côté

Stylo feutre blanc

Crayon à papier

Règle

DIMENSIONS DE L'OUVRAGE

Taille unique

POINTS EMPLOYÉS

Le point de feston

Le point de piqûre

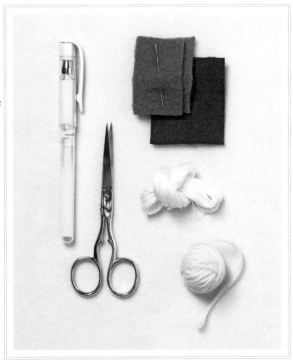

* Le point de feston conjugue deux qualités : il est décoratif et utilitaire. Il est très utilisé pour border des tissus parce que les petites boucles ouvertes accolées qui le composent évitent les effilochures en retenant les bords du fil.

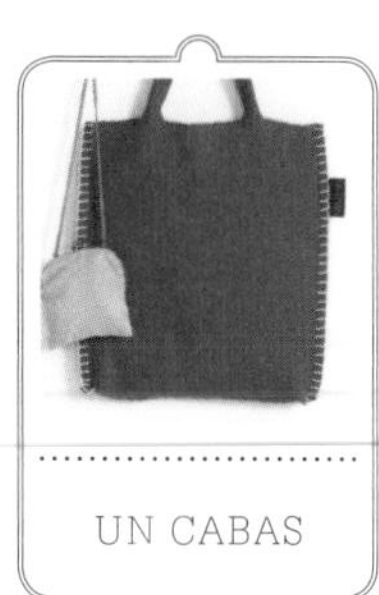

1 / Tracer

Lorsque le point de feston est employé sur le bord d'un ouvrage, le traçage est inutile. Pour l'étiquette, avec le stylo feutre blanc et à main levée, dessiner « FAIT MAIN » sur une face du ruban plié en deux.

2 / Couper

À partir du plan de coupe, réaliser sur le papier quadrillé un gabarit à taille réelle du cabas.

Fait main

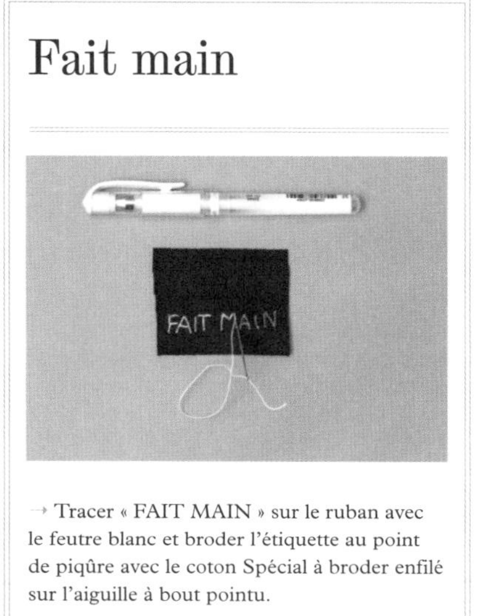

→ Tracer « FAIT MAIN » sur le ruban avec le feutre blanc et broder l'étiquette au point de piqûre avec le coton Spécial à broder enfilé sur l'aiguille à bout pointu.

✻ **schéma coté**

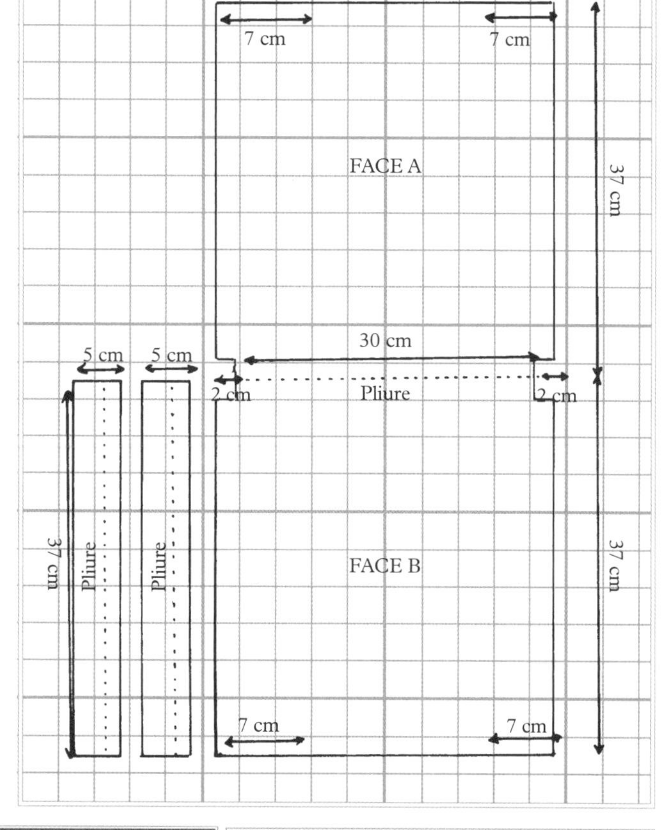

3 / Broder

L'étiquette doit être brodée au point de piqûre avec le coton à broder avant le montage du cabas. Une fois le cabas entièrement terminé, le point de feston est brodé avec de la laine à tapisserie. Le point de feston se travaille en rang horizontal de la gauche vers la droite, et les boucles sont toujours orientées vers l'extérieur du bord du tissu à broder.

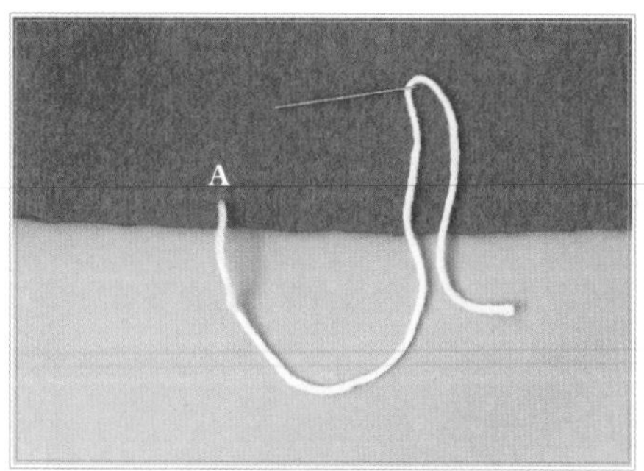

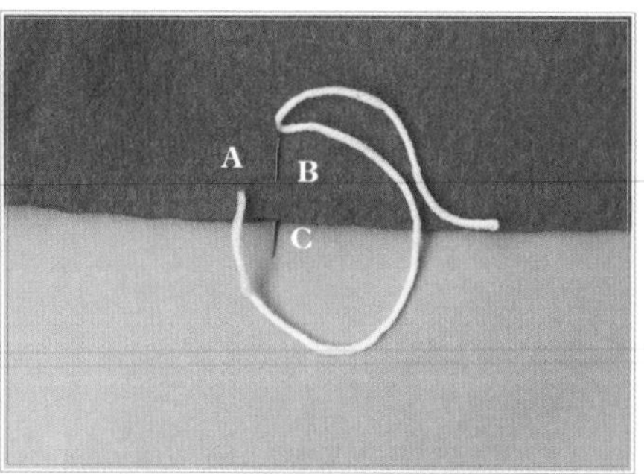

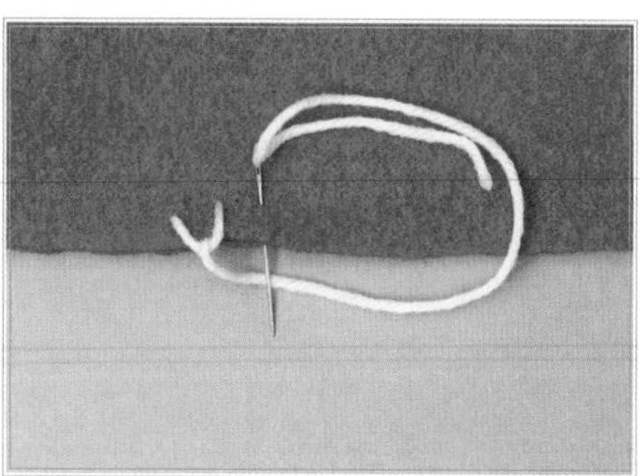

1 Commencer le feston en partant de l'extrémité d'un bord. Monter la laine sur l'aiguille à tapisserie. Piquer dans les deux épaisseurs. Sortir l'aiguille en A sur le dessus à quelques millimètres du bord du sac.

2 Piquez en B à quelques millimètres à droite du trou de sortie du fil et ressortir la pointe de l'aiguille en C en dessous, près du bord du sac.

3 Passer le fil sous l'aiguille et tirer souplement pour former le premier point. Continuer en reprenant les étapes 2 et 3. Réaliser un petit point par-dessus le fil, au pied du feston pour finir.

4 / Coudre

Réaliser dans un premier temps les anses. Coudre le corps du sac puis fixer les anses dessus. Recouper les marges de couture du sac pour pouvoir ensuite le broder.

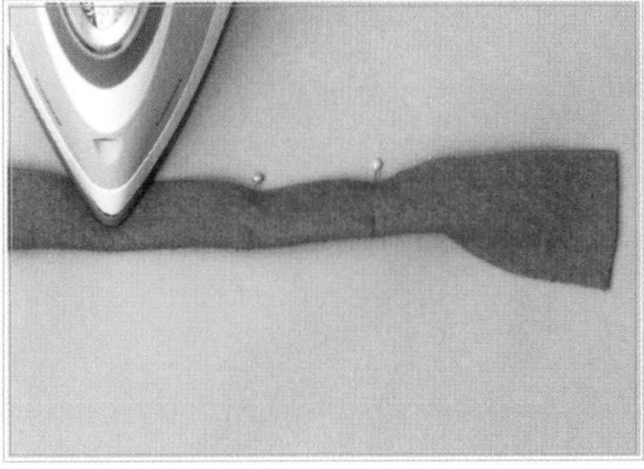

1 Replier les anses en deux au fer à repasser, envers contre envers, et épingler les deux épaisseurs.

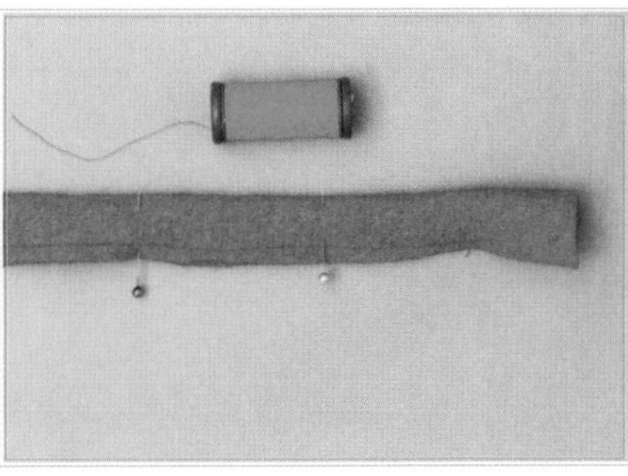

2 Régler la longueur du point de piqûre sur 4 mm et piquer le côté des anses à 5 mm d'un bord en laissant 5 cm aux extrémités non piquées.

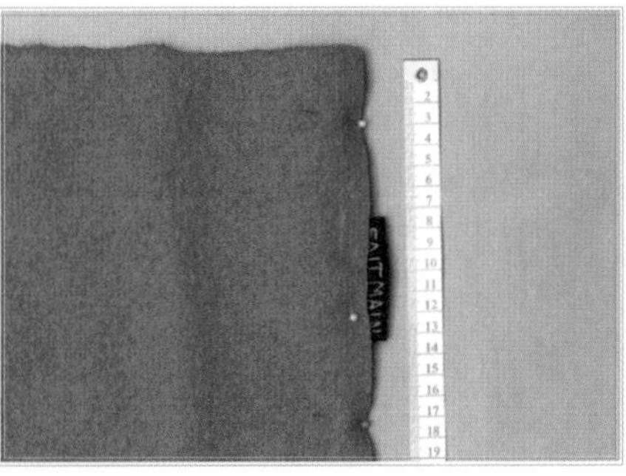

3 Plier le corps du sac en deux, endroit contre endroit. Épingler l'étiquette brodée sur le côté gauche du cabas entre les 2 épaisseurs de tissu et à 7,5 cm du haut du cabas.

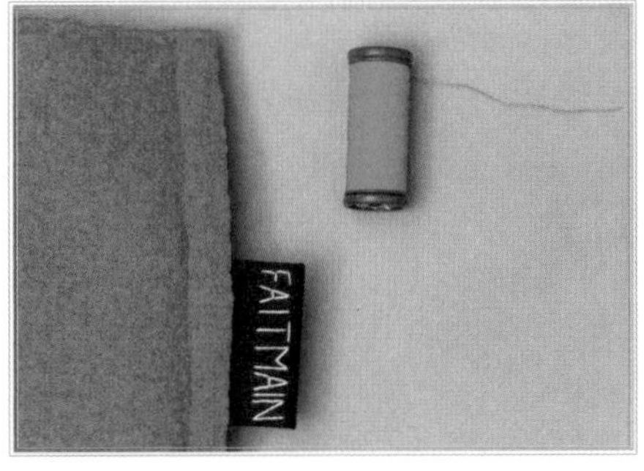

4 Piquer les côtés du cabas sur le tracé, en prenant le pied de l'étiquette dans la couture.

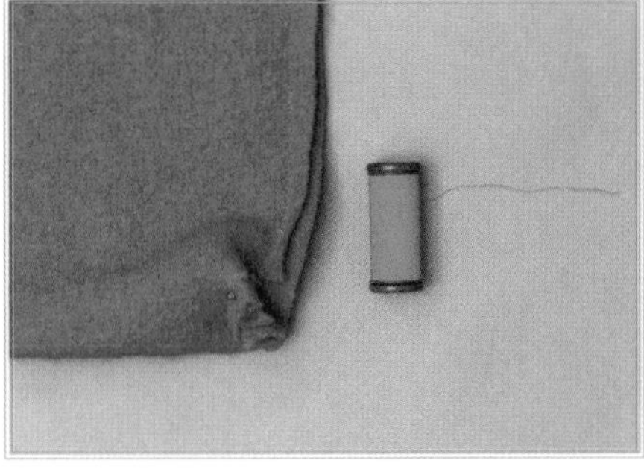

5 Replier le bas des côtés du cabas pour former les soufflets. Piquer sur le tracé.

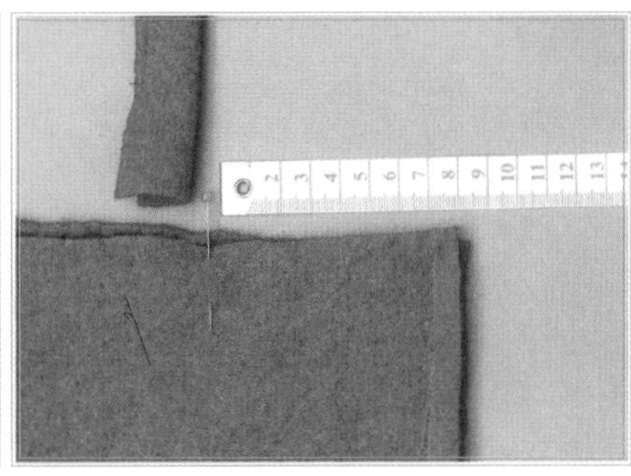

6 Placer une épingle à 7 cm des côtés pour marquer le repère de pose des anses.

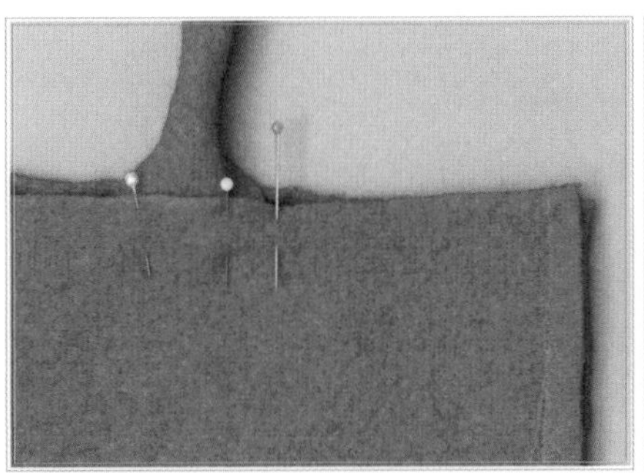

7 Positionner 3 cm des extrémités des anses à l'intérieur du cabas au niveau des repères et épingler.

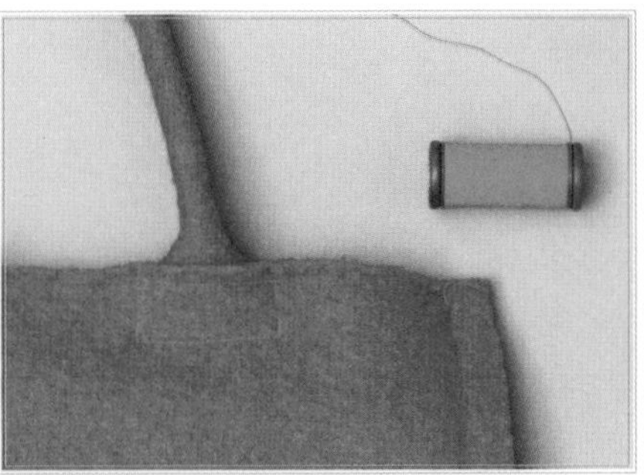

8 Piquer les extrémités des anses en formant un rectangle.

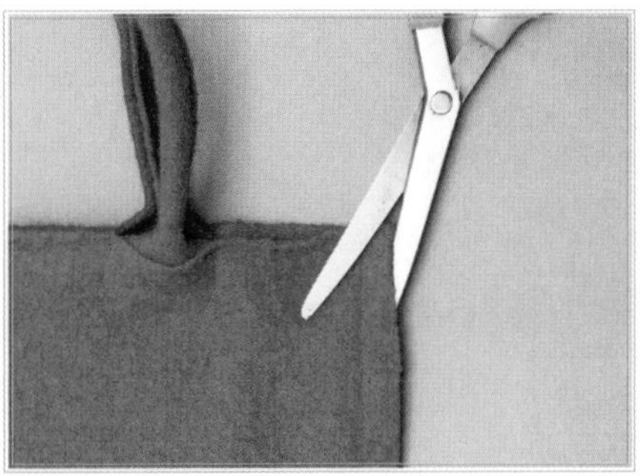

9 Égaliser les marges de couture avec les ciseaux avant de commencer la broderie.

→ VARIANTES

Le point de feston est facile à réaliser, il permet de customiser rapidement de nombreux vêtements comme ici les cols de ces simples tee-shirts. C'est uniquement un jeu de point de piqûre et de point de feston !

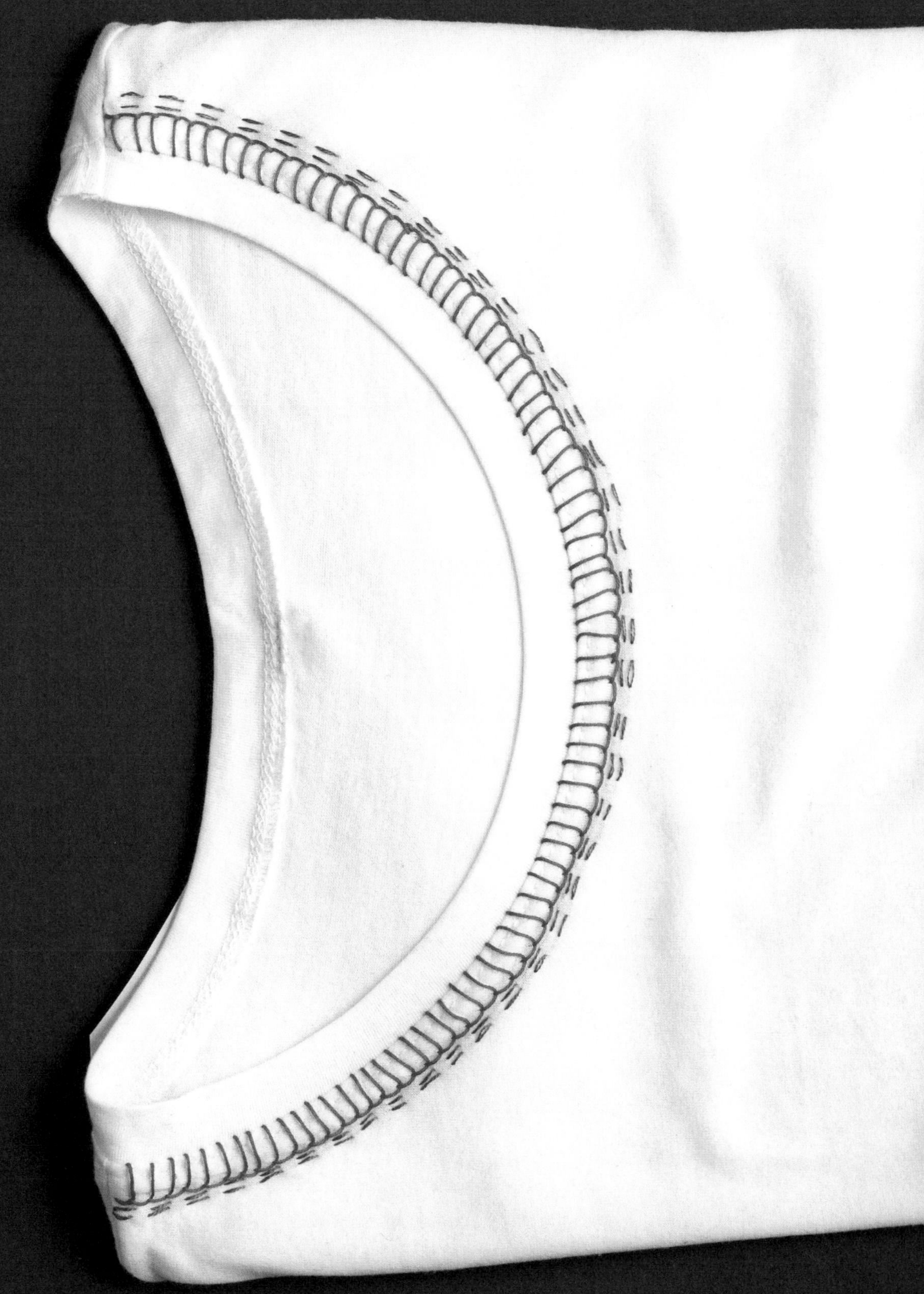

CHAPITRE 1

leçon n° 6

MAÎTRISER LES POINTS DE BASE

LEÇON N° 6

LE POINT DE PALESTRINA*

exercice : broder un motif sur une écharpe

explications → page 66 • motifs → page 67

FOURNITURES

30 x 160 cm de drap de laine blanc cassé

Échevette de coton Mouliné DMC rouge (321)

Échevette de coton Perlé gris (318)

MATÉRIEL

Aiguille à broder à bout pointu n° 3

Aiguille et fil à bâtir

Tambour à broder

Ciseaux à broder

Film soluble

Feutre noir

DIMENSIONS DE LA BRODERIE

18 x 15 cm pour le motif principal

POINTS EMPLOYÉS

Le point de Palestrina

Le point avant

Le point de piqûre

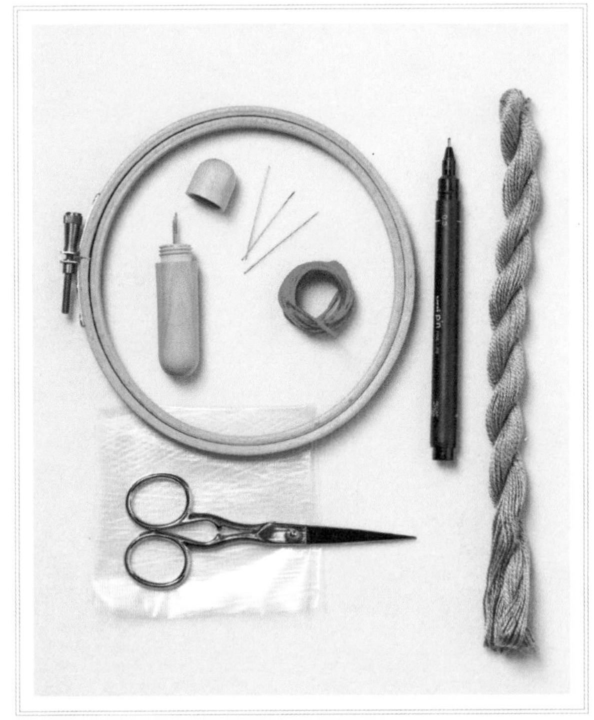

* Le point de Palestrina est constitué de boucles resserrées le long d'une ligne qui forme une bordure en relief composée de petits nœuds. Le point de Palestrina se travaille verticalement du haut vers le bas et le long du tracé.

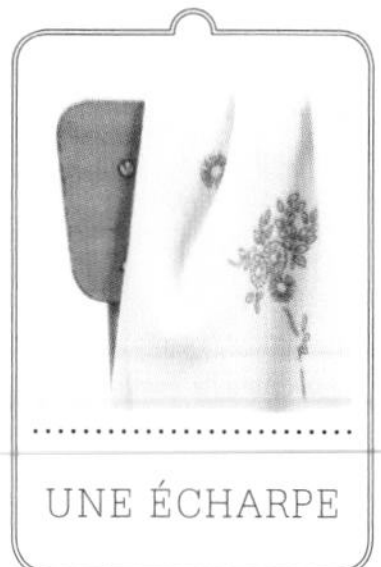

UNE ÉCHARPE

1 / Tracer

Relever sur le film soluble avec le feutre noir une fois le grand motif et deux fois les autres motifs.

2 / Couper

Le drap de laine peut être coupé et laissé sans ourlets ou bien surfilé sur les bords. Couper le film en laissant 5 cm autour des motifs. Les placer sur l'écharpe. Le grand motif se place à 10 cm des bords d'une extrémité de l'écharpe. Répartissez les autres motifs. Bâtir les pièces de film soluble.

3 / Broder

Commencer l'ouvrage par les tiges au point de Palestrina brodées en Perlé. Continuer par le contour des fleurs au point de piqûre avec 3 brins de Mouliné. Terminer le détail des pétales au point avant avec 3 brins de Mouliné.

1 Ce point se brode de haut en bas sur le tracé. Sortir l'aiguille en A en haut du tracé.

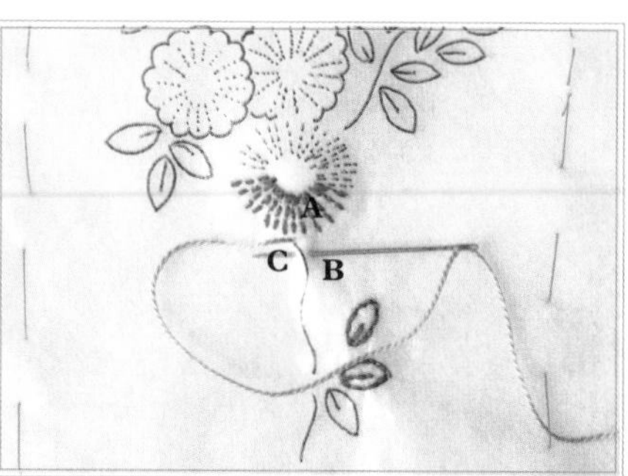

2 Piquez en B quelques millimètres sous A et un peu à droite du tracé. Ressortir la pointe de l'aiguille en C à l'horizontale à gauche du tracé.

3 Tirer l'aiguillée, un point vertical se forme sur le tissu.

4 Sans piquer dans le tissu, glisser l'aiguille sous le point vertical, de la droite vers la gauche.

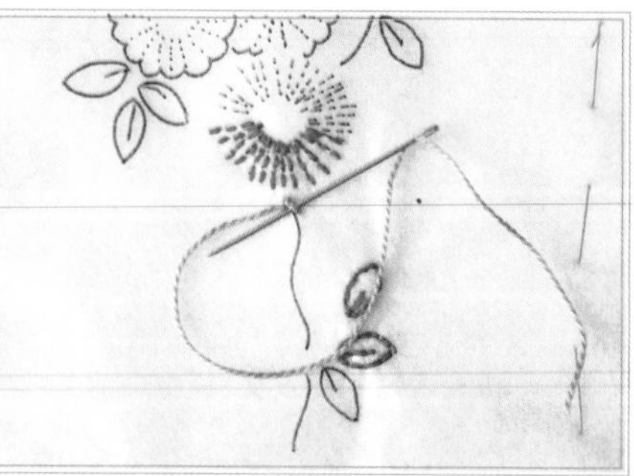

5 Toujours sans piquer dans le tissu, glisser à nouveau l'aiguille entre les 2 branches du point qui vient d'être fait.

6 Glisser le fil sous l'aiguille de manière à former un nœud. Tirer souplement l'aiguillée. Pour les points suivants, reprendre les étapes 2 à 6. Terminer en dissolvant le film dans de l'eau.

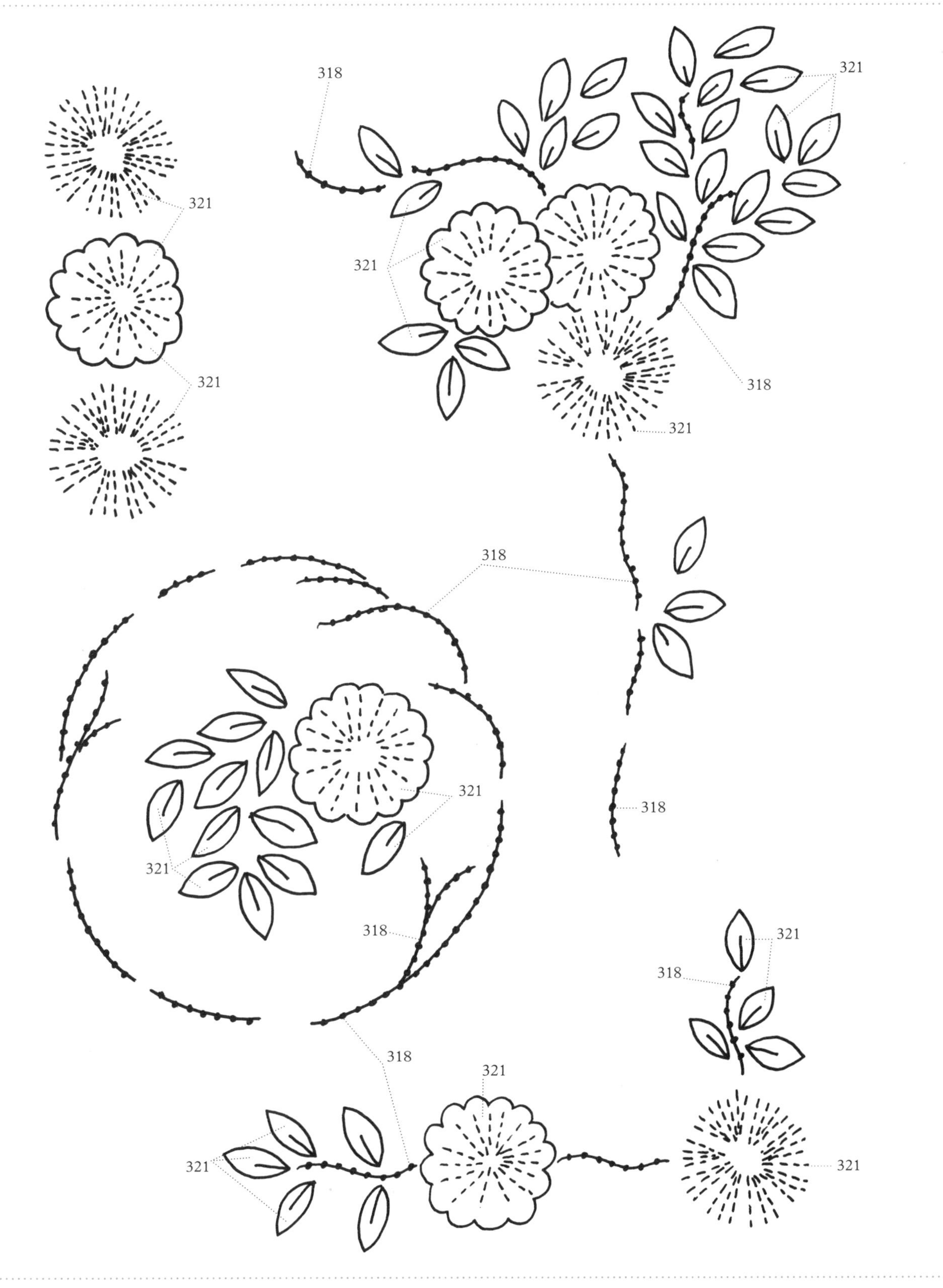

- - - - - - point avant —— point de piqûre ••••• point de Palestrina

LEÇONS DE POINTS

1 — Le point avant (pages 38 à 41)
2 — Le point de piqûre (pages 42 à 47)
3 — Le point de tige (pages 48 à 53)
4 — Le point de chaînette (pages 54 à 57)
5 — Le point de feston (pages 58 à 63)
6 — Le point de Palestrina (pages 64 à 67)

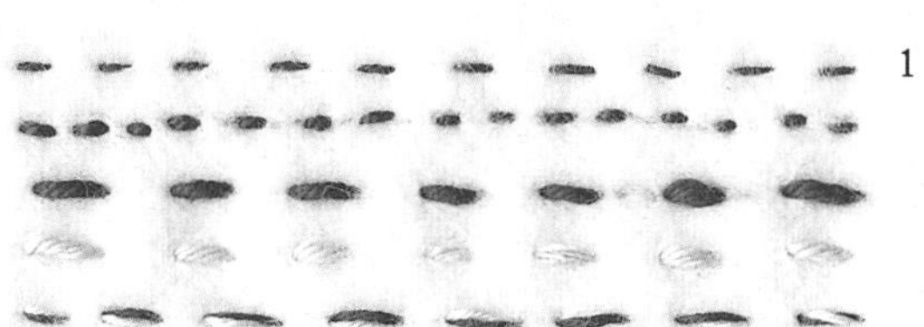

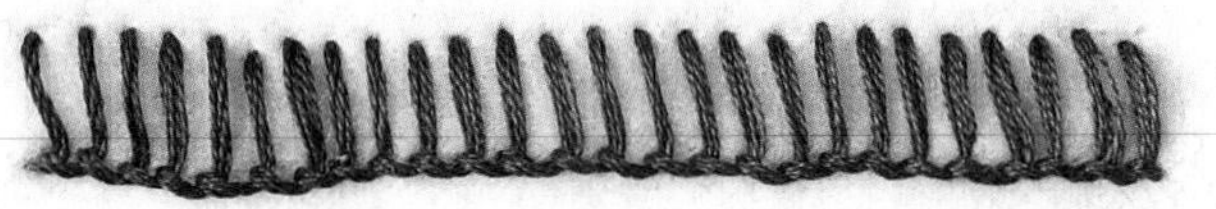

Pour en savoir plus, retrouvez tous les points de ce chapitre, expliqués en schémas, pages 214 à 217.

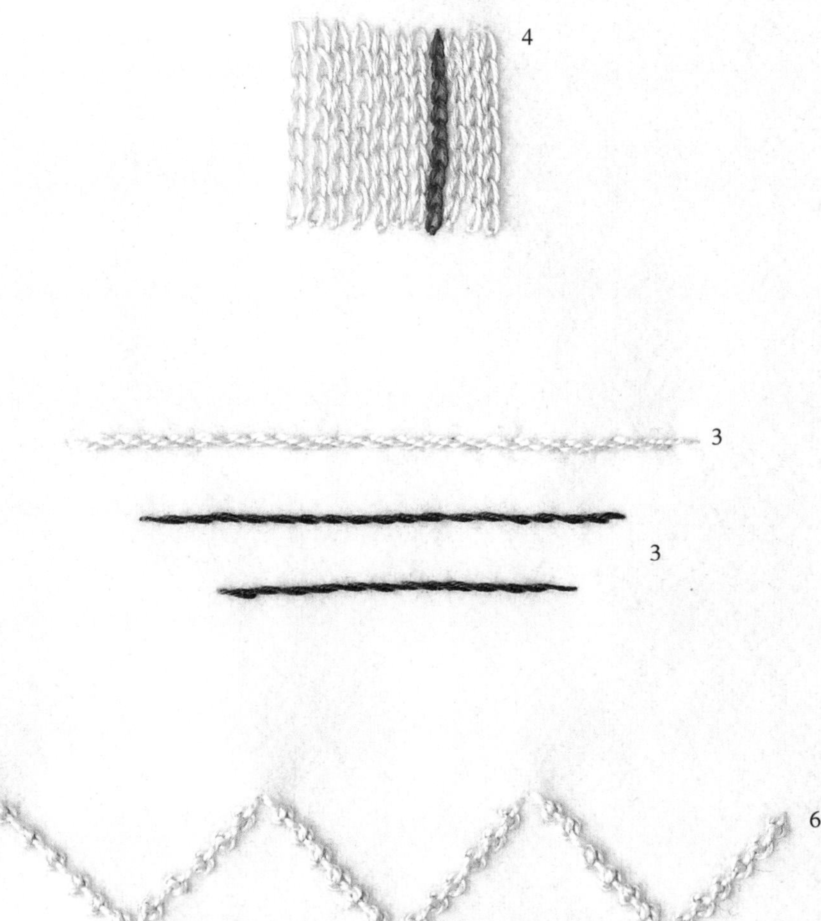

CHAPITRE 2

APPRENDRE LES POINTS COMPTÉS

CHAPITRE 2

leçon n° 7

APPRENDRE LES POINTS COMPTÉS

LEÇON N° 7

LE POINT DE CROIX*

exercice : broder un marquoir ancien

explications → page 74 • motifs → page 75 • variante → pages 76-77

FOURNITURES

24 x 27 cm de toile de lin 11 fils/cm

Échevette de coton Mouliné DMC rouge (321)

MATÉRIEL

Aiguille à broder à bout rond n° 24

Fil et aiguille à bâtir

Tambour à broder

Ciseaux à broder

DIMENSIONS DE LA BRODERIE

12 x 12,5 cm

POINT EMPLOYÉ

Le point de croix

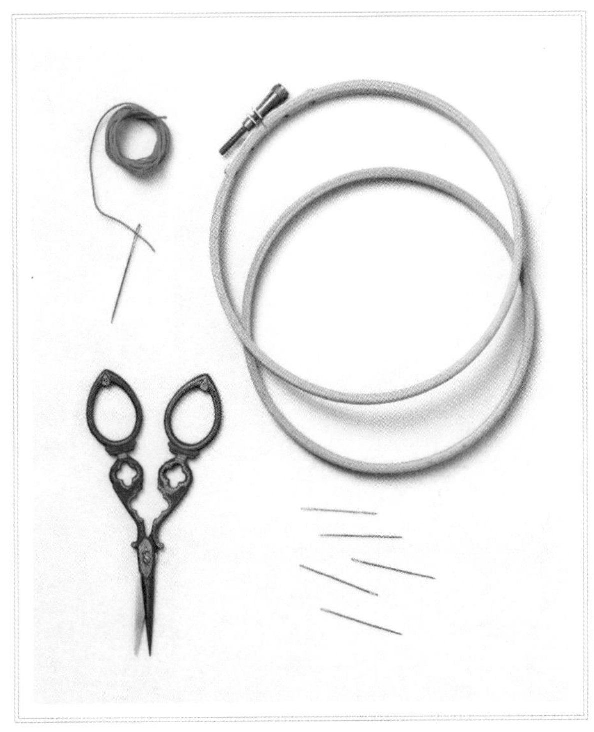

* C'est le point de base de la technique de la broderie à points comptés. Il est recommandé aux débutantes. Il se travaille directement sur la toile sans tracer un motif. Pour broder un motif, il faut se reporter à une grille.

1 / Préparer

Plier le tissu en quatre et marquer les plis. Passer un fil de bâti en croix pour marquer le centre. Sur la grille, repérer le point situé au centre du motif.

2 / Couper

Couper le tissu en laissant 10 cm tout autour du motif à broder. Monter le tissu sur le tambour.

3 / Broder

Séparer le Mouliné pour travailler avec 2 brins. Commencer la broderie par le point situé au centre du motif. La hauteur et la largeur du point de croix sont égales à 2 fils de la trame du tissu. Broder le point de croix par-dessus 2 fils de la trame de la toile. Le point de croix se travaille indifféremment en rangs horizontaux ou verticaux mais toujours dans le même sens. Commencer par la broderie des lettres de l'abécédaire puis réaliser la frise.

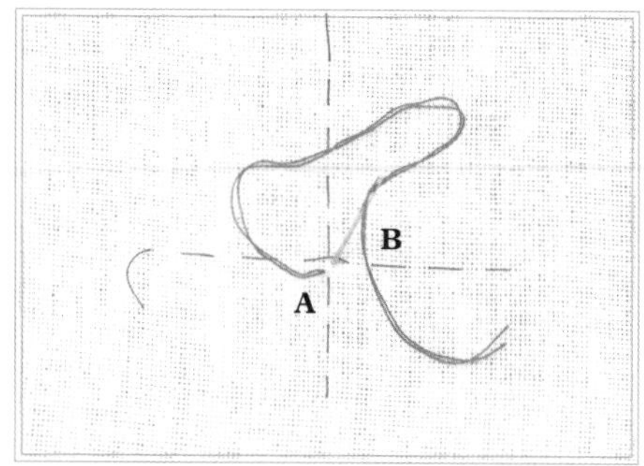

1 Sortir l'aiguille au centre du tissu en A au niveau du repère en bâti. Piquer en B en déplaçant l'aiguille de 2 fils de trame en hauteur et en largeur vers la droite.

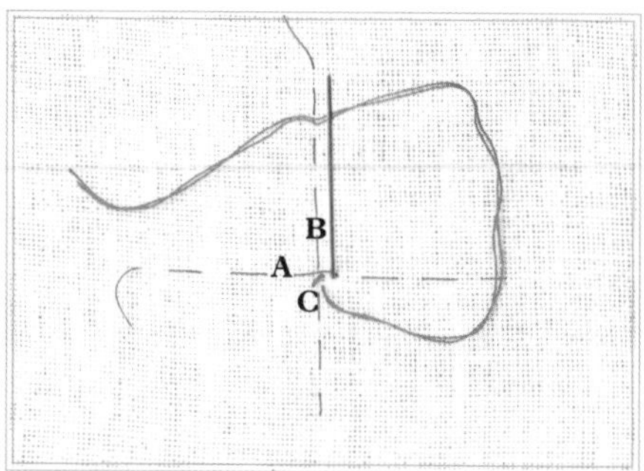

2 Tirer l'aiguillée pour former le premier demi-point de croix en oblique vers la droite. Ressortir l'aiguille en C, 2 fils en dessous de B.

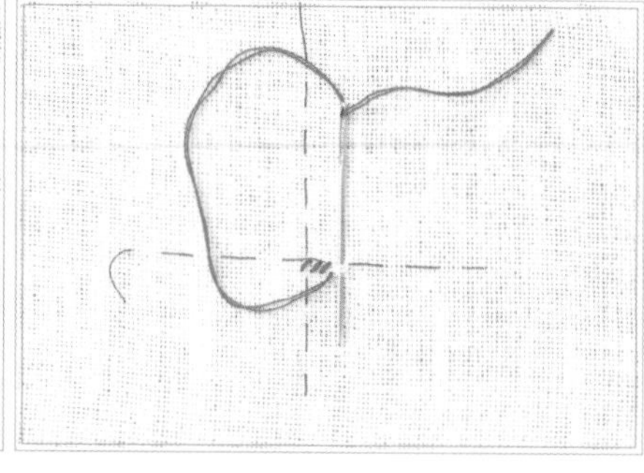

3 En fonction du motif indiqué sur la grille, travailler le deuxième demi-point de croix. Répéter les étapes 1 et 2.

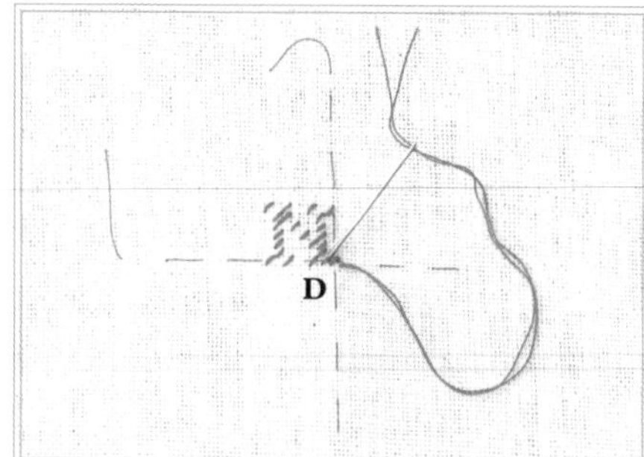

4 Broder le nombre de demi-points nécessaires pour former la lettre. Revenir sur ces demi-points en faisant des demi-points inclinés vers la gauche. Sortir l'aiguille en D deux fils de trame en dessous et à la verticale du dernier point.

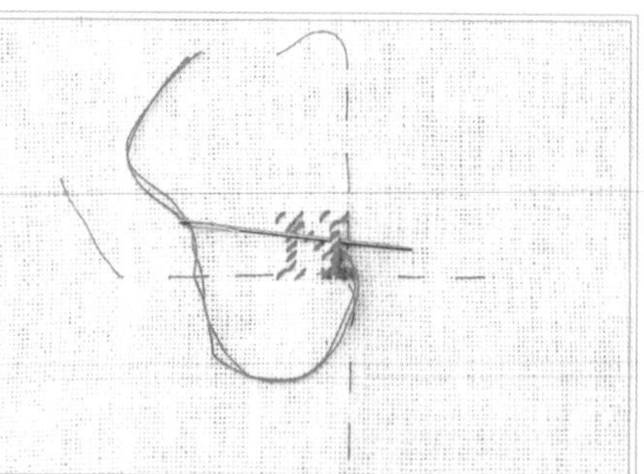

5 Continuer le rang en piquant dans les mêmes trous de la trame qu'au rang précédent mais en réalisant des demi-points inclinés dans l'oblique inverse.

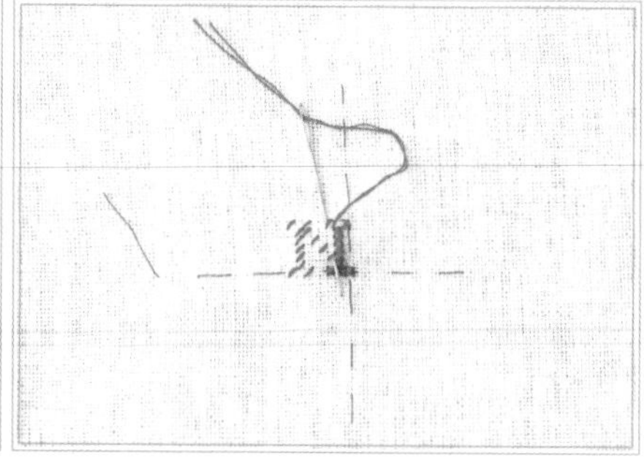

6 Passer l'aiguille sous le tissu pour finir la lettre avant de passer à la lettre suivante.

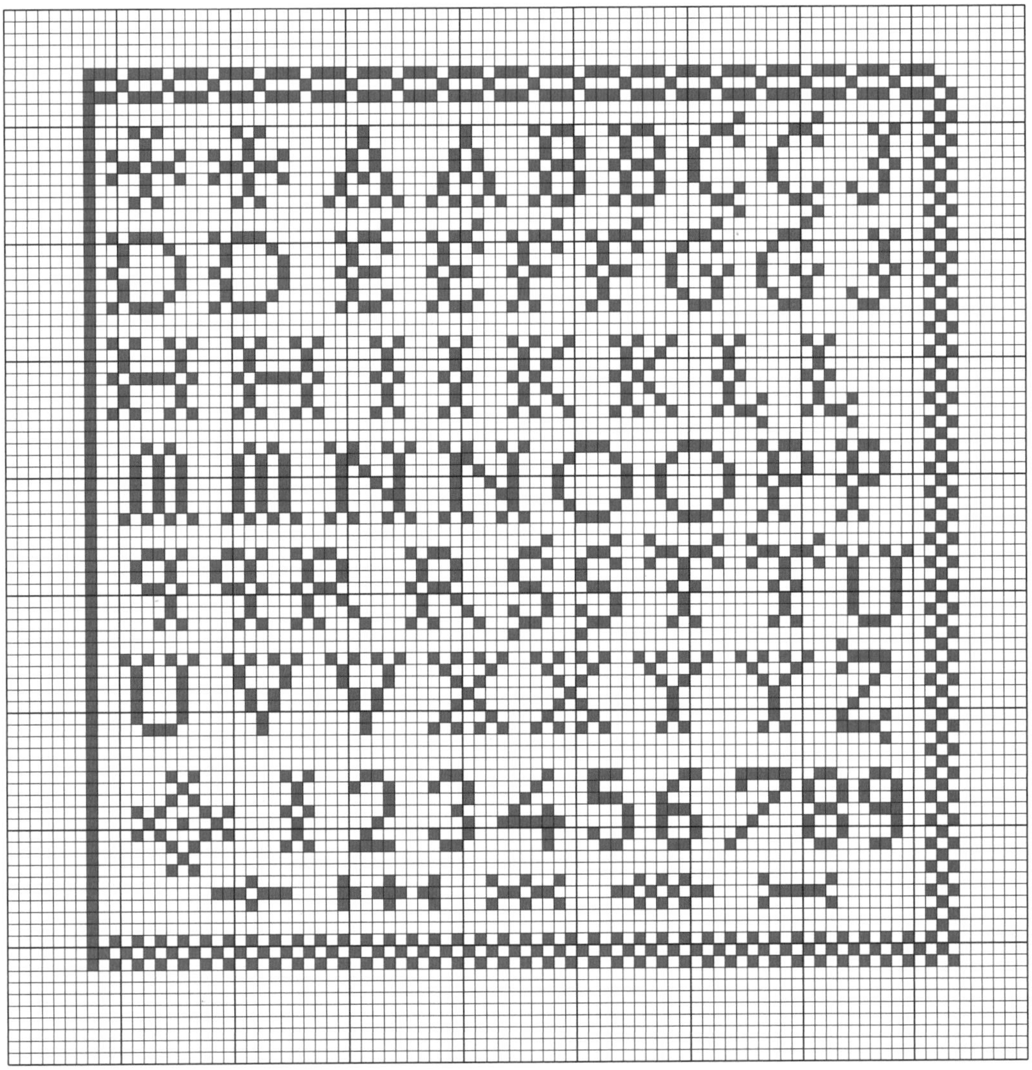

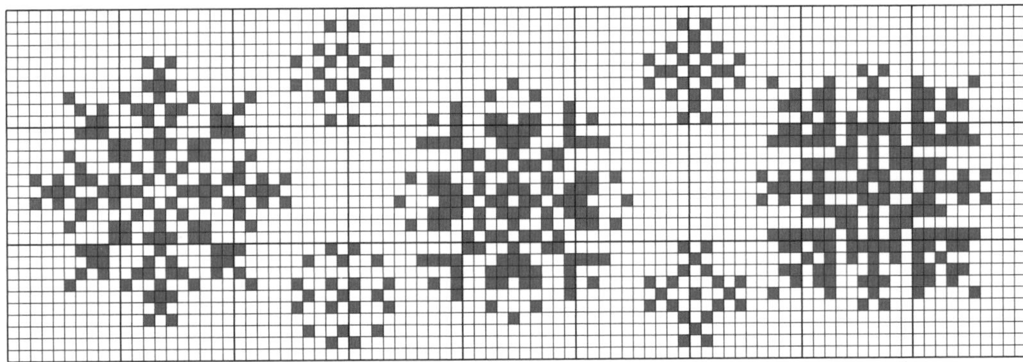

exercice n°2 : broder une chemise avec un tire-fil *

* Le tire-fil est une toile à broder qui permet de réaliser des points comptés sur des tissus n'ayant pas une trame visible ou une trame carrée.

FOURNITURES

Chemise blanche

Échevette de coton Mouliné DMC rouge (321)

MATÉRIEL

Aiguille à bout pointu n° 9

Fil et aiguille à bâtir

Tambour à broder

Ciseaux à broder

Tire-fil

→ **ASTUCE**

Il existe actuellement dans le commerce du tire-fil soluble dans l'eau. Il faut procéder de la même manière que pour le tire-fil traditionnel et plonger la broderie dans une bassine d'eau quand elle est terminée pour dissoudre le tire-fil (après s'être assuré cependant que les fils et la toile soient grand teint).

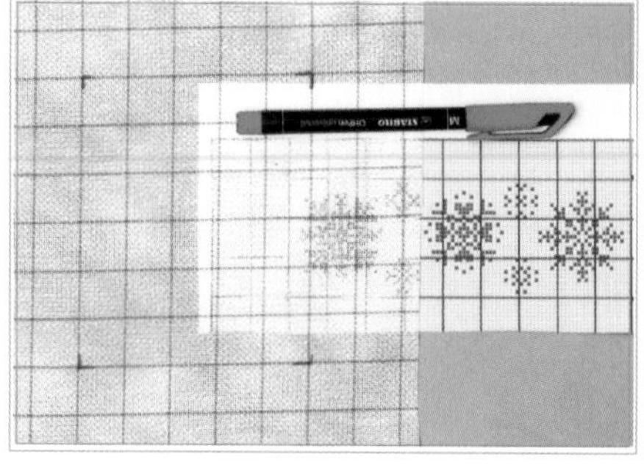

1 Pour déterminer les dimensions du tire-fil, compter le nombre de fils de trame par rapport au nombre de carreaux de la grille. Faire des repères. Les lignes bleues sont tous les 10 fils. Couper en laissant 5 cm de tire-fil tout autour.

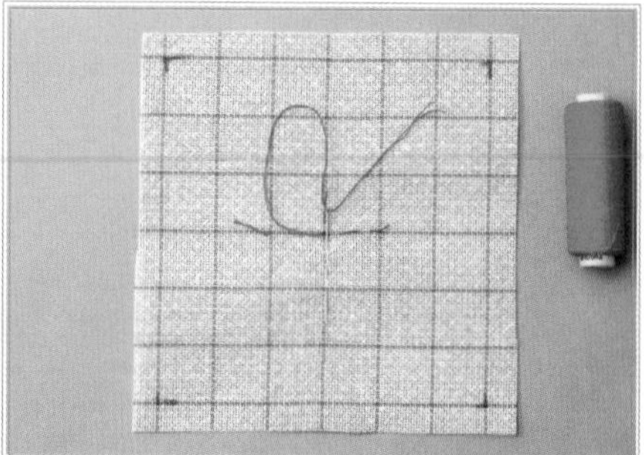

2 Plier le morceau de tire-fil en quatre et passer un fil de bâti croisé au centre.

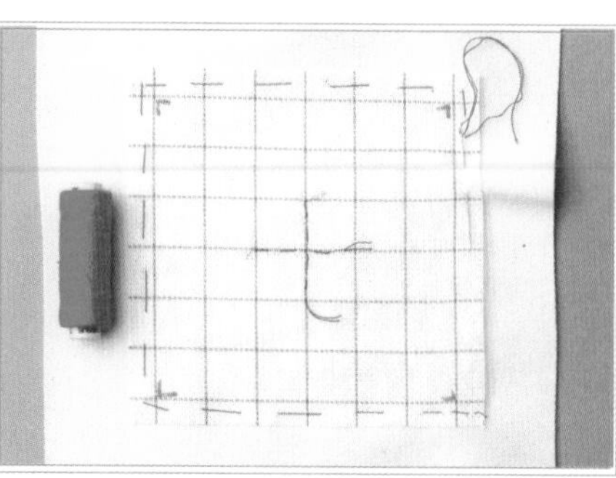

3 Bâtir le tire-fil à l'endroit choisi pour la broderie.

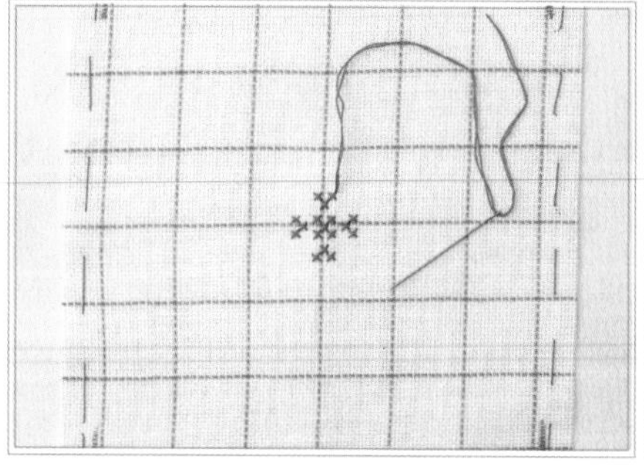

4 Broder au point de croix les étapes 1 à 5. Sur le tire-fil, on brode sur 2 fils de la trame en largeur et en hauteur et avec une aiguille à bout pointu. Prendre soin de bien piquer à la fois dans le tissu de support sous les fils du tire-fil.

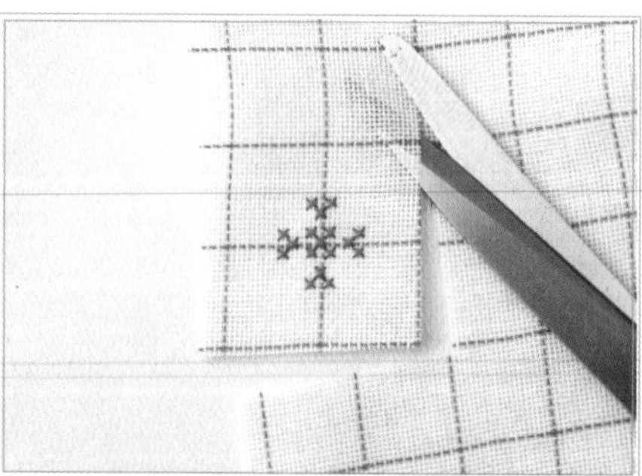

5 La broderie terminée, enlever les fils de bâti et recouper l'excédent de tire-fil à 1 cm du motif brodé.

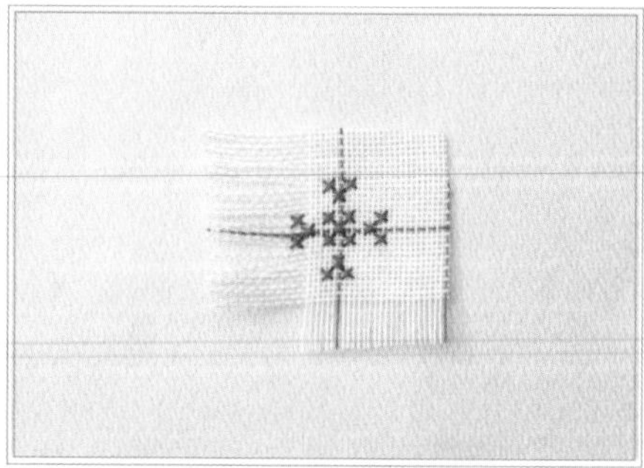

6 Tirer les fils du tire-fil un à un d'abord verticalement puis ensuite horizontalement. Si un fil de la trame reste accroché au point de croix, le couper au ras de la broderie.

CHAPITRE 2

leçon n° 8

APPRENDRE LES POINTS COMPTÉS

LEÇON N° 8

LE 3/4 DE POINT DE CROIX*

exercice : customiser une pochette en lin

explications → page 80 • motifs → page 81

FOURNITURES

Pochette en toile de lin 11 fils/cm

Échevette de coton Mouliné DMC rouge (321), bleu (312) et vert (989)

MATÉRIEL

Aiguille à broder à bout rond n° 22

Fil et aiguille à bâtir

Tambour à broder

Ciseaux à broder

DIMENSIONS DE LA BRODERIE

6 x 9 cm

POINTS EMPLOYÉS

Le ¾ de point de croix

Le point de croix

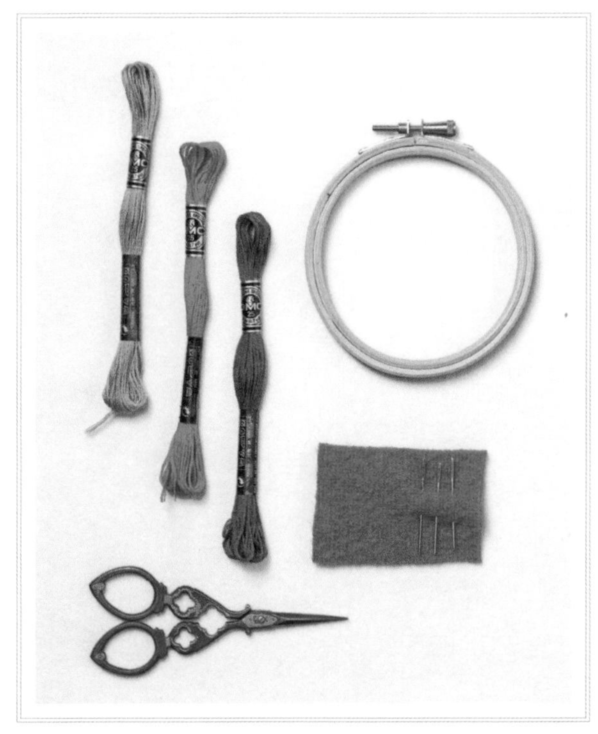

* Les motifs au point de croix réalisés sur grille présentent des contours en escalier. On peut remédier à ce problème en réalisant sur le pourtour des ¾ de point de croix qui permettent d'obtenir des lignes courbes plus harmonieuses.

UNE POCHETTE

1 / Préparer

Plier en quatre le rabat de la pochette et marquer le pli au centre. Passer un fil de bâti pour marquer ce centre. Sur la grille, repérer le point situé au centre du motif. Monter le rabat sur le tambour à broder.

2 / Broder

Séparer le coton Mouliné pour travailler avec 2 brins. La hauteur et la largeur du point de croix sont égales à 2 fils de la trame du tissu. Broder le point de croix sur 2 fils de la trame de la toile.

→ **ASTUCE**

Le dos de l'ouvrage présente des lignes de petits points droits et verticaux. Éviter les fils flottants qui pourraient se voir par transparance sur l'endroit de l'ouvrage. Arrêter l'aiguillée avant de commencer un nouveau motif.

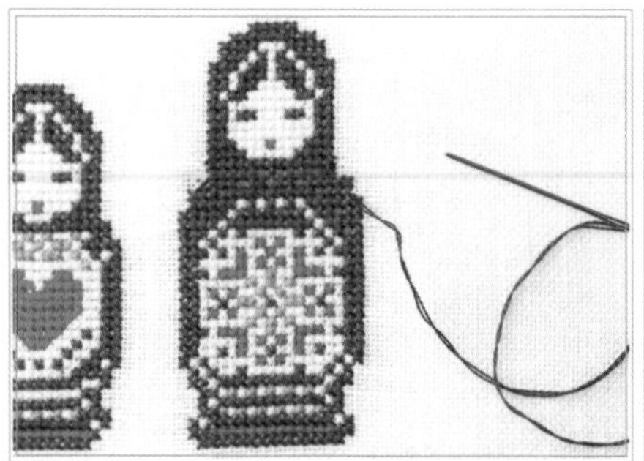

1 Reprendre les explications du point de croix de la page 74 de l'étape 1 à l'étape 5. Broder le motif en commençant par le point situé au centre de la composition.

2 À droite du motif, ne pas faire un point de croix entier, faire uniquement un demi-point de croix.

3 Pour compléter le point, ressortir l'aiguille deux fils de trame en-dessous en A.

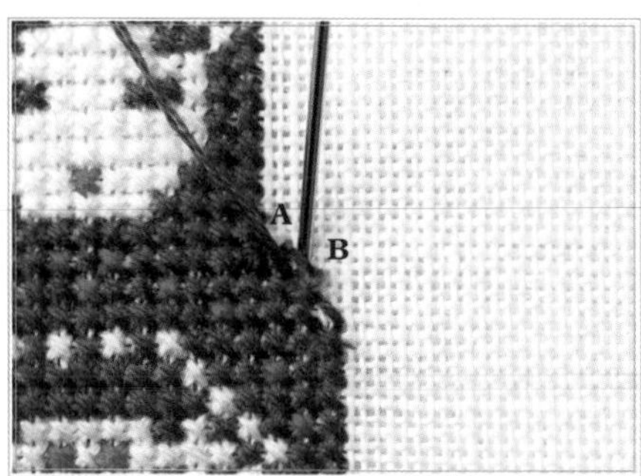

4 Tirer l'aiguillée et repiquer au centre du carré en B en passant le fil par-dessus 1 seul fil de la trame. On obtient un ¾ de point de croix.

5 Pour réaliser un ¾ de point de croix sur le bord gauche du motif, réaliser un demi-point orienté à gauche.

6 Compléter le ¾ de point par un petit point dans l'autre oblique et par-dessus 1 seul fil de trame.

CHAPITRE 2

leçon n° 9

APPRENDRE LES POINTS COMPTÉS

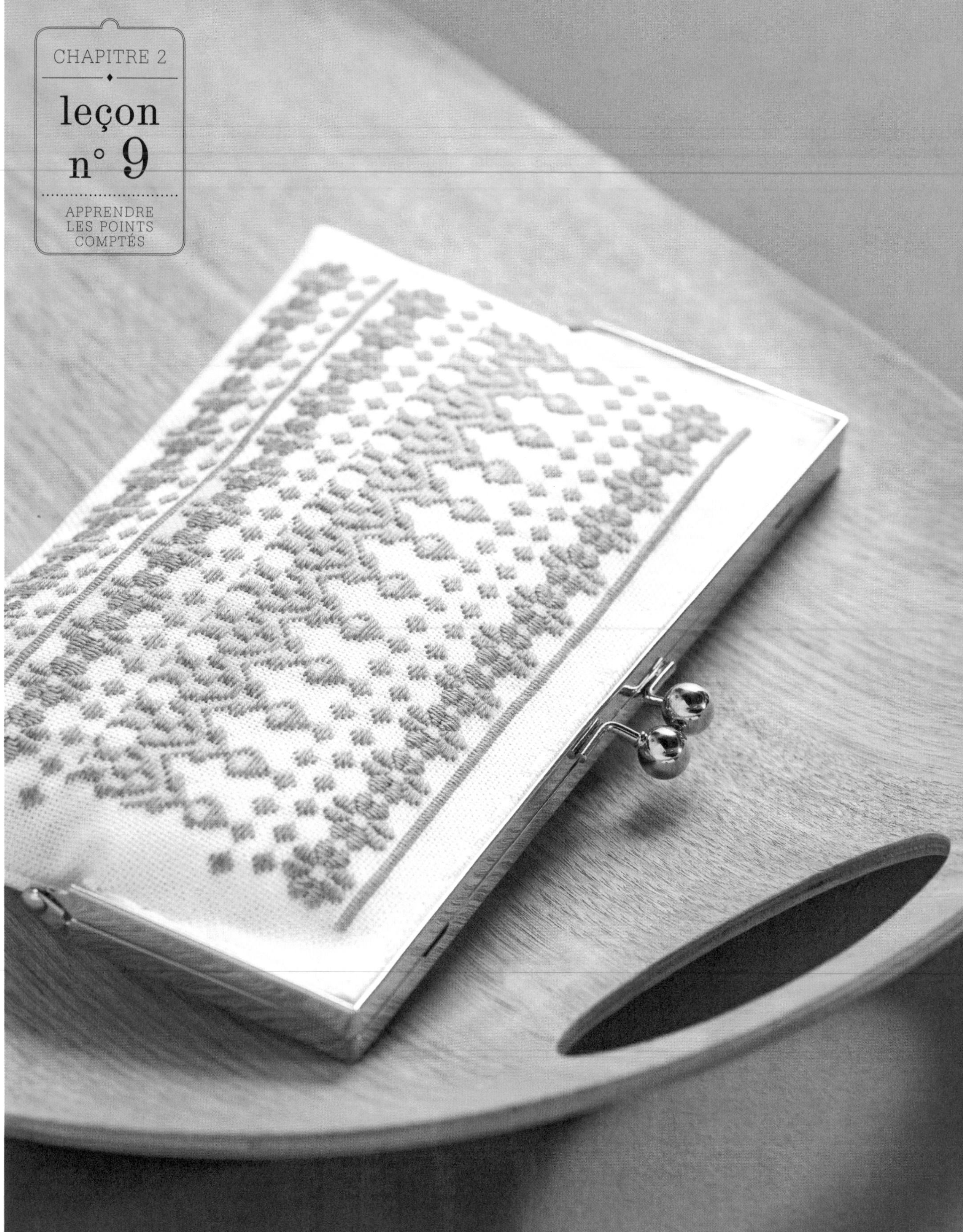

LEÇON N° 9

LE POINT DE TRAIT*

exercice : réaliser un petit sac

explications → page 84 • montage → page 85 • motifs → pages 86-87

FOURNITURES

30 x 25 cm de toile unifil blanche

30 x 25 cm de toile non tissée thermocollante

Échevettes de coton Retors DMC vert (2012)

Échevette de coton Perlé n° 5 DMC blanc

MATÉRIEL

Aiguille à broder à bout rond n° 20

Aiguille à broder à bout pointu n° 3

Fil et aiguille à bâtir

Fil à coudre blanc

Tambour à broder

Ciseaux à broder

Ciseaux de couturière

Fermoir de sac de 23 x 7 cm

DIMENSIONS DE L'OUVRAGE

12 x 20 cm

POINT EMPLOYÉ

Le point de trait

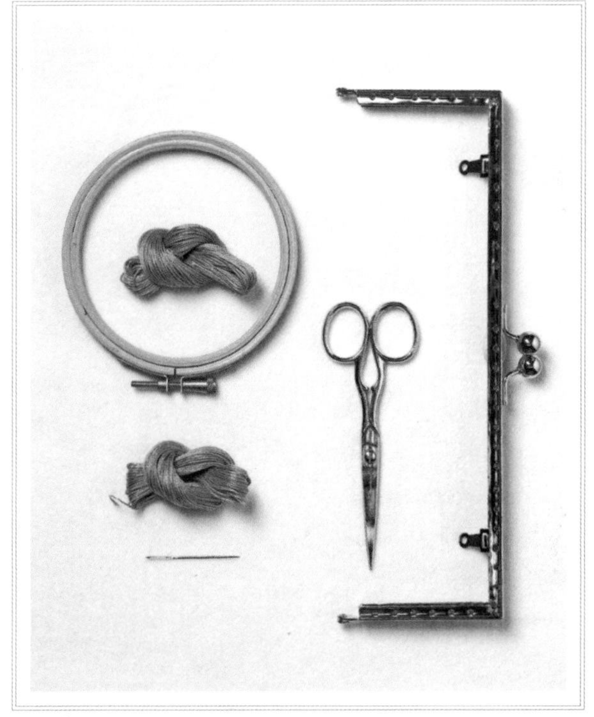

* Le point de trait, simplissime à souhait, sert à souligner des motifs au point de croix ou bien à former des motifs, à condition de travailler en comptant les fils de trame.

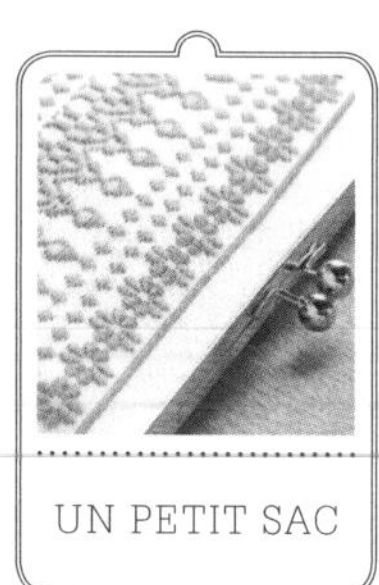

UN PETIT SAC

1 / Couper

Couper le tissu en laissant 10 cm tout autour du motif à broder. Surfiler les contours du tissu.

2 / Préparer

Plier le rectangle de tissu en deux puis replier une face en quatre pour trouver le centre. Passer un fil de bâti en croix pour marquer ce centre. Sur la grille, repérer le point situé au centre du motif. Monter le tissu sur le tambour.

3 / Broder

Enfiler l'aiguillée et commencer la broderie par le point situé au centre du motif. Les points sont soit brodés à l'horizontale soit à la verticale. Il faut compter les fils de la trame du tissu qui correspondent aux lignes de la grille.

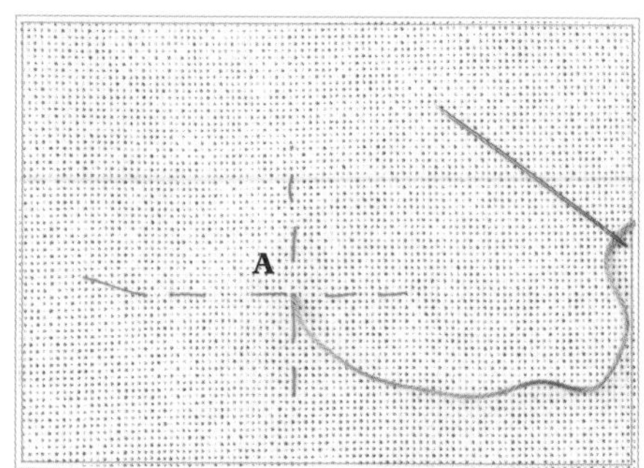

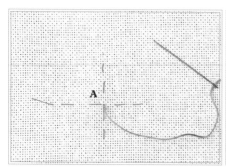

1 Sortir l'aiguille en A au centre du tissu, au niveau du repère en bâti. Laisser quelques centimètres de fil au dos.

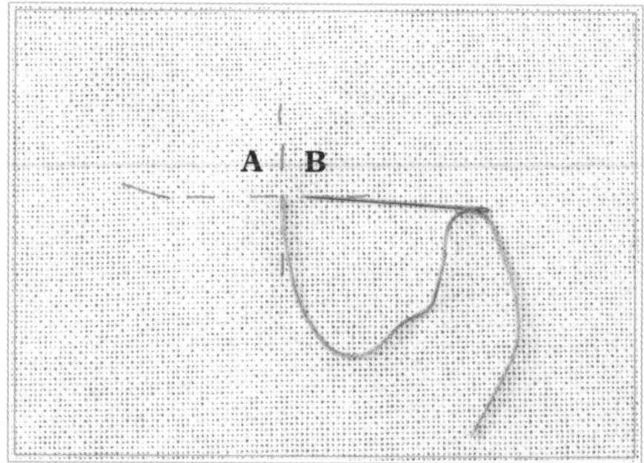

2 En fonction de la grille, compter le nombre de fils à passer pour former le premier point horizontal. Piquer l'aiguille en B à la droite du point de sortie du fil et tirer l'aiguillée pour former le premier point.

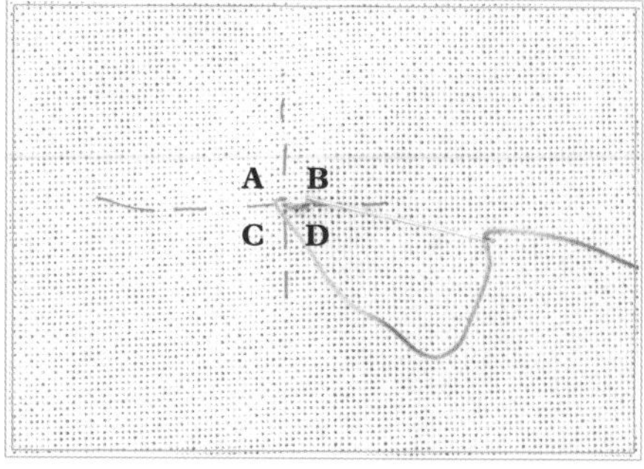

3 Sortir l'aiguille en C juste au-dessus du premier point en se décalant de 1 seul fil de trame. Repiquer en D pour former le deuxième point.

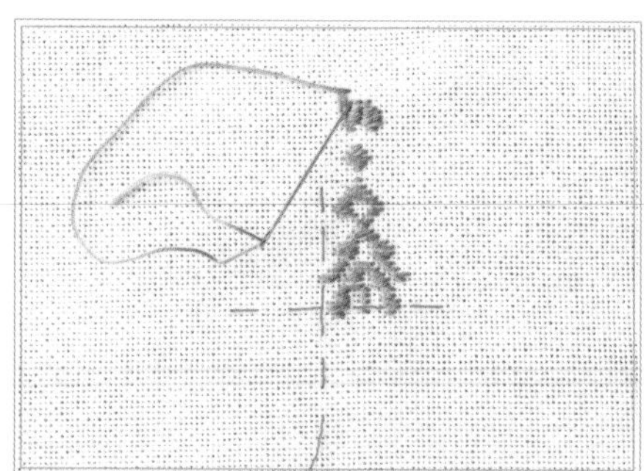

4 En fonction des indications de la grille, former le premier motif. Pour les motifs de fleur, repiquer dans les mêmes trous pour broder les autres pétales.

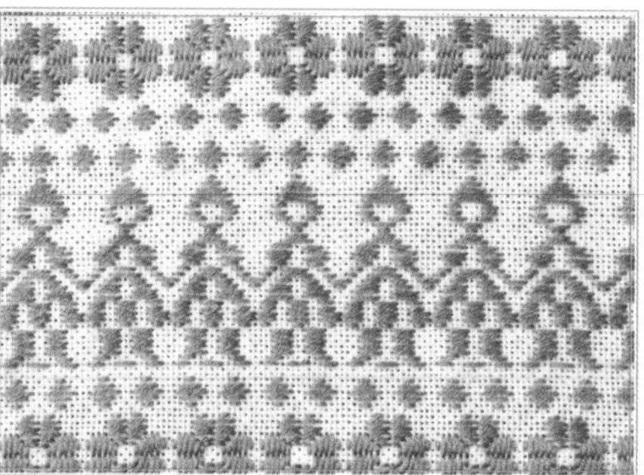

5 Réaliser en premier la frise centrale constituée de personnages puis faire les frises situées au-dessus et au-dessous.

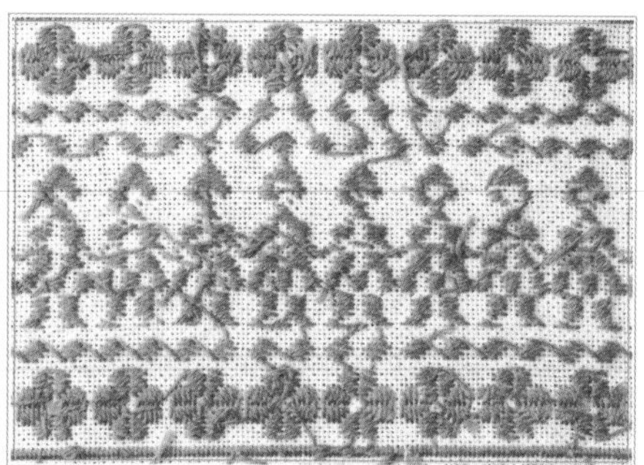

6 Au dos de l'ouvrage, les motifs sont autant remplis que sur l'endroit.

4 / Coudre

Une fois la broderie achevée, couper à ras tous les fils au dos de la broderie pour avoir un envers parfait et sans relief.

1 Repasser l'ouvrage sur l'envers. Fixer ensuite la toile non tissée thermocollante.

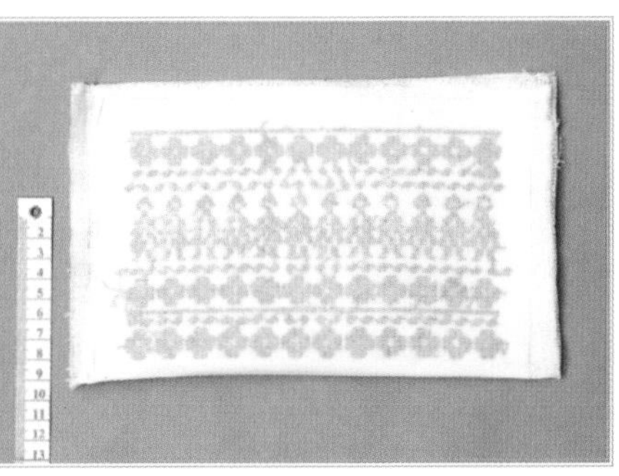

2 Plier le rectangle en deux, endroit contre endroit. Épingler les côtés. Piquer sur 9 cm de hauteur en partant de la pliure du tissu et à 1 cm des bords.

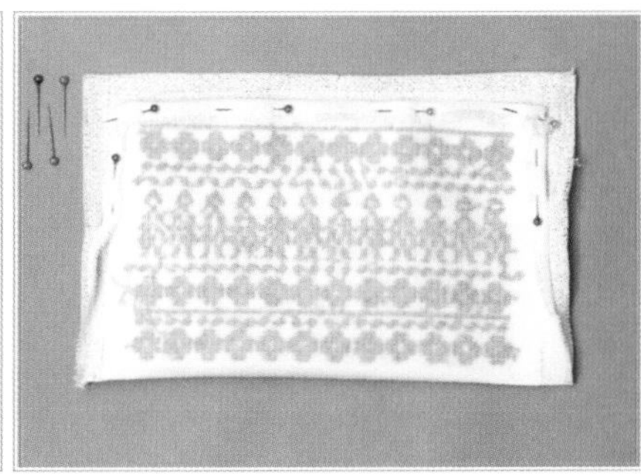

3 Former au fer à repasser un rentré de 1 cm sur le haut du sac et le haut des côtés laissés ouverts. Épingler et bâtir.

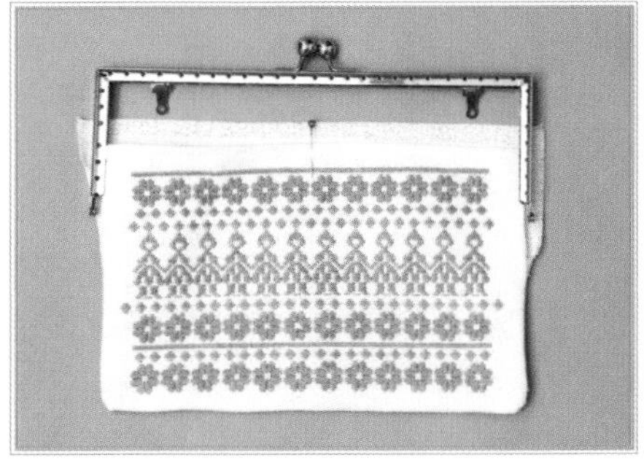

4 Placer une épingle au centre de l'ouverture du sac. Ouvrir le fermoir et le positionner sur le tissu en faisant coïncider le centre du sac et le trou central du fermoir.

5 Enfiler le coton Perlé blanc sur l'aiguille à bout pointu et faire un nœud. Passer l'aiguille au travers du trou central d'une partie du fermoir et du tissu, et tirer sur l'aiguillée.

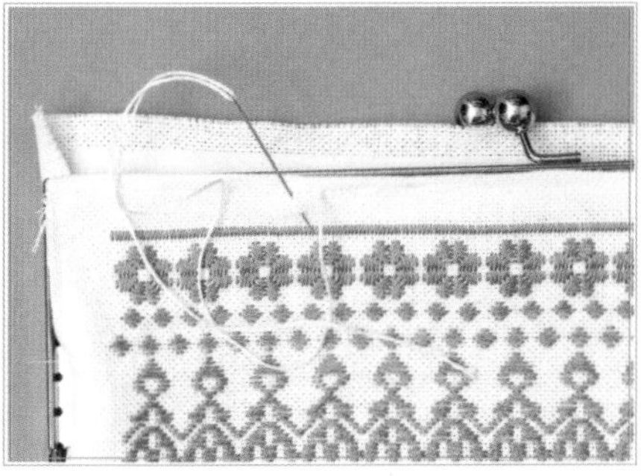

6 Repiquer dans le trou suivant à gauche. Tirer fermement l'aiguillée pour bien maintenir le tissu contre le fermoir. Passer l'aiguillée dans le trou suivant à gauche, et ainsi de suite jusqu'au bord du fermoir.

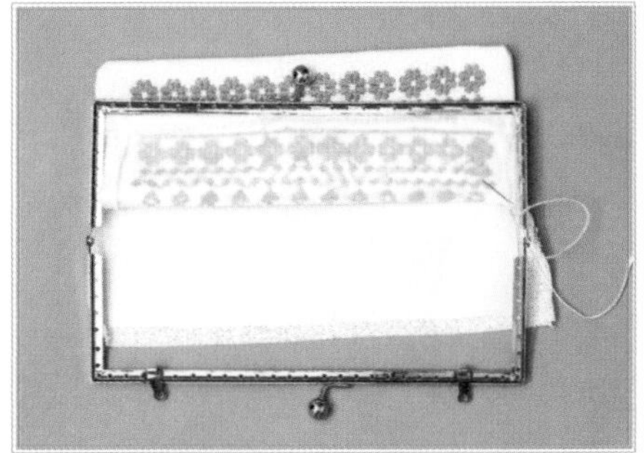

7 Continuer ainsi jusqu'à la vis du fermoir. Arrêter l'aiguillée de coton Perlé à l'intérieur de la pochette par 2 points arrière.

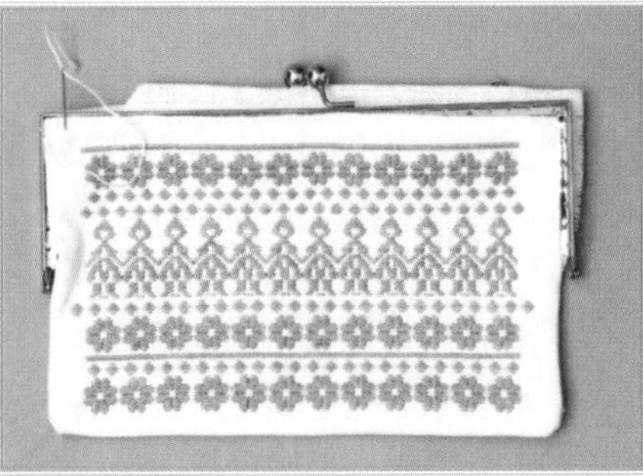

8 Revenir sur le montant en piquant dans les mêmes trous pour compléter les points. On obtient un point de piqûre complet.

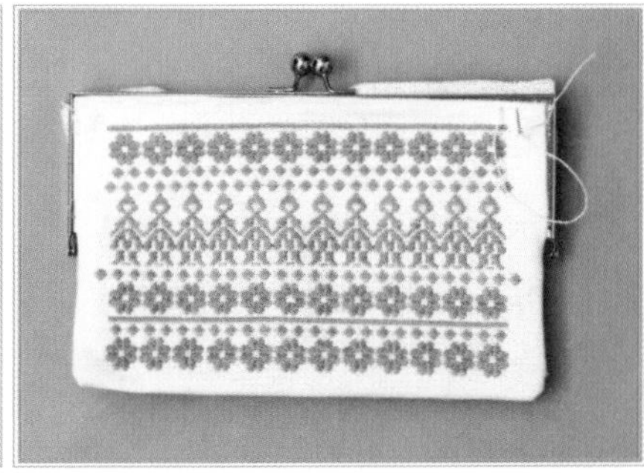

9 Réaliser de la même manière le montage de l'autre moitié du premier montant du fermoir, puis passer au montage de la seconde partie du fermoir.

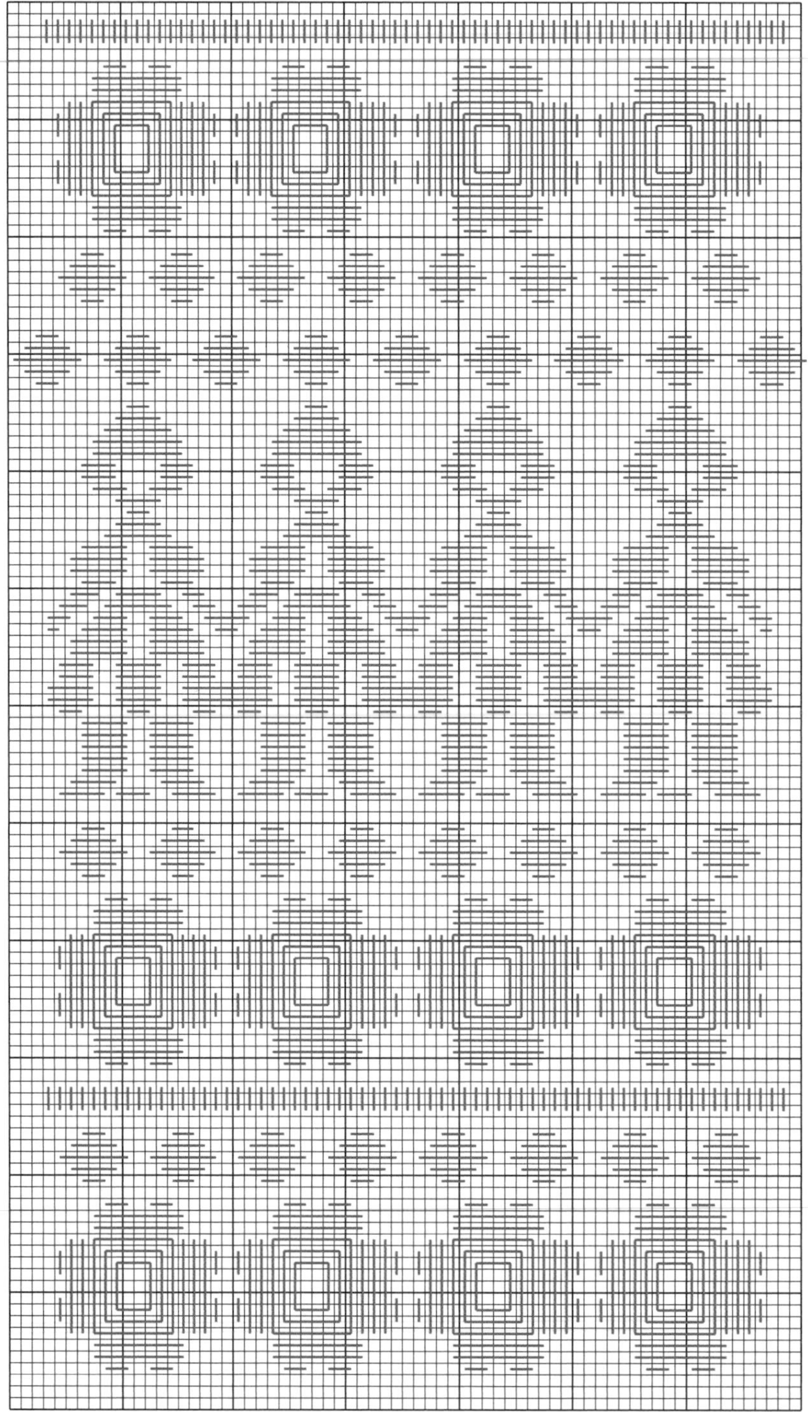

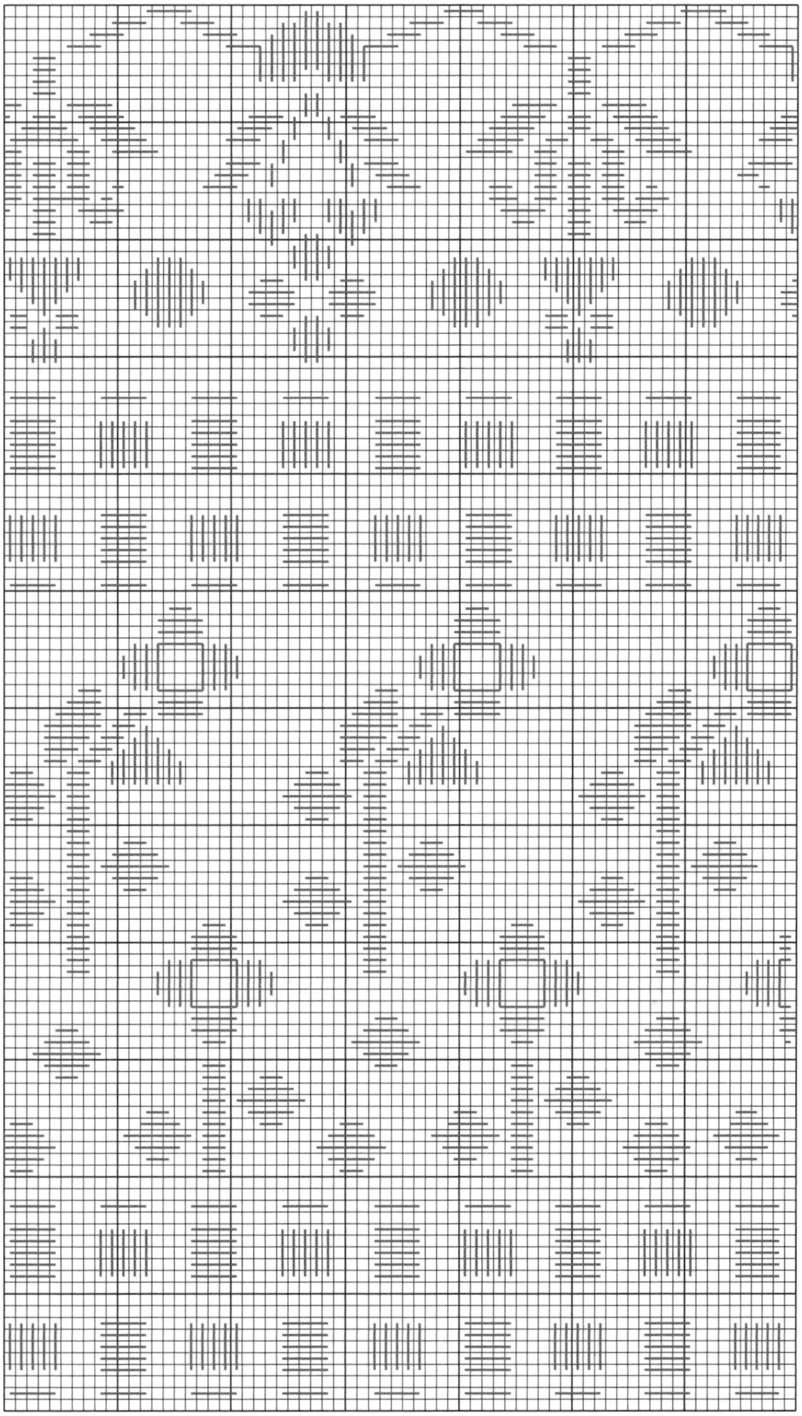

CHAPITRE 2

leçon n° 10

APPRENDRE LES POINTS COMPTÉS

LEÇON N° 10

LE DEMI-POINT*

exercice : confectionner une ceinture en tapisserie

explications → page 90 • montage → page 91 • motifs → pages 92-93

FOURNITURES

82 x 10 cm de canevas

82 x 10 cm de coton imprimé

Échevettes de coton Retors DMC 6 beige (2644) et 4 bleu (2791)

MATÉRIEL

Aiguille à broder à bout rond n° 20

Fil et aiguille à bâtir

Fil à coudre écru

Ciseaux à broder

Ciseaux de couturière

Feutre noir indélébile

Règle

Boucle de ceinture de 6 cm de large

DIMENSIONS DE L'OUVRAGE

80 x 5 cm (adapter la longueur)

POINT EMPLOYÉ

Le demi-point

* Le demi-point est le point qu'on utilise pour former la première partie du point de croix. Pour la tapisserie, on l'emploie en le brodant toujours dans le même sens et en recouvrant toute la surface du support, le canevas.

UNE CEINTURE

1 / Préparer

Reporter sur le canevas, avec la règle et le feutre, les contours d'une bande de 80 x 5 cm.

2 / Couper

Couper le canevas en laissant 5 cm de marge tout autour de la bande à broder.

3 / Broder

Commencer l'ouvrage par les fleurs en se reportant à la grille. Une fois la frise terminée, broder le fond. Débuter la broderie par le motif situé au début de la frise en le centrant en fonction des indications de la grille.

→ **CONSEIL**

Le coton Retors est un fil rond avec un aspect mat. Sa structure est assez fragile et sa surface s'use rapidement. Il faut donc prendre des aiguillées plus courtes que pour la broderie traditionnelle. Travailler avec des aiguillées de 25 cm au minimum.

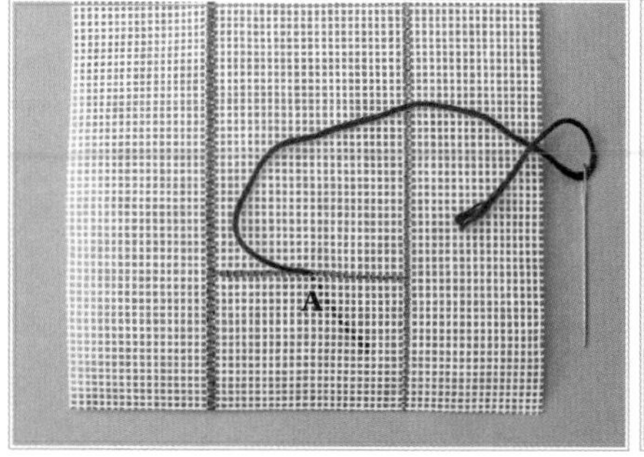

1 Sortir l'aiguille en A, au niveau du premier demi-point.

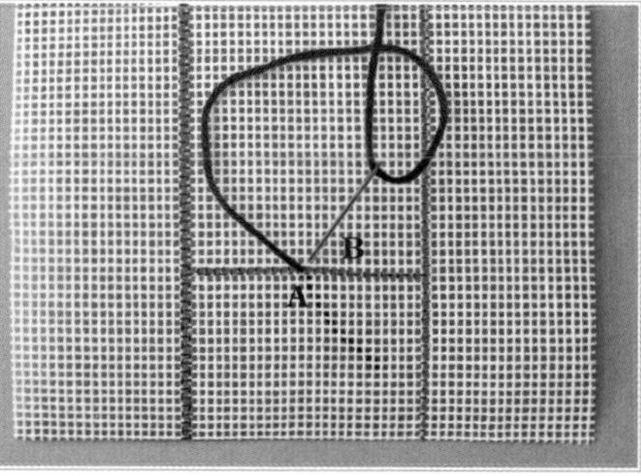

2 Piquez l'aiguille en B en déplaçant l'aiguille vers la droite de 1 fil de trame en hauteur et en largeur.

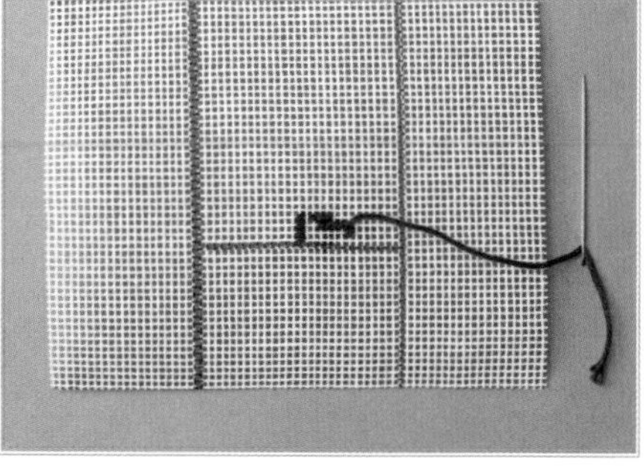

3 Tirer l'aiguillée pour former le premier demi-point en oblique vers la droite. En fonction des indications de la grille, travailler le deuxième demi-point et les suivants de la même manière.

4 La frise de fleurs terminée, broder le fond en coloris beige. Commencer à une extrémité de la bande. Remplir les rangs en respectant le sens du demi-point.

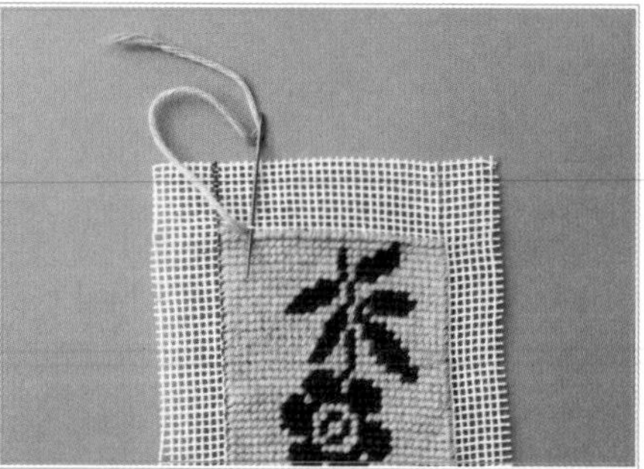

5 Un rang sur deux, tourner l'ouvrage à 180° de manière à toujours travailler de la gauche vers la droite.

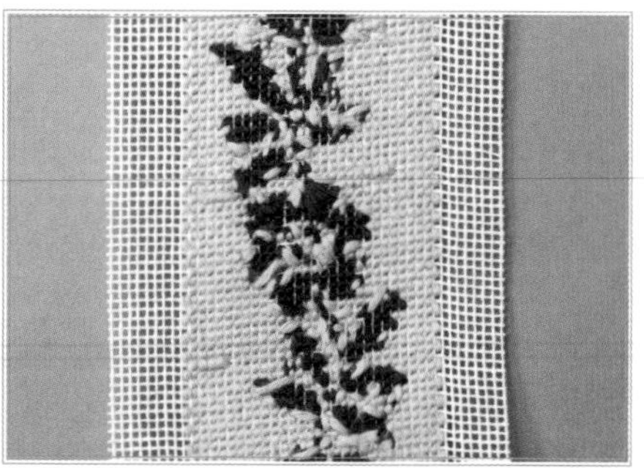

6 Au dos de l'ouvrage, le canevas est totalement recouvert de petits points verticaux.

4 / Coudre

Avant de réaliser la ceinture, vérifier sa longueur en mesurant une des vôtres et en ajoutant 5 cm à droite et à gauche.

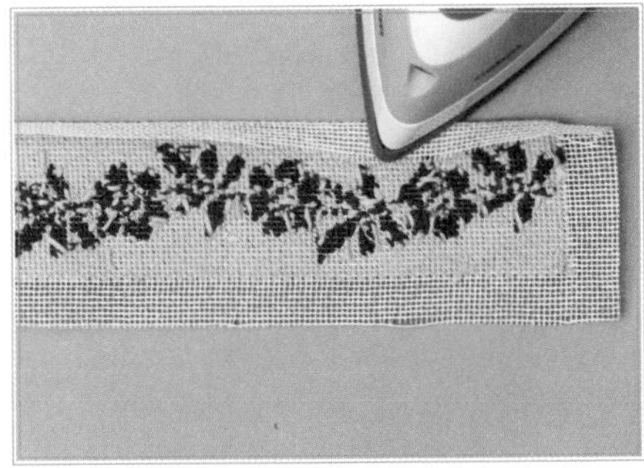

1 Recouper l'excédent de canevas à 1 cm du bord de la broderie. Sur l'envers de la bande, rabattre au fer sur les quatre côtés le canevas non brodé.

2 Surfiler les bords de la bande de cotonnade utilisée en doublure.

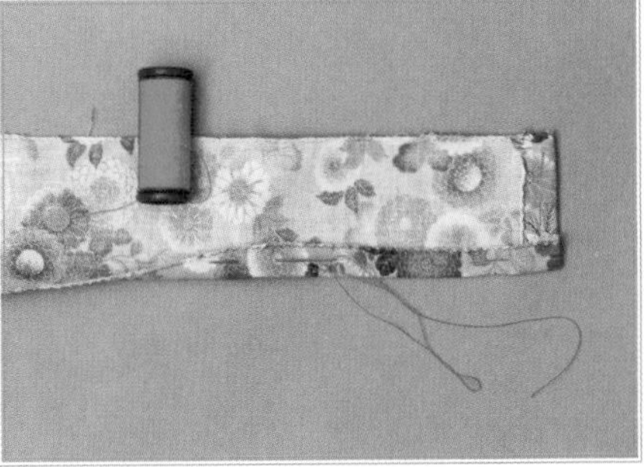

3 Former des rentrés de 1 cm au dos de la bande de cotonnade. Bâtir.

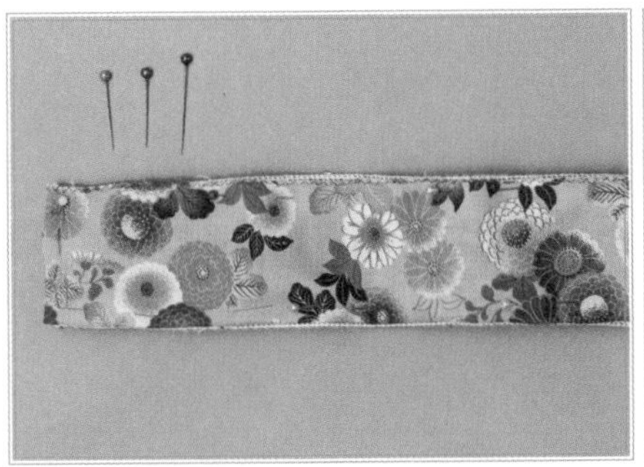

4 Épingler la doublure au dos du canevas. Bâtir pour maintenir les deux épaisseurs.

5 Fixer les bords de la doublure au dos de la ceinture à petits points glissés réalisés à la main avec le fil écru.

6 Replier une extrémité sur 5 cm, au fer à repasser.

7 Passer la boucle de ceinture dans le pli précédemment formé.

8 Épingler au dos pour maintenir toutes les épaisseurs. Coudre à points arrière.

9 Sur l'endroit de la ceinture, la boucle se place naturellement.

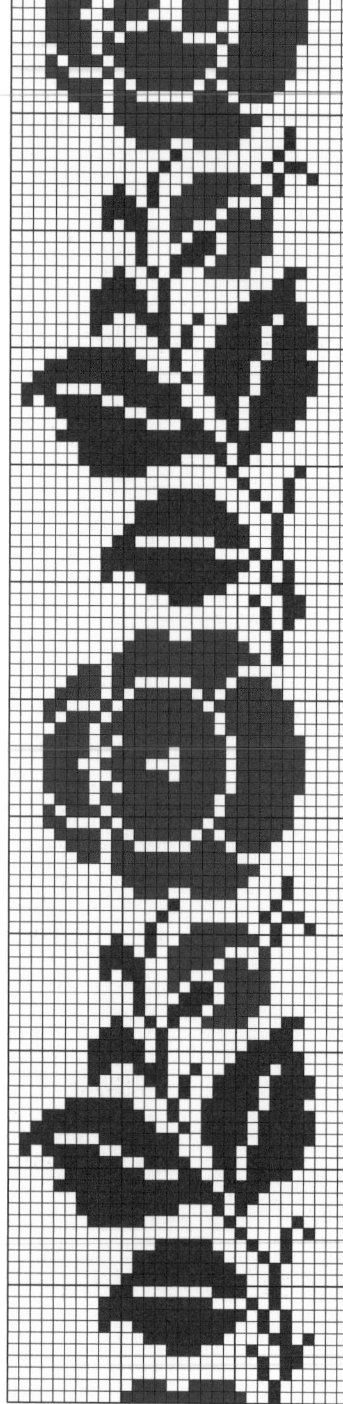
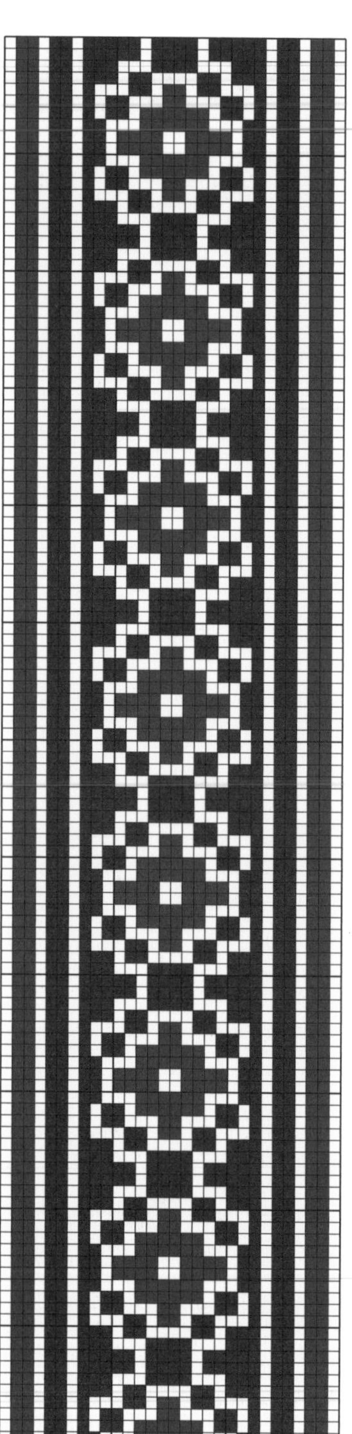
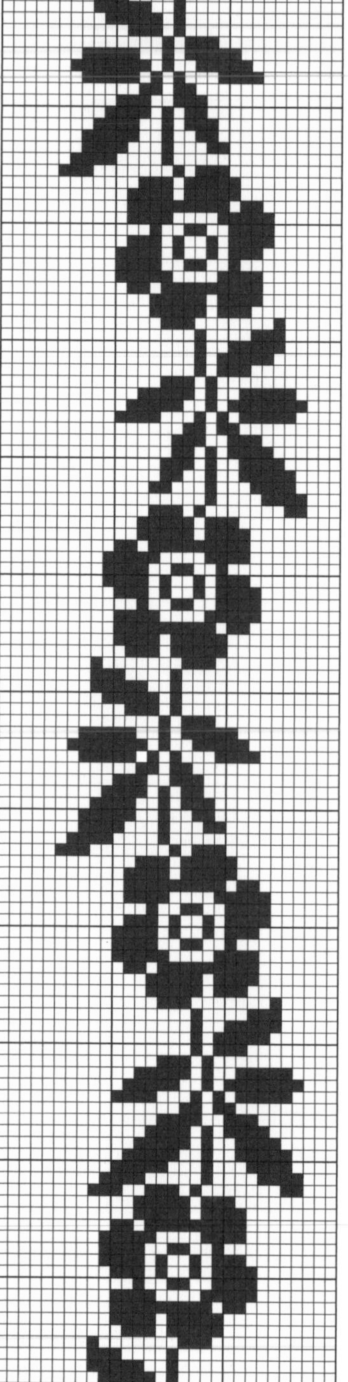

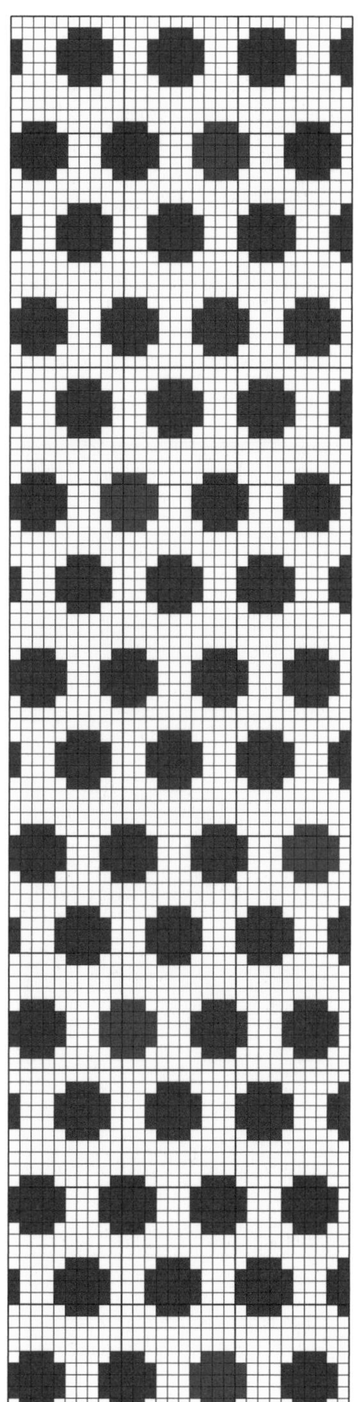

CHAPITRE 2

leçon n° 11

APPRENDRE LES POINTS COMPTÉS

LEÇON N° 11

LE POINT DE DIABLE*

exercice : customiser une veste vintage

explications → page 96 • schéma de placement → page 97

FOURNITURES

Veste large

Ficelle de lin

MATÉRIEL

Aiguille à broder à bout pointu n° 3

Aiguille et fil à bâtir

Ciseaux à broder

Tire-fil

DIMENSIONS DE LA BRODERIE

Suivant le support choisi

POINT EMPLOYÉ

Le point de diable

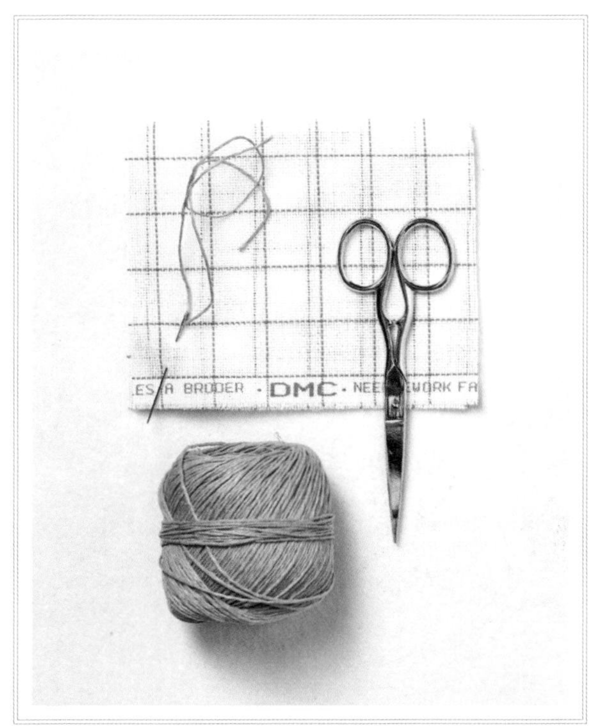

* Le point de diable ou point étoilé s'inscrit dans un carré de toile d'un nombre de fils de trame égal en hauteur et en largeur. Il peut avoir des tailles différentes, l'essentiel étant que ce principe soit respecté. Sur un tissu à trame serrée, il se brode à l'aide d'un tire-fil.

UNE VESTE VINTAGE

1 / Préparer

Choisir et mesurer l'endroit où la broderie va être réalisée sur le vêtement.

2 / Couper

Couper le tire-fil en laissant 10 cm tout autour du motif à broder. Relever à l'aide d'un feutre noir les emplacements des points de diable (voir schéma de placement). Épingler puis bâtir le tire-fil sur le vêtement.

3 / Broder

Commencer exceptionnellement par un petit nœud pour maintenir l'aiguillée au dos de l'ouvrage. Soulever le rabat pour ne pas piquer dans la poche elle-même.

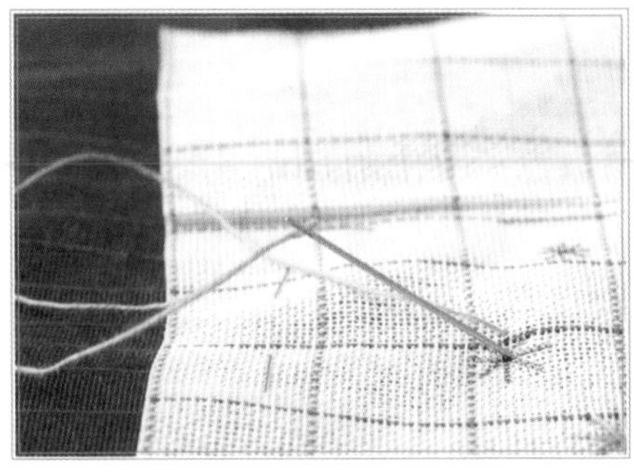

1 Sortir le fil sur l'endroit de l'ouvrage puis piquer horizontalement en sautant 3 fils de la trame.
Ce trou devient le centre du point de diable.
La taille de ce point de diable s'inscrit dans un carré de 6 x 6 fils de la toile.

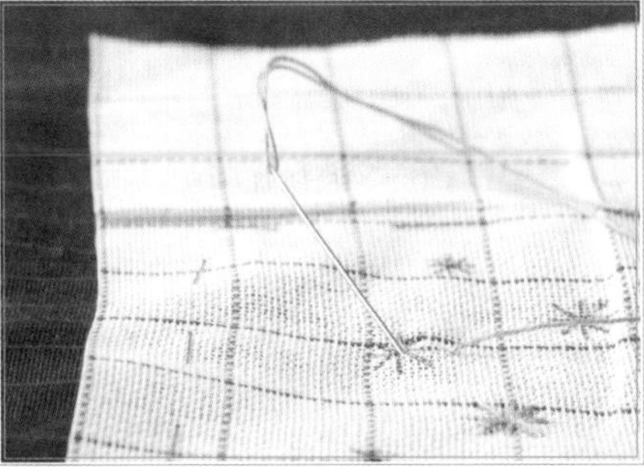

2 Ressortir l'aiguillée de manière à former le point vertical suivant et repiquer dans le trou central.

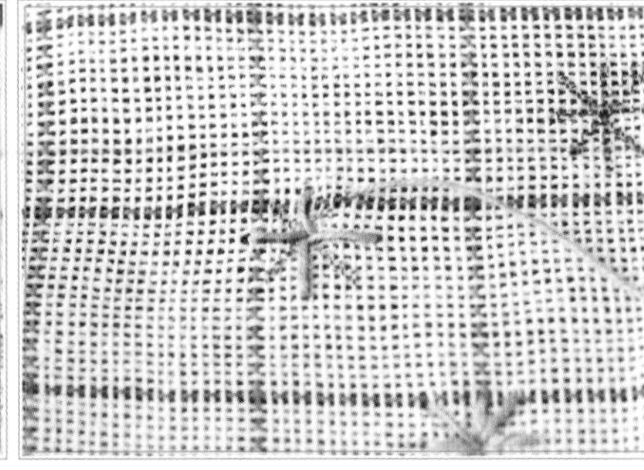

3 Former une croix droite en travaillant de la même manière les points dans le sens des aiguilles d'une montre.

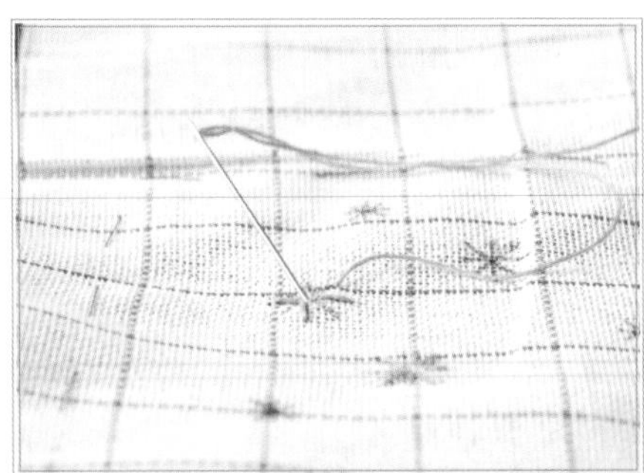

4 Sortir l'aiguillée au milieu entre le point vertical et le point horizontal suivants. Repiquer dans le trou central. Le premier point oblique est ainsi formé et s'inscrit dans le carré de 6 x 6 fils.

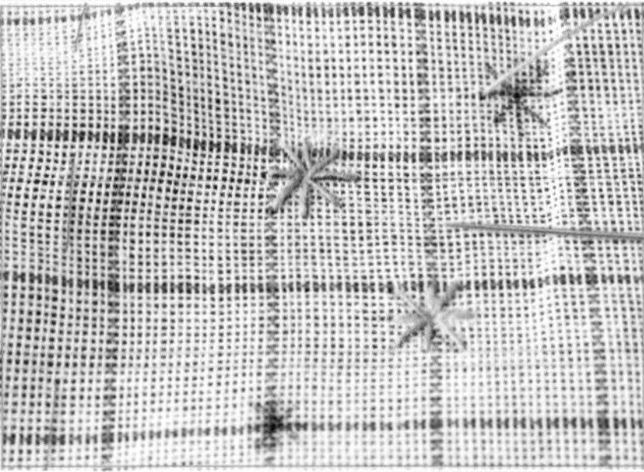

5 Broder de la même manière les 3 autres branches obliques de l'étoile à 8 branches qui forme le point de diable.

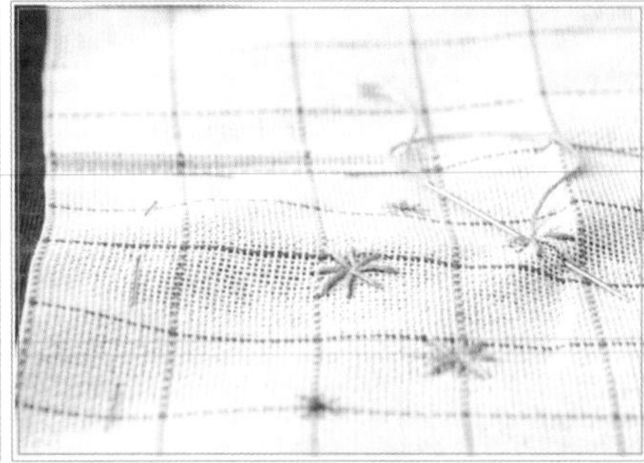

6 Broder le point suivant situé à côté du premier. Le réaliser en suivant les étapes 1 à 5 et en l'ajustant à la taille du motif. Le motif terminé, retirer les fils du tire-fil (voir p. 76).

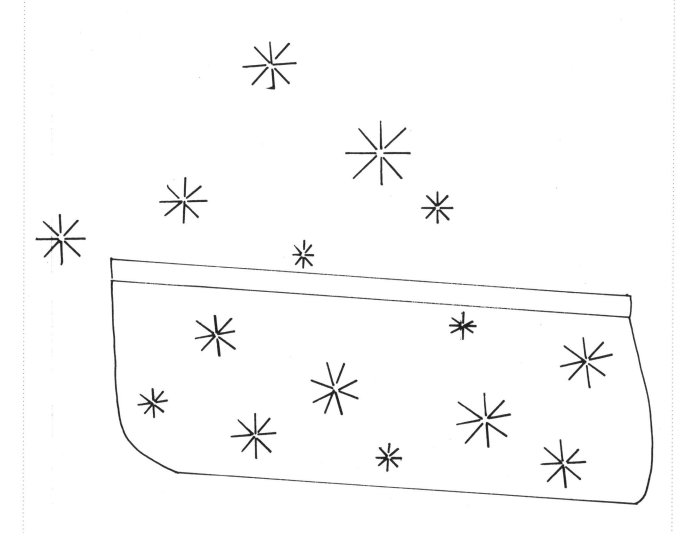

point de diable

LEÇONS DE POINTS

1 — le point de croix (pages 72 à 77)
2 — le point de trait (pages 82 à 87)
3 — le demi-point (pages 88 à 93)
4 — le point de diable (94 à 97)

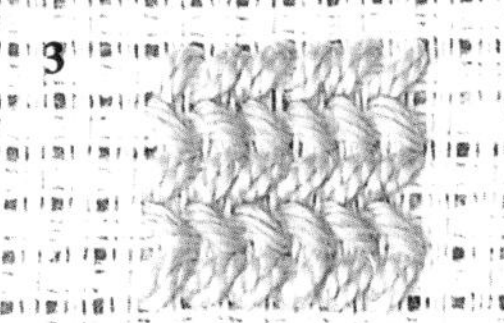

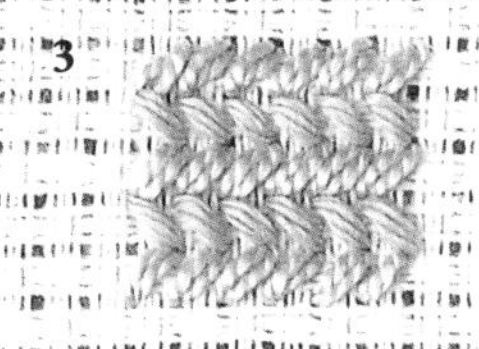

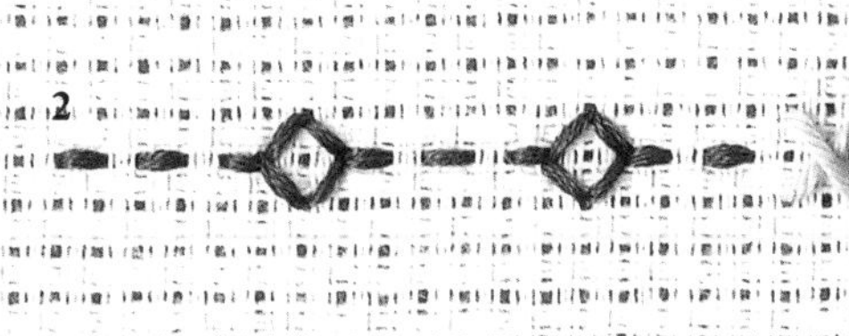

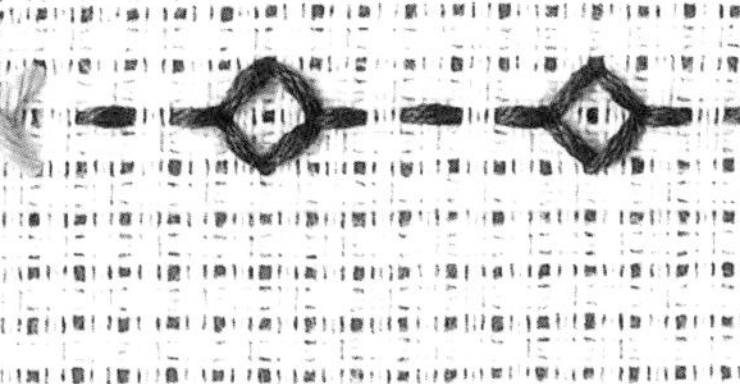
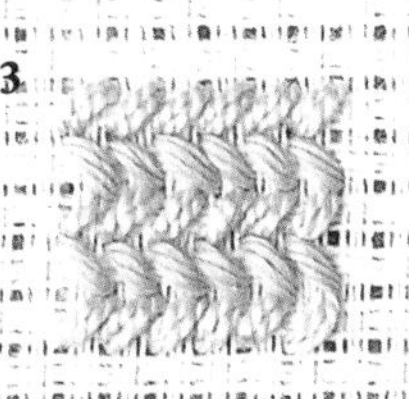

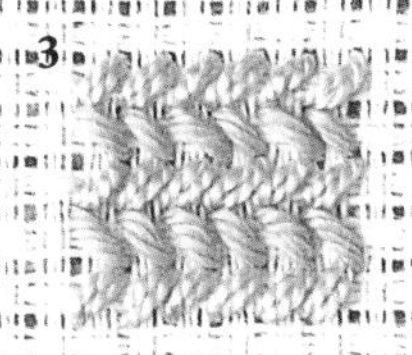

Pour en savoir plus, retrouvez tous les points de ce chapitre, expliqués en schémas, pages 214 à 217.

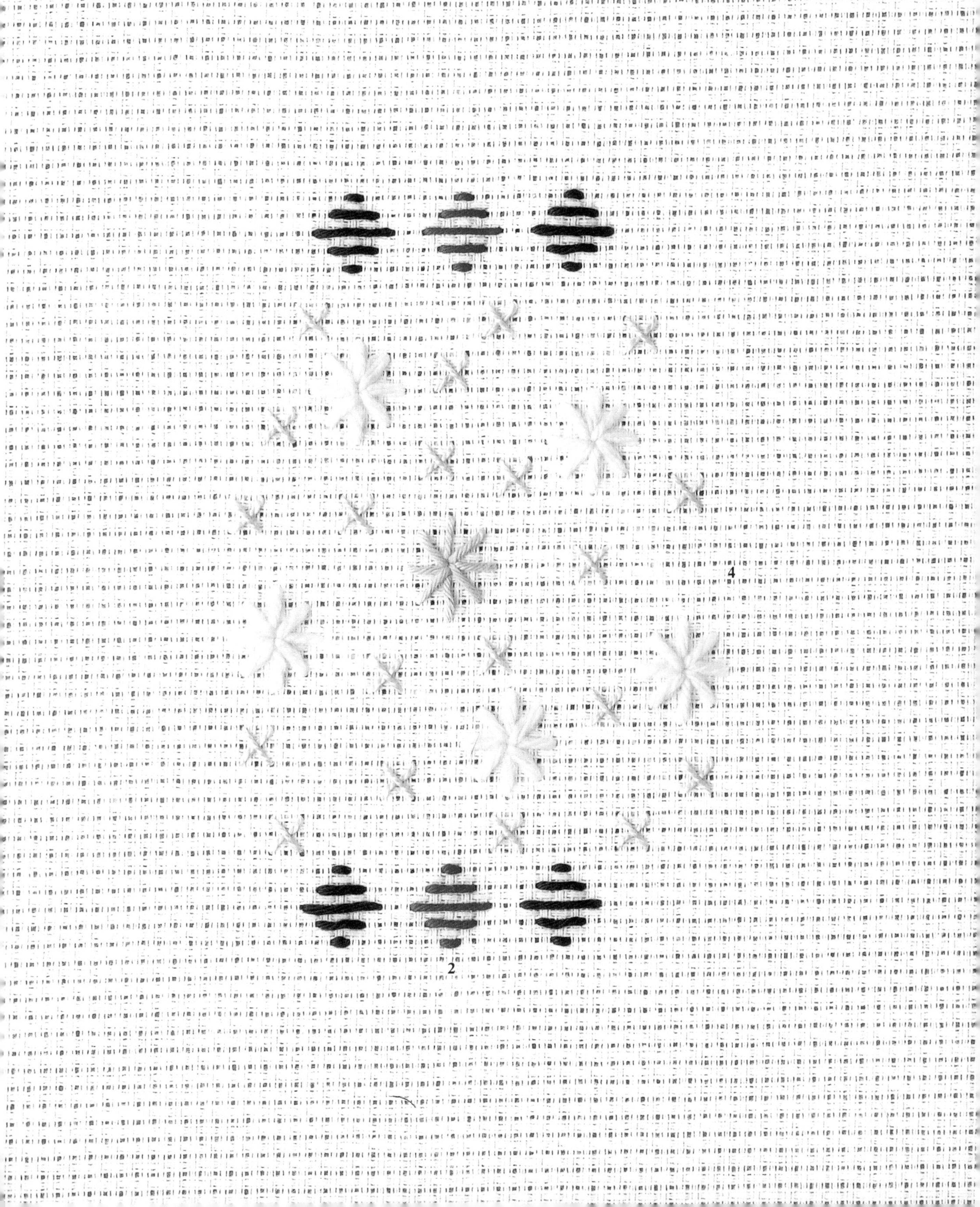

4

2

CHAPITRE 3

CRÉER LES POINTS DE REMPLISSAGE CROISÉS

CHAPITRE 3

leçon n° 12

CRÉER LES POINTS DE REMPLISSAGE CROISÉS

LEÇON N° 12

LE POINT DE CHAUSSON*

exercice : réaliser une housse d'ordinateur

explications → page 104 • montage → page 105 • schéma coté → page 106 • motifs → page 107

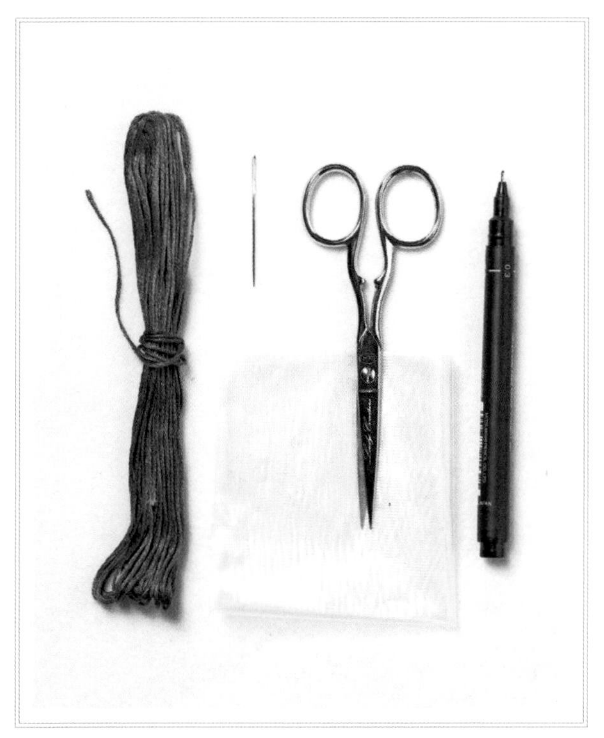

FOURNITURES

40 x 65 cm de drap de laine écru

Échevette de coton Mouliné DMC gris (413)

MATÉRIEL

Aiguille à broder à bout pointu n° 7

Aiguille et fil à bâtir

25 x 25 cm de film soluble

Tambour à broder

Ciseaux à broder

Stylo feutre noir

Papier quadrillé à carreaux de 5 cm de côté

2 fermetures à glissière écrues de 45 cm

DIMENSIONS DE LA BRODERIE

18 x 16 cm

POINTS EMPLOYÉS

Le point avant

Le point de Chausson

Le point de piqûre

* Ce point croisé est cousin du point de croix. Cependant le point de Chausson est adapté à la broderie traditionnelle et ne nécessite pas de compter les fils de la toile. Il se brode entre les traits parallèles d'un tracé.

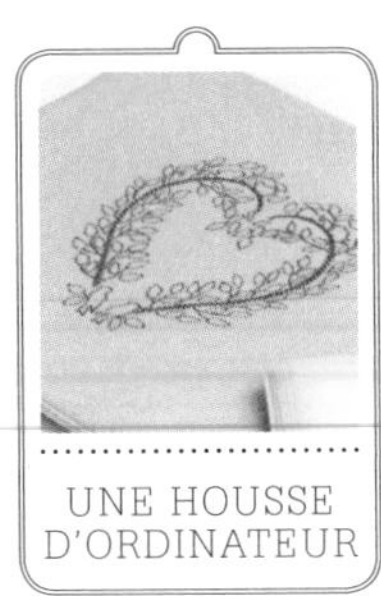

1 / Tracer

Tracer le gabarit de la housse sur une feuille quadrillée à carreaux de 5 cm de côté en se référant au schéma coté. Couper ensuite le patron sur le tracé.

2 / Couper

Placer le patron de la housse droit-fil sur l'envers du drap et épingler. Tracer les contours du gabarit à l'aide du crayon à papier et de la règle. Couper. Sur une face de la housse et sur l'endroit, passer un fil de bâti croisé pour marquer le centre de l'ouvrage.

3 / Broder

Relever le motif à broder sur le film soluble à l'aide du feutre noir. Centrer le motif sur le dessus de la housse. Bâtir le film. Monter la pièce de tissu sur le tambour et travailler avec 2 brins de Mouliné. Commencer la broderie par la forme du cœur au point de Chausson puis continuer par les motifs de feuilles et d'oiseaux au point de piqûre.

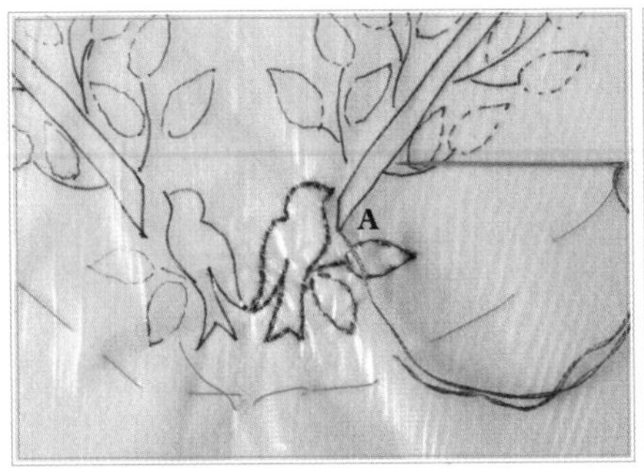

1 Le point se travaille en va-et-vient de part et d'autre du tracé. Sortir le fil en A au début du tracé du cœur, à droite et sur la ligne du bas.

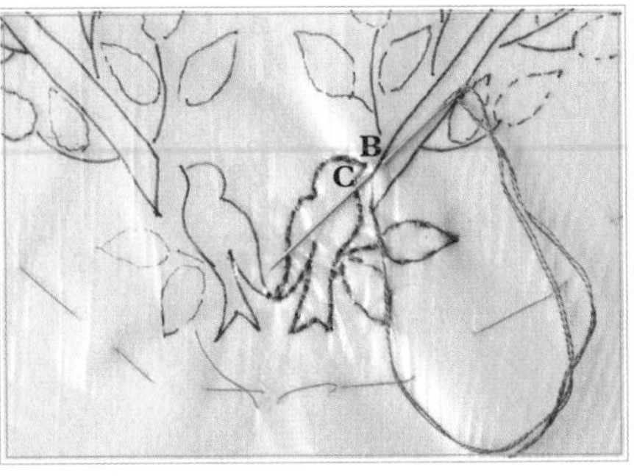

2 Piquer en B à quelques millimètres vers la droite sur le tracé du haut. Sortir la pointe de l'aiguille en C toujours sur le tracé du haut, à quelques millimètres à gauche de B. On obtient un demi-point oblique.

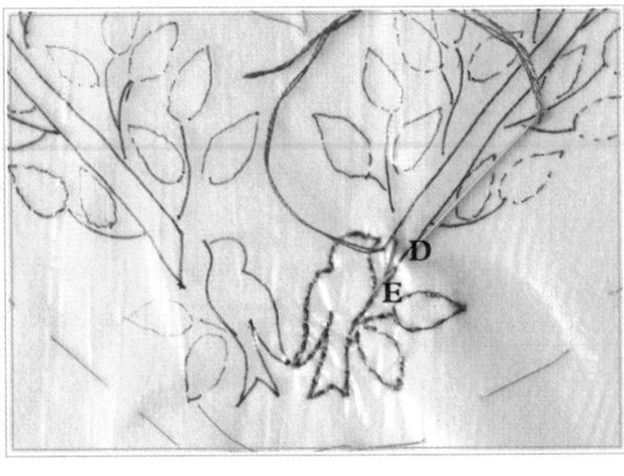

3 Repiquer en D à quelques millimètres vers la droite sur tracé du bas. Ressortir en E sur cette ligne vers la gauche. Les 2 premiers points se croisent.

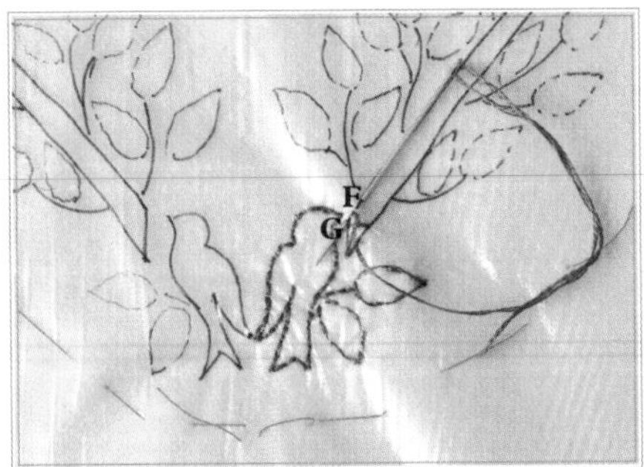

4 Revenir sur le tracé du haut. Piquer en F vers la droite et sortir en G, situé entre le point B et le point F.

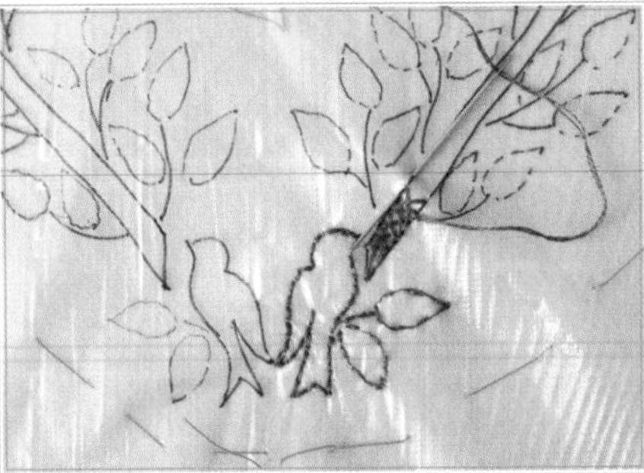

5 Répéter les étapes 3 et 4 en alternant le travail sur le tracé du haut et celui du bas.

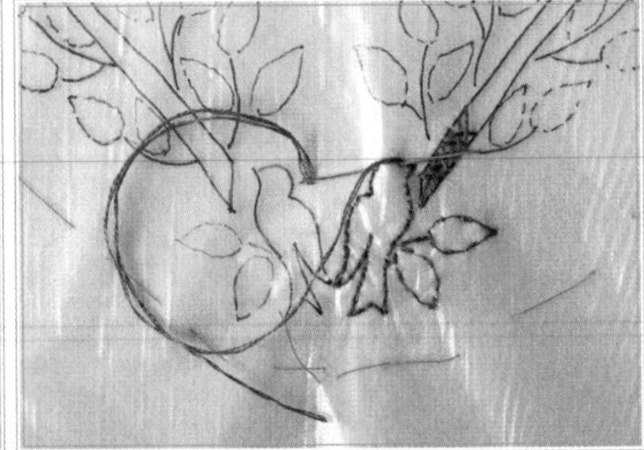

6 Le point de Chausson terminé, broder les feuilles et les tiges au point de piqûre.
Pour retirer le film, tremper quelques minutes le drap de laine brodé dans un bain d'eau tiède. Laisser sécher puis repasser.

4 / Coudre

La seule difficulté de cet ouvrage réside dans la pose des fermetures à glissière. Suivre attentivement les différentes étapes.

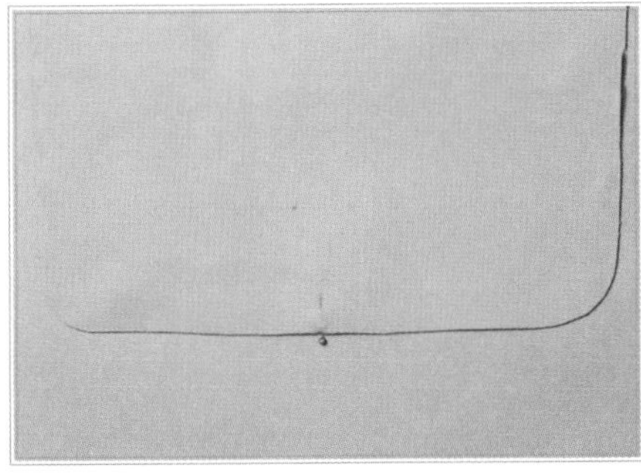

1 Placer une épingle comme repère sur les 2 faces de la housse, au centre de l'ouverture. Positionner l'endroit de la housse sur le dessus, tissu endroit contre endroit.

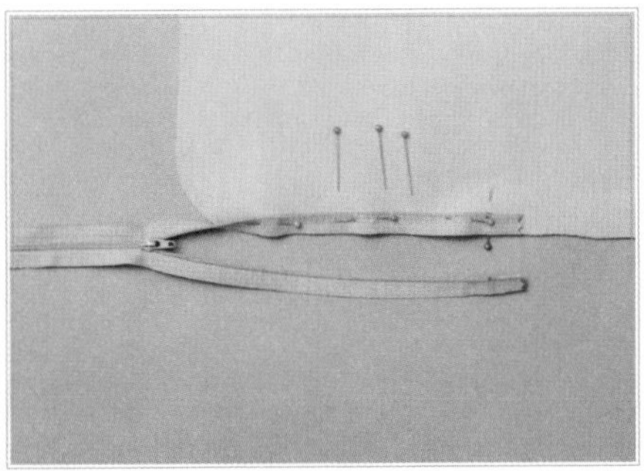

2 Ouvrir la première fermeture à glissière. Positionner l'extrémité du ruban au niveau du repère central, les dents de la fermeture positionnées vers le centre de la housse. Épingler.

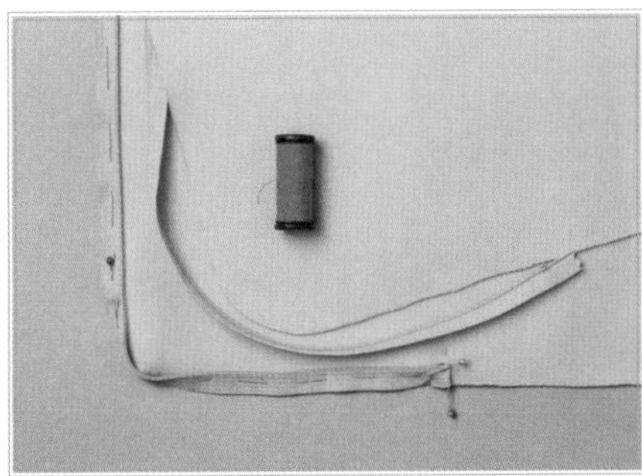

3 Bâtir les 2 côtés de la première fermeture à glissière le long de l'ouverture de la housse.

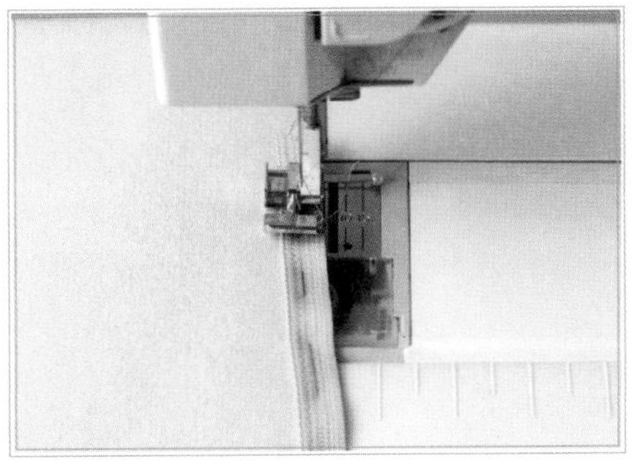

4 Placer le pied ganseur sur la machine à coudre. Mettre la housse à plat et commencer à piquer la fermeture.

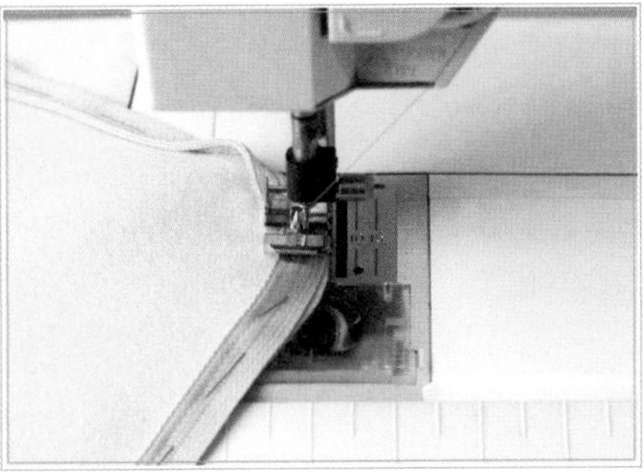

5 Dans l'arrondi des angles, orienter le tissu. Pour cela, laisser l'aiguille plantée dans le tissu, soulever le pied de biche et tourner doucement le tissu.

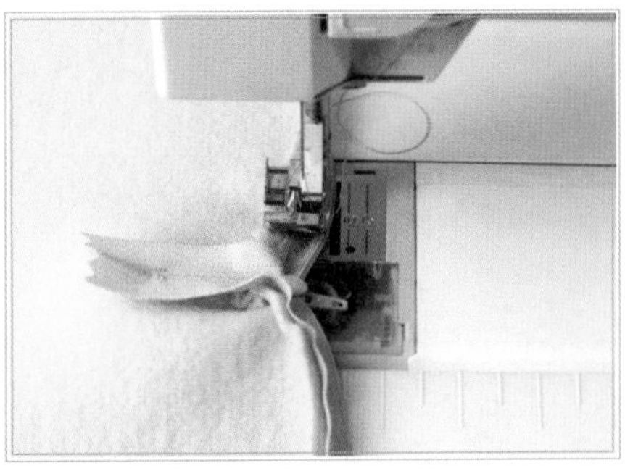

6 En fin de pose de la fermeture, laisser l'excédent du ruban à l'intérieur de la housse.

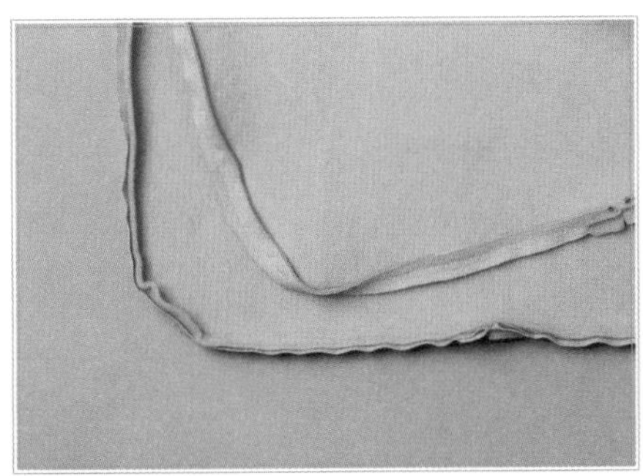

7 Réaliser le même montage avec la seconde fermeture à glissière sur la deuxième moitié de l'ouverture de la housse.

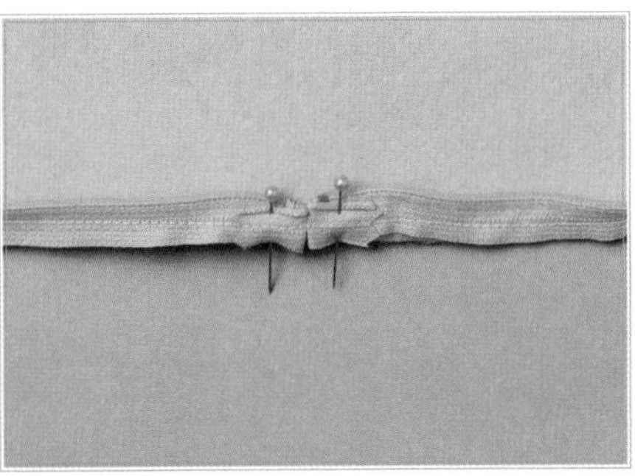

8 Replier sur 1 cm l'excédent de tissu situé aux extrémités de chaque fermeture qui se font face au centre de l'ouverture et les piquer.

9 Lorsque les fermetures sont refermées, la housse prend forme.

UNE HOUSSE D'ORDINATEUR

✻ **plan de coupe**

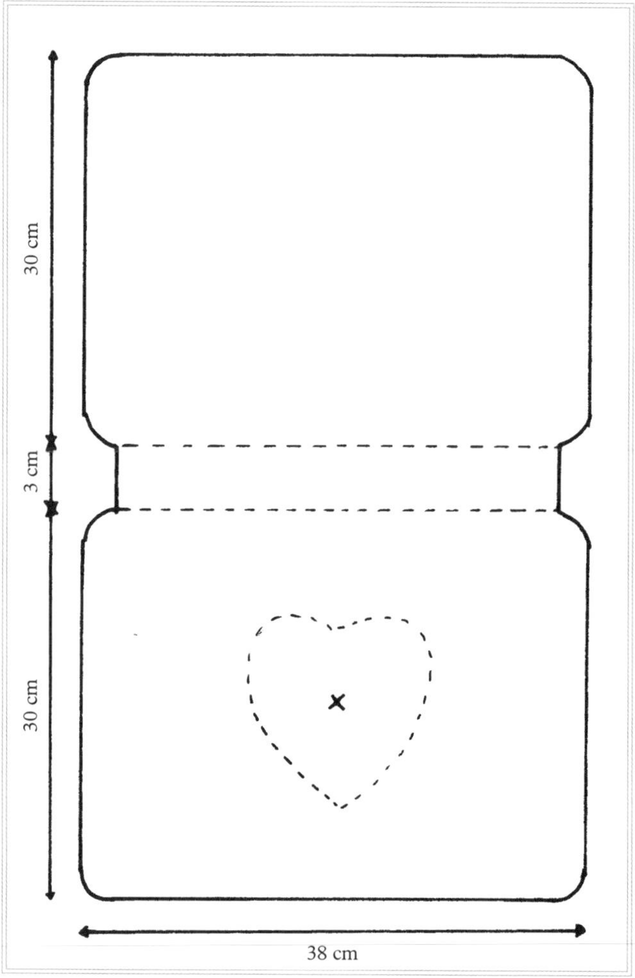

→ **CONSEIL**

• Les fermetures à glissière existent en de nombreuses longueurs et différents coloris, leurs « dents » et le curseur peuvent être en métal ou en matière plastique mais seules ces dernières peuvent être raccourcies. Pour cela, fermer la fermeture, entourer les rubans d'un morceau d'adhésif à l'endroit de la coupe en ajoutant 2 cm pour cacher l'extrémité à l'intérieur de la fente du tissu. Tailler aux ciseaux l'excédent puis piquer deux ou trois fois sur l'extrémité coupée afin de fixer les dents puis procéder à la pose. Ne jamais piquer sur les dents d'une fermeture en métal, l'aiguille pourrait se casser ou se tordre.
• Au repassage, les fermetures en métal peuvent rayer la semelle du fer tandis que celles en matière plastique ont tendance à fondre sous une chaleur trop importante. Pour éviter ces types de problèmes, placer une pattemouille entre la fermeture et la semelle du fer.
• Si la fermeture coulisse difficilement après un lavage, passer sur les dents un morceau de savon sec ou un bâton de paraffine, au dos de la fermeture fermée.

point de piqûre point avant point de Chausson

CHAPITRE 3

leçon n° 13

CRÉER LES POINTS DE REMPLISSAGE CROISÉS

LEÇON N° 13

LE POINT D'OMBRE*

exercice : broder sur un carré en voile

explications → pages 110-111 • motifs → page 112

FOURNITURES

140 x 140 cm de voile de lin gris

Échevette de coton Mouliné DMC rouille (355)

MATÉRIEL

Aiguille à broder à bout pointu n° 7

Aiguille et fil à bâtir

Tambour à broder

Ciseaux à broder

Crayon à papier

DIMENSIONS DE LA BRODERIE

17 x 23 cm

POINTS EMPLOYÉS

Le point d'ombre

Le point de tige

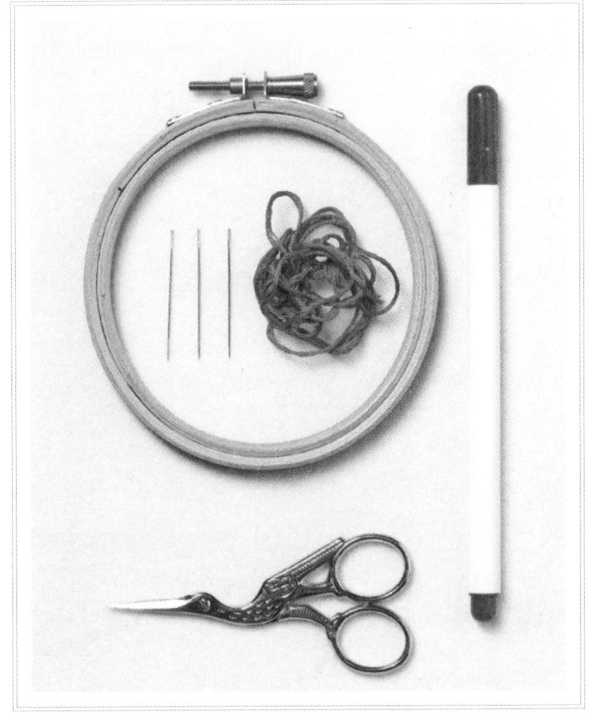

* Brodé sur l'envers d'un voile, le point d'ombre, formé de croisements de fils, remplit des formes mais en laissant une certaine transparence. Sur l'endroit de l'ouvrage, le motif est cerné d'une rangée de points de piqûre.

UN CARRÉ

1 / Tracer

Surfiler le voile. Passer un fil de bâti sur son pourtour à 10 cm des bords. Placer le dessin sur le voile à 10 cm des fils de bâti dans un des angles. Attention, ici le tracé de la broderie est sur l'envers de l'ouvrage et non sur l'endroit. Épingler le dessin et le tissu puis relever par transparence le motif avec le crayon à papier.

→ **CONSEILS**

• Pour réaliser de beaux angles en onglet, les mesures doivent être prises très rigoureusement pour éviter tout décalage au niveau des angles. Il est nécessaire de tailler l'excédent de tissu dans les angles afin d'éviter les surépaisseurs, qui dans une étoffe comme le voile se verraient par transparence. Cette opération se nomme crantage. Couper le tissu dans le biais par rapport au droit-fil. En cas d'hésitation tracer la ligne de coupe à l'aide d'une équerre.
• Pour alléger la piqûre de l'ourlet sur le voile, employer un fil à coudre n° 40 dans un coloris le plus proche possible du coloris du tissu. Régler le point de piqûre de manière à obtenir des points assez longs. Trop courts, ils risquent de froncer la surface du tissu.
• Pour obtenir une belle piqûre, dans l'angle, laisser la pointe de l'aiguille plantée dans le tissu. Soulever le pied presseur, tourner le tissu d'un quart de tour. Abaisser le pied presseur et terminer la piqûre. Répéter cette opération à chaque angle.

2 / Réaliser un ourlet avec onglet

Cet ourlet peut se réaliser sur l'endroit ou l'envers de l'ouvrage. Le confectionner avant de broder permet de placer correctement le motif dans la pointe du carré.

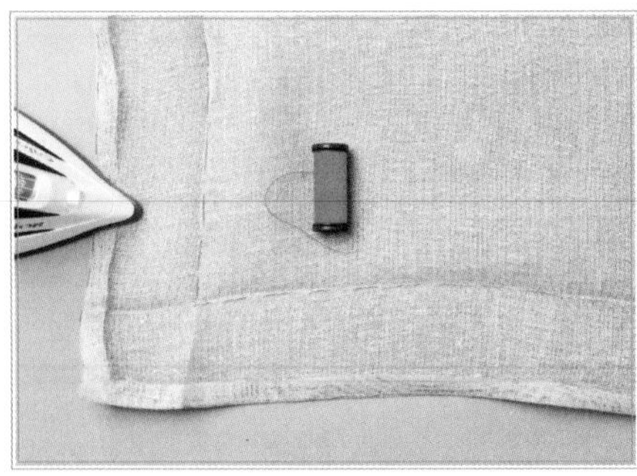

1 Avec un fil de bâti, marquer la valeur de l'ourlet équivalent à un premier rentré de 2 cm et un autre de 8 cm. Pour bien marquer la cassure, repasser en pliant le tissu le longs des bâtis.

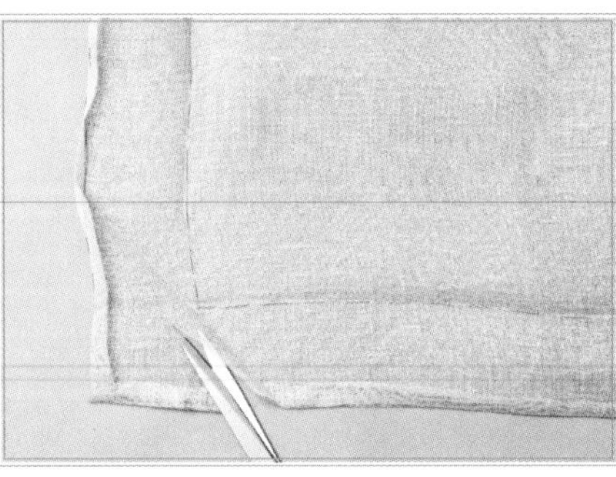

2 Déplier les rentrés puis replier l'angle en diagonale. Couper l'excédent de tissu de l'angle à 2 cm de la pliure.

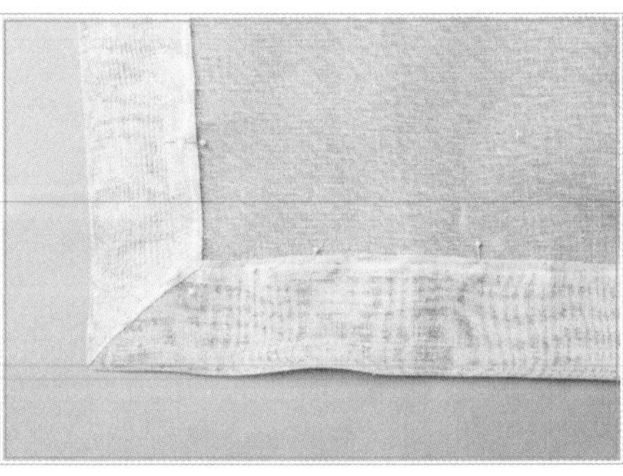

3 Replier l'angle selon les marques du repassage. Coudre l'ourlet et l'angle à la machine ou bien à la main au point d'ourlet.

3 / Broder

Monter l'angle sur le tambour. Travailler les motifs au point d'ombre sur l'envers du voile avec 2 brins de Mouliné. Comme pour le point de Chausson, l'aiguille travaille en va-et-vient entre les 2 lignes du tracé. Lorsque tous ces motifs sont terminés, retourner l'ouvrage sur l'endroit et broder les tiges au point de piqûre avec 2 brins.

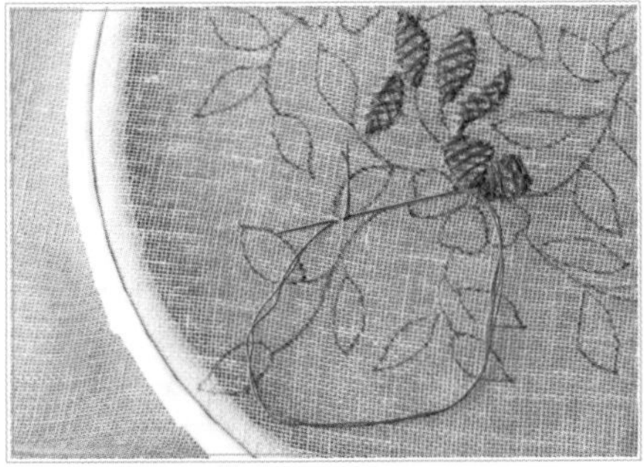

1 Pour fixer l'extrémité du fil, passer l'aiguille dans la toile en laissant le bout coupé vers vous. Faire sur le tracé un point arrière pour fixer l'aiguillée. Recouper l'excédent de fil au ras du tissu.

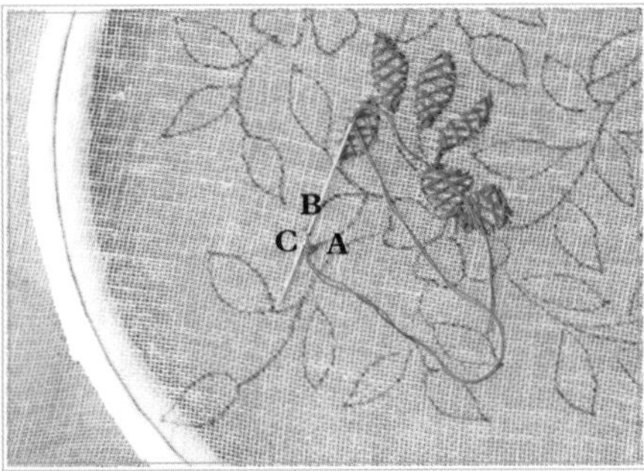

2 Sortir le fil en A sur le tracé droit de la feuille, en bas. Piquer en B sur le tracé gauche de la feuille, en haut. Ressortir en C à gauche, toujours sur cette même ligne.

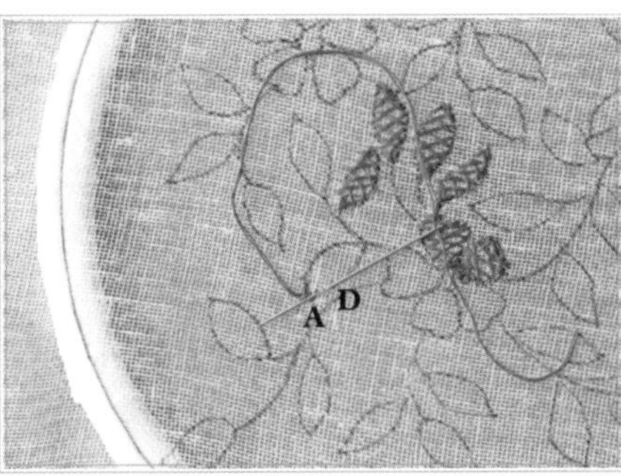

3 Sur la ligne du bas, repiquer en D vers la droite à quelques millimètres du point A. Ressortir l'aiguille dans le point précédent.

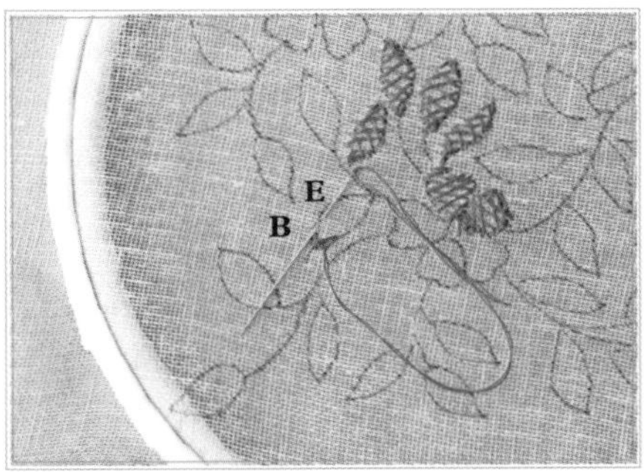

4 Sur la ligne du haut, piquez en E à quelques millimètres à droite du point B. Ressortir l'aiguille dans le point B.

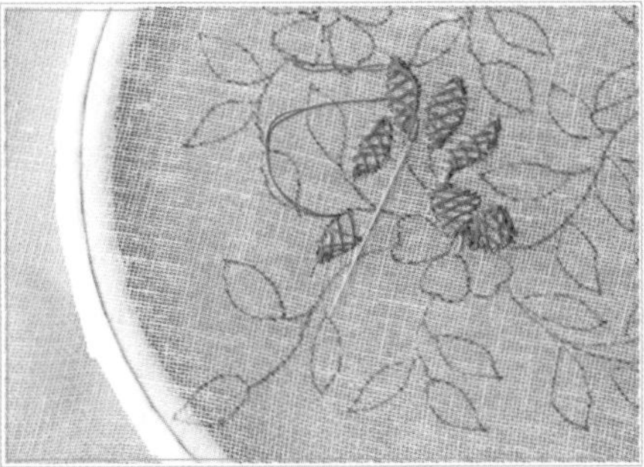

5 Continuer le remplissage des feuilles en répétant les étapes 2 et 3.

6 À la fin du remplissage du motif et pour arrêter l'aiguillée, après le dernier point croisé, faire 2 points arrière superposés sur le tracé et couper le fil.

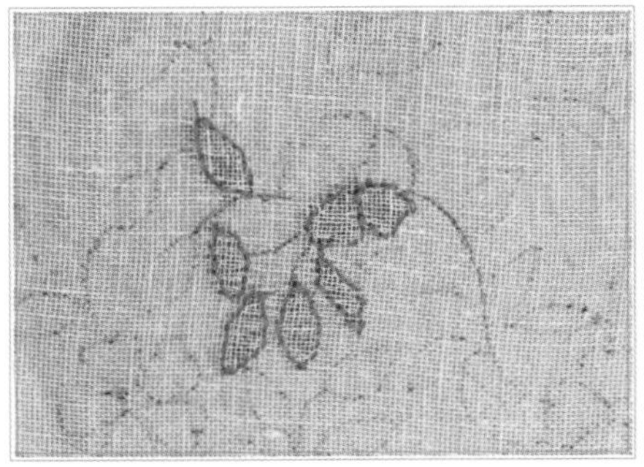

7 Retourner l'ouvrage sur l'endroit. La broderie présente un point de piqûre entourant le remplissage à points croisés situé sur l'envers du voile.

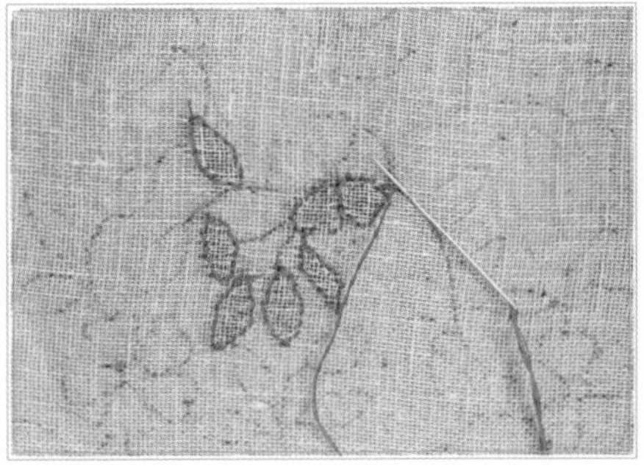

8 Travailler les tiges au point de tige. Prendre une nouvelle aiguillée et sortir l'aiguille à l'extrémité d'une tige.

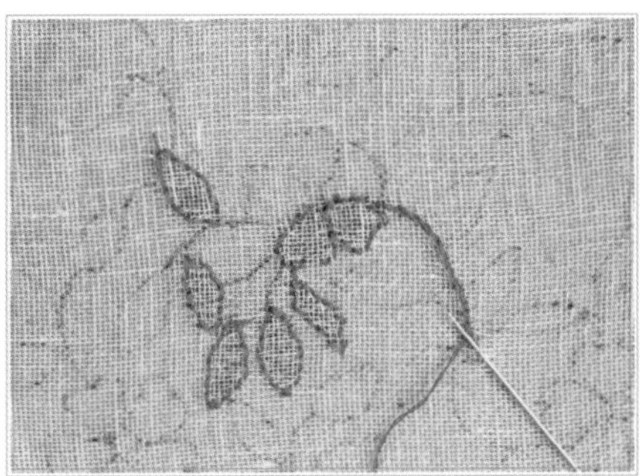

9 À la fin de chaque tige, arrêter l'aiguillée et couper le fil avant de passer à la tige suivante. La broderie ne doit pas présenter de fils flottants entre les motifs.

point d'ombre — point de tige

CHAPITRE 3

leçon n° 14

CRÉER LES POINTS DE REMPLISSAGE CROISÉS

LEÇON N° 14

LE POINT D'ÉPINE*

exercice : confectionner une paire de chaussons

explications → page 116 • montage → page 117 • patron → page 118 • motifs → page 119

FOURNITURES

35 x 25 cm de feutre de laine gris

35 x 25 cm de feutre de laine écru

Échevette de coton Perlé DMC rouge (321) et beige (613)

MATÉRIEL

Aiguille à broder à bout pointu n° 5

Aiguille et fil à bâtir

Fil à coudre gris

Film soluble

Ciseaux à broder

Feutre noir

DIMENSION DES BRODERIES

7 x 7 cm

POINTS EMPLOYÉS

Le point d'épine

Le point de piqûre

Le point de chaînette

Le point avant

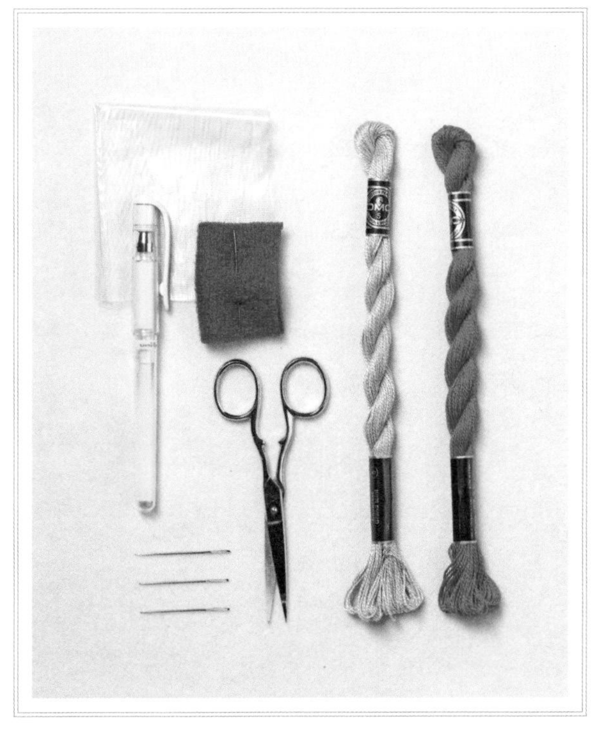

* Très facile à travailler, ce point présente l'avantage d'avancer très vite. Un plus pour les débutants et les impatients !

UNE PAIRE DE CHAUSSONS

1 / Tracer

Agrandir le patron choisi à la photocopieuse et le découper. Placer le gabarit pour le dessus sur le feutre gris et celui pour les semelles sur le feutre écru. Tracer 2 fois le dessus et 1 fois la semelle. Tourner le patron de la semelle en miroir pour obtenir le pied gauche. Tracer le contour.

2 / Couper

Couper les 4 pièces à 0,5 cm du tracé. Passer un fil de bâti croisé pour marquer le centre du dessus du chausson.

3 / Broder

Relever 2 fois le motif à broder sur le film soluble à l'aide du feutre noir. Centrer les motifs sur les dessus des chaussons. Bâtir le film. Commencer la broderie par la branche au point d'épine, puis réaliser les ailes des oiseaux au point de chaînette. Terminer par les oiseaux et les fleurs au point de piqûre et au point avant. Pour retirer le film en fin de broderie et avant le montage, il suffit de laisser tremper le feutre dans de l'eau tiède.

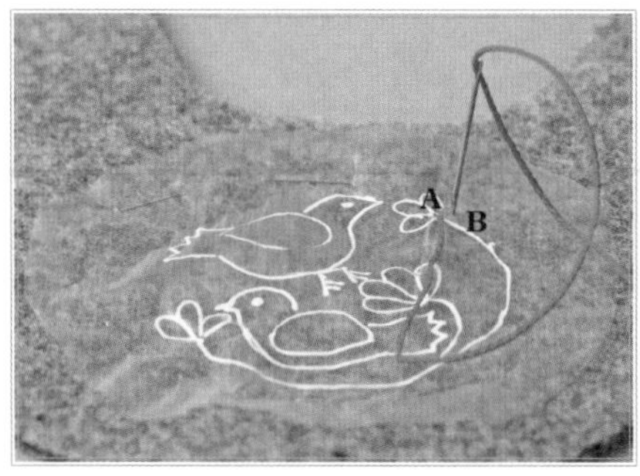

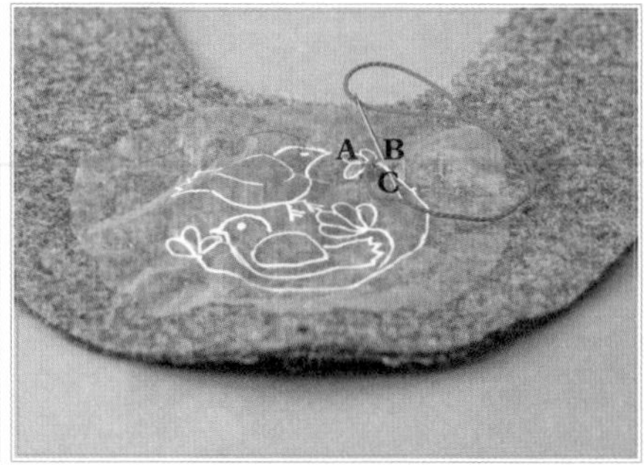

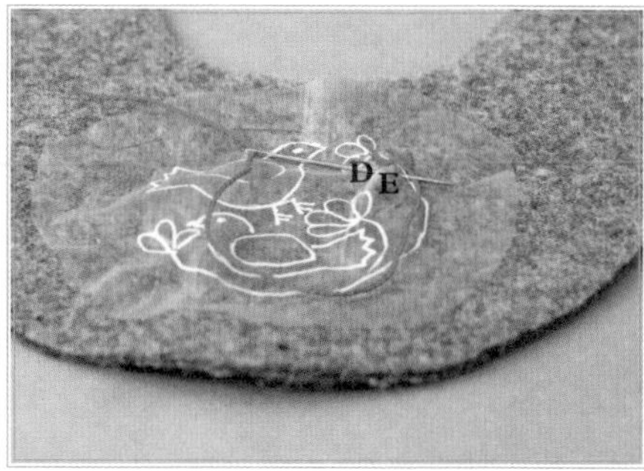

1 Sortir le fil en A. Piquer l'aiguille à droite du tracé en B, à la même hauteur que le point A.

2 Sortir la pointe de l'aiguille en C sur le tracé, à quelques millimètres en dessous et au centre des points A et B. Glisser le fil sous l'aiguille et tirer doucement pour former une boucle ouverte vers la gauche.

3 À quelques millimètres à gauche, piquer en D. Sortir la pointe de l'aiguille en E quelques millimètres en dessous du point C. Glisser le fil sous l'aiguille et tirer doucement pour former une boucle ouverte vers la gauche.

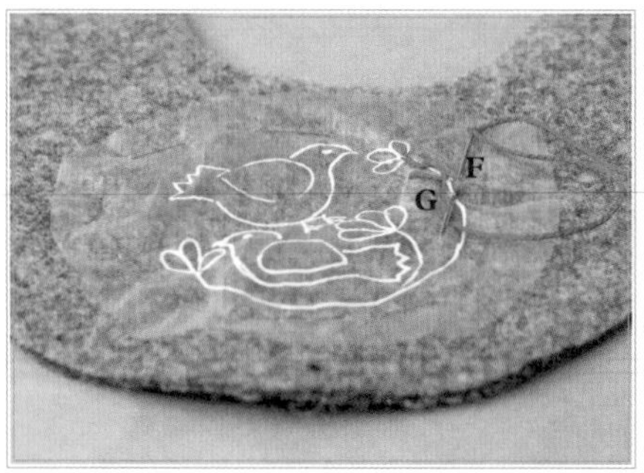

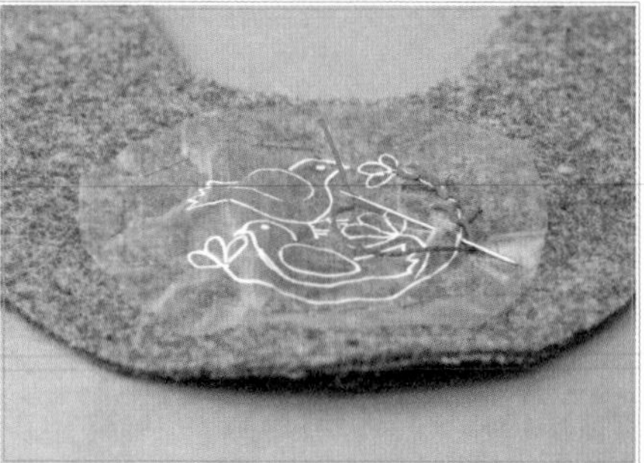

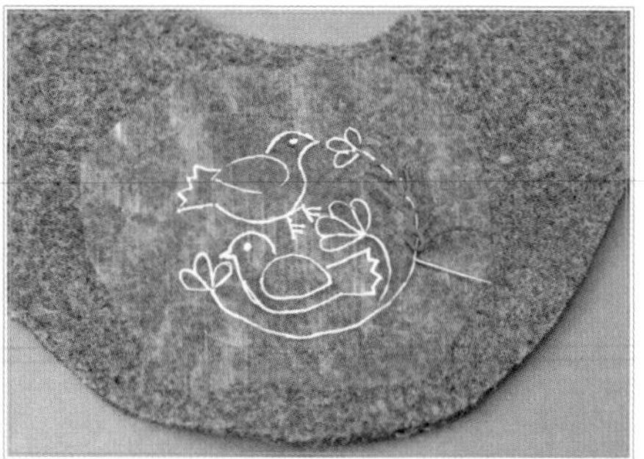

4 Piquer l'aiguille en F, quelques millimètres sous le point B. Sortir la pointe de l'aiguille en G.

5 Glisser le fil sous l'aiguille et tirer l'aiguillée pour former une boucle ouverte vers la droite.

6 Terminer la branche en répétant les étapes 1 à 3. Terminer le motif en se référant aux indications du schéma p. 119.

4 / Coudre

Assembler les différentes pièces des chaussons en faisant attention au sens de la broderie. Les piqûres sont réalisées sur l'endroit des chaussons. Le feutre ne nécessite pas de surfilage.

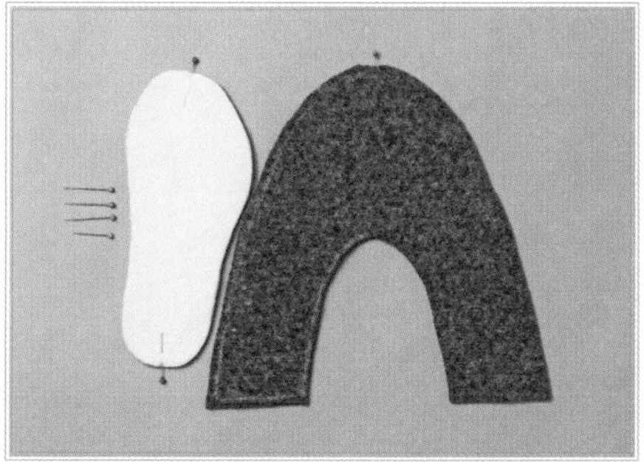

1 Poser des épingles en guise de repères sur le milieu devant du dessus du chausson, le milieu devant et le talon des semelles.

2 Plier en deux le dessus du chausson, tissu envers contre envers, et épingler le talon. Piquer à 5 mm du bord pour fermer.

3 Placer le dessus du chausson sur la semelle correspondante (respecter pied gauche et pied droit). Superposer les repères figurés par les épingles (étape 1).

4 Épingler le dessus du chausson sur la semelle.

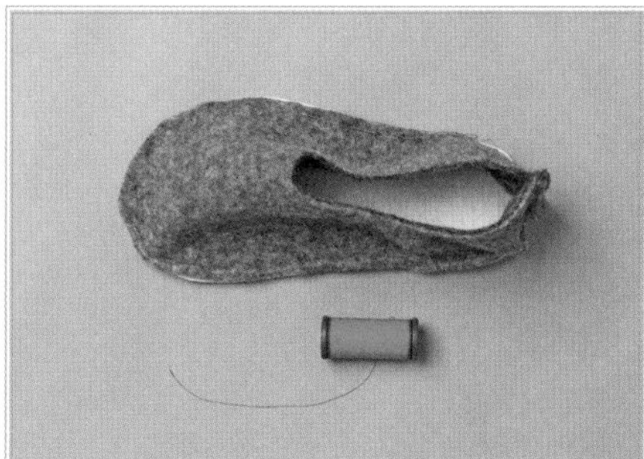

5 Bâtir le chausson et la semelle.

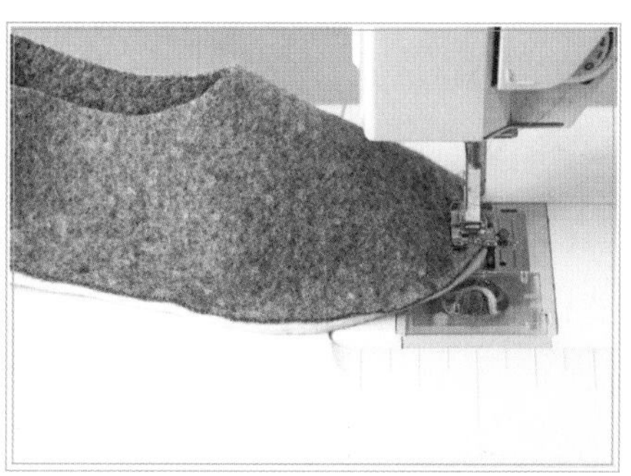

6 Piquer à 0,5 cm des bords. Procéder en deux étapes. Commencer du milieu du dessus du chausson vers le talon pour piquer la première moitié. Arrêter le fil.

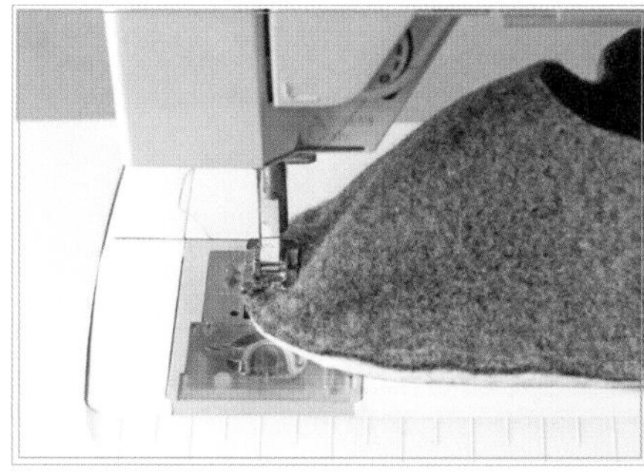

7 Piquer l'autre partie du chausson, toujours en commençant par le devant et en finissant par le talon.

8 Sur le dessous du chausson, la piqûre borde le contour de la semelle.

9 Réaliser le montage du second chausson de la même manière.

UNE PAIRE DE CHAUSSONS

✻ **patron**
agrandir les patrons à 150 %

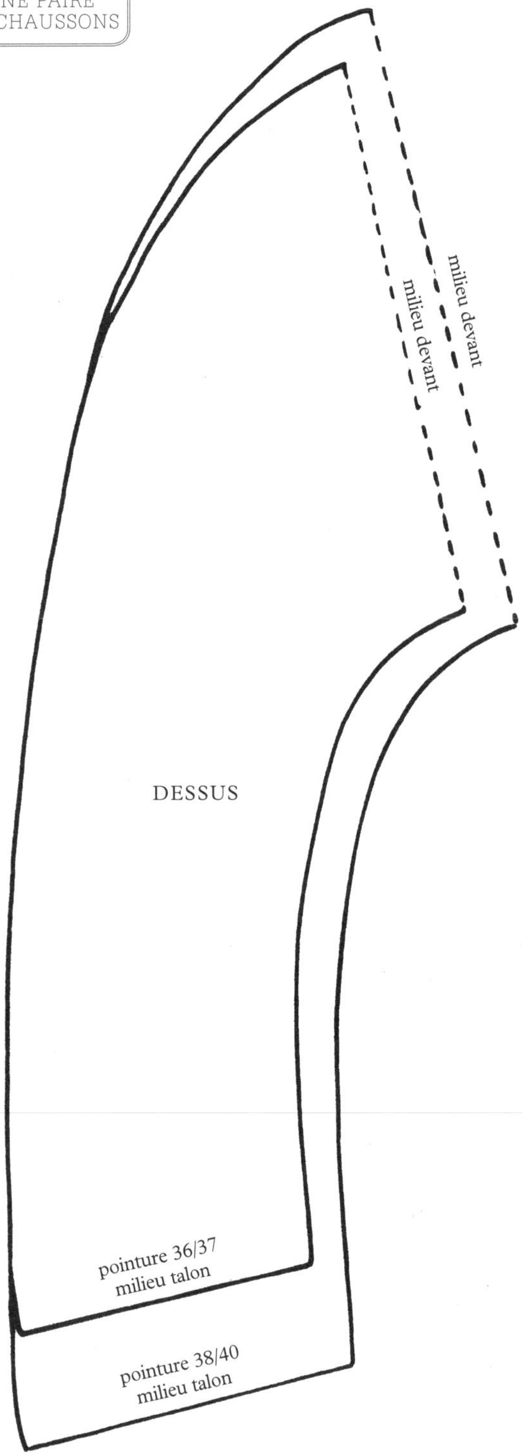

milieu devant

milieu devant

DESSUS

pointure 36/37
milieu talon

pointure 38/40
milieu talon

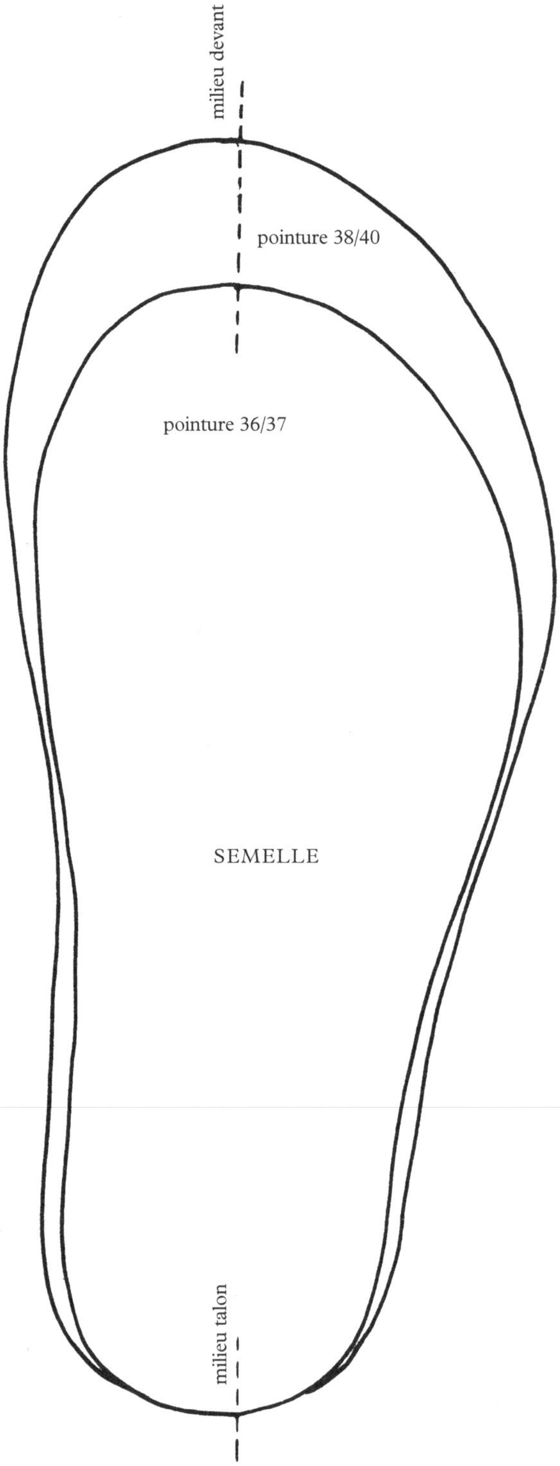

milieu devant

pointure 38/40

pointure 36/37

SEMELLE

milieu talon

point d'épine — point avant — point de chaînette — point de piqûre

CHAPITRE 3

leçon n° 15

CRÉER LES POINTS DE REMPLISSAGE CROISÉS

LEÇON N° 15

LE POINT DE VANNERIE*

exercice : broder une chemise

explications → page 122 • motifs → page 123 • variante → page 124

FOURNITURES

Chemise en voile de coton

Échevette de coton Mouliné DMC marron (3857), beige (3023), bleu turquoise (597), bleu (312), jaune (3046) et bleu-gris (926)

MATÉRIEL

Aiguille à broder à bout pointu n° 9

Épingles

Tambour à broder

Ciseaux à broder

Papier-calque et papier carbone jaune ou blanc

DIMENSIONS DE LA BRODERIE

21 x 16 cm

POINTS EMPLOYÉS

Le point de vannerie

Le point de tige

Le point avant

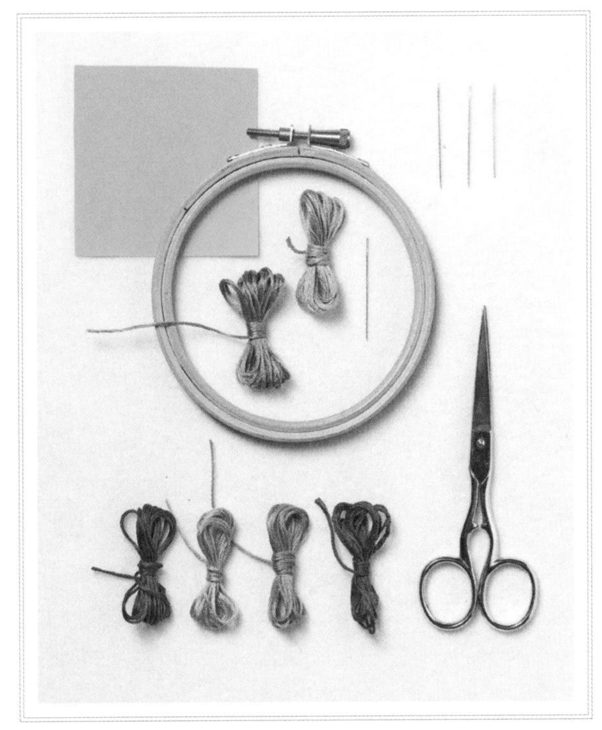

* Le croisement superposé des fils qui recouvrent toute la surface à remplir offre l'aspect des paniers en vannerie. Ce point consomme beaucoup de fil à cause des couches superposées de fils croisés que son travail nécessite.

1 / Tracer

Relever le motif sur le papier-calque. Épingler le calque sur la chemise, le papier carbone glissé entre le tissu et le calque, en faisant coïncider le bord de la patte de boutonnage et le repère du dessin. Relever le motif sur la chemise.

2 / Broder

Séparer le Mouliné pour broder avec 2 brins. Broder les motifs en respectant les indications du schéma. Commencer par le point de vannerie des grandes tiges, puis faire les feuilles, l'abeille et les calices des fleurs au point de tige, et terminer par les fleurs au point avant.

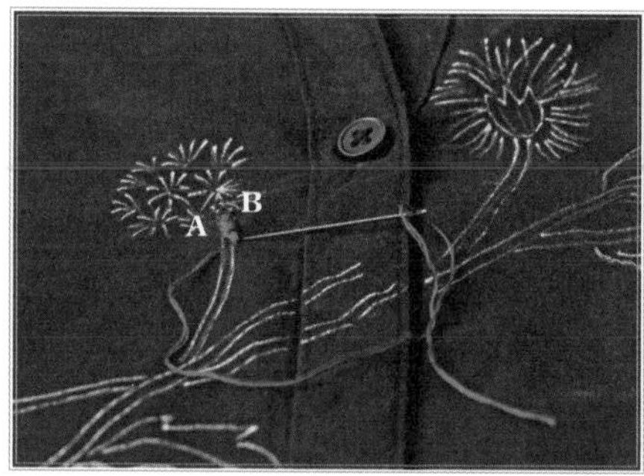

1 Sortir le fil en A en haut de la tige sur le tracé de gauche. Piquer en B sur le second tracé à droite.

2 Sortir la pointe de l'aiguille en C sur le tracé de gauche à quelques millimètres du point A.

3 Piquer en D, sur le tracé de droite et à quelques millimètres au-dessous du point B. Les points se croisent de manière égale.

4 Ressortir la pointe de l'aiguille en E, sous le point A, et reprendre des étapes 1 à 3 pour former les points suivants.

5 En descendant le long de la tige, les points vont se superposer aux premiers. Il faut repiquer dans les points précédemment brodés pour que les fils croisés se superposent.

6 Broder les autres motifs du bouquet au point de tige et au point avant en suivant les indications du schéma ci-contre.

point de vannerie ----- point avant —— point de tige

exercice n° 2 : les petits sacs

FOURNITURES

20 x 50 cm de toile de lin 11 fils/cm beige

20 x 50 cm de voile thermocollant

Échevette de coton Mouliné DMC vert (166), bleu turquoise (597), rouge (321) et marron (3857)

MATÉRIEL

Fermoirs en métal de 15 cm de large

Charms et boutons fantaisies (feuilles, pensées...)

110 cm de cordon pour chaque sac

Chute de dentelle de coloris mauve

Aiguille à broder à bout pointu n° 7

Ciseaux à broder

Fil à coudre coordonné

Papier-calque

Papier carbone bleu

DIMENSIONS DE L'OUVRAGE

10 x 10 cm environ

POINTS EMPLOYÉS

Le point de vannerie

Le point de piqûre

Le point avant

Le point lancé

1 Commencer par relever le contour d'une fleur pour une minaudière et le motif de l'abeille pour une autre. Reporter ces motifs avec le papier carbone sur la toile lin.

2 Pour le sac avec la fleur, broder la tige au point de vannerie avec 2 brins de Mouliné vert et la fleur au point avant avec 2 brins de bleu turquoise. Coudre la feuille. Pour le sac aux abeilles, broder les ailes des abeilles au point de piqûre avec 2 brins de Mouliné bleu turquoise, le corps et les antennes avec le Mouliné marron. Faire en point lancé les pattes et les antennes, et terminer par les traits sur le corps avec 2 brins de Mouliné rouge. Pour le sac dentelle, découper la dentelle en suivant les bords du motif et l'appliquer à petits points sur la toile de lin.

3 Au fer à repasser, poser le voile thermocollant au dos des toiles de lin. Replier les rectangles de toiles en deux, tissu endroit contre endroit, et piquer les côtés en laissant 10 cm en haut non cousus. Retourner sur l'endroit. Au fer, former un repli de 0,5 cm sur les bords du fermoir et coudre chaque toile à un fermoir, au point de piqûre, en passant l'aiguille dans les trous du fermoir. Glisser un cordon dans les attaches et faire un nœud à chaque extrémité pour les fixer.

CHAPITRE 3

leçon n° 16

CRÉER LES POINTS DE REMPLISSAGE CROISÉS

LEÇON N° 16

LE POINT DE TISSAGE*

exercice : broder des pastilles sur une blouse de peintre

explications → page 128 • variantes → page 129

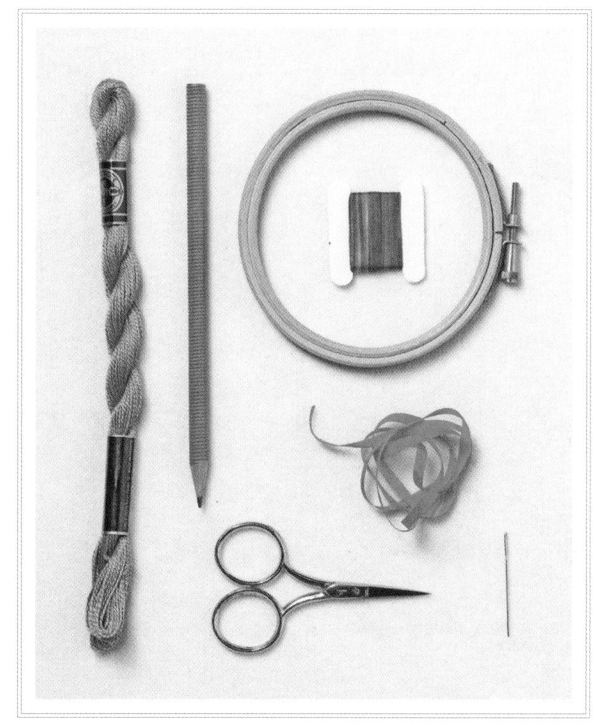

FOURNITURES

Blouse de peintre

Échevette de coton Perlé DMC vert (733) et rouge (321)

2 cartonnettes de ruban de soie à broder rouge dégradé bordeaux de 4 mm de large

1 cartonnette de ruban de soie à broder rouge uni de 4 mm de large

1 cartonnette de ruban de soie à broder vert uni de 7 mm de large

MATÉRIEL

Aiguille à broder à bout pointu n° 3 et n° 7

Épingles

Tambour à broder

Ciseaux à broder

Compas avec une pointe en graphite HB

DIMENSIONS DES BRODERIES

8 cm de diamètre

POINTS EMPLOYÉS

Le point de tissage

Le point de tige

* Grâce à sa facilité de réalisation, ce point se prête à des effets de matière étourdissants, surtout quand il est réalisé avec des rubans à broder. Il se travaille également avec toutes sortes de fils à broder comme le Perlé ou la laine à tapisserie.

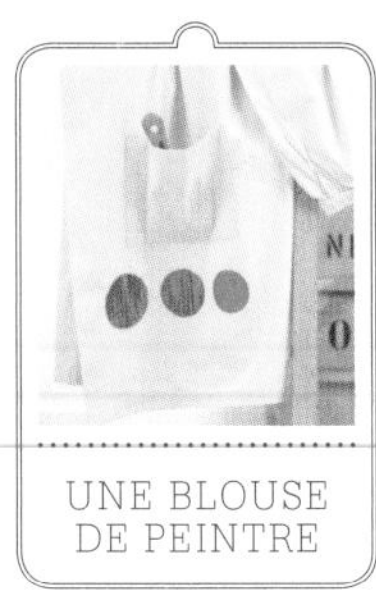

UNE BLOUSE DE PEINTRE

1 / Tracer

Placer des épingles en croix en guise de repères à l'endroit où vous souhaitez broder les ronds. Tracer au compas un cercle de 8 cm et un autre de 5,5 cm, distants de 2 cm environ.

2 / Broder

Monter la chemise sur le tambour. Commencer la broderie par les points horizontaux en coton Perlé. Piquer régulièrement sur le contour des cercles. Réaliser ensuite les points verticaux tissés avec le ruban monté sur l'aiguille à broder n° 3. Terminer par le point de tige autour du cercle.

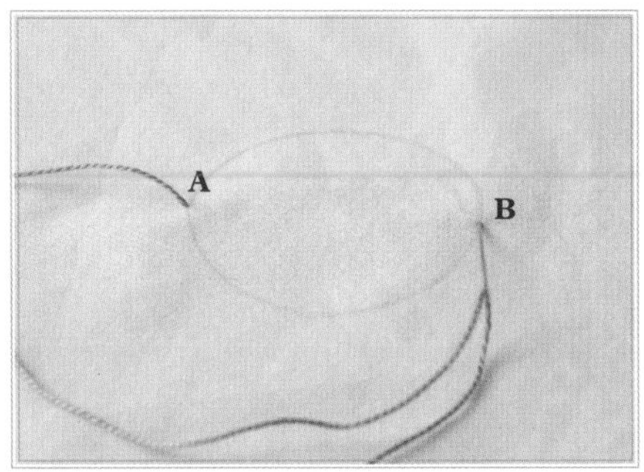

1 Sortir l'aiguillée de Perlé vert en A sur le tracé du cercle, à gauche, puis piquer en B à l'horizontale de A sur le tracé du cercle, à droite. Le premier point vertical est formé.

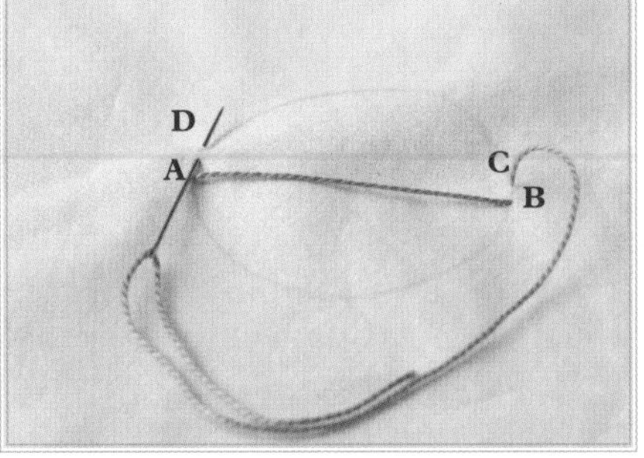

2 Sortir l'aiguille en C sur le tracé quelques millimètres au-dessus du point B et piquer en D à l'horizontale de C et un peu au-dessus de A. Couvrir la surface du cercle de longs points horizontaux en reprenant les étapes 1 et 2.

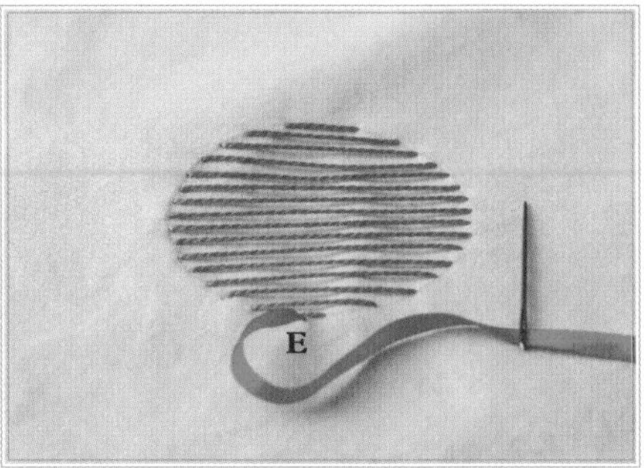

3 Sortir l'aiguillée de ruban en E sur le tracé, en bas et à la hauteur du milieu du cercle. Tirer le ruban en l'aplatissant pour éviter qu'il ne s'enroule.

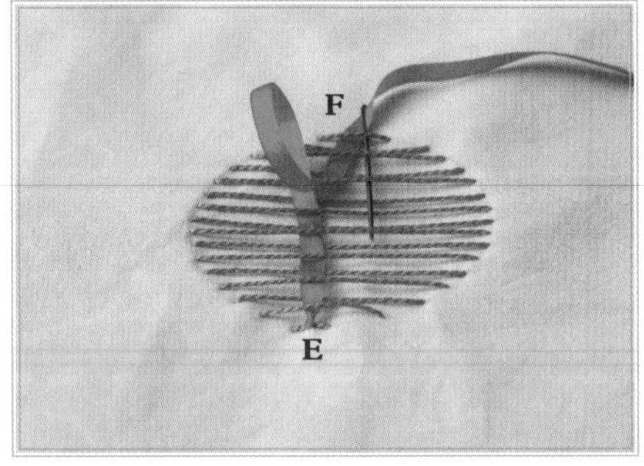

4 Positionner le chas vers l'avant et passer l'aiguille dessus/dessous les brins de Perlé. À la fin du rang, repiquer en F sur le tracé, juste en face de E, pour former le premier point vertical.

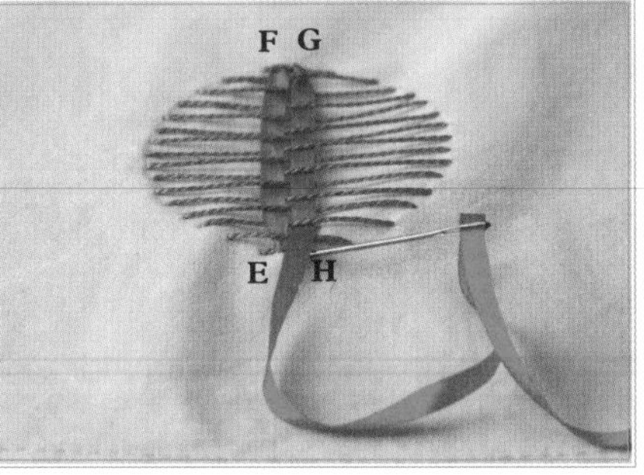

5 Sortir l'aiguillée en G juste à droite de F. Tisser le ruban dessus/dessous en décalant les passages du ruban pour obtenir un effet de tissage. Piquer en H à côté de E. Répéter les étapes 4 et 5 pour finir de remplir le motif, à droite puis à gauche.

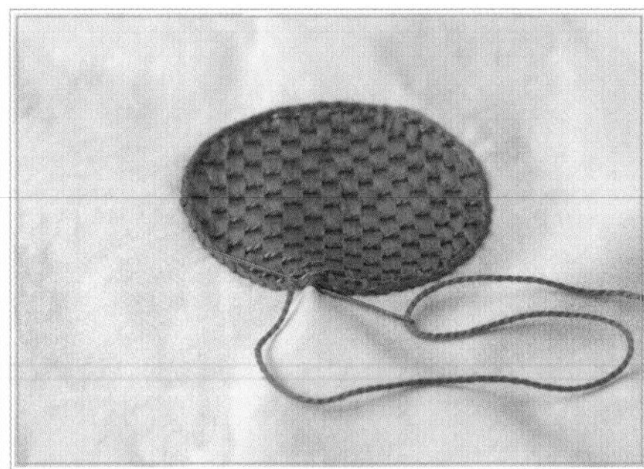

6 Enfiler le Perlé sur l'aiguille n° 7 et broder le contour du cercle au point de tige pour faire disparaître les irrégularités du bord du point de tissage.

Le point de tissage peut être réalisé avec d'autres matières, comme la laine ou le Retors mat. Les rendus seront alors totalement différents, plus bruts ou plus fins suivant les supports.

Laine à tapisserie

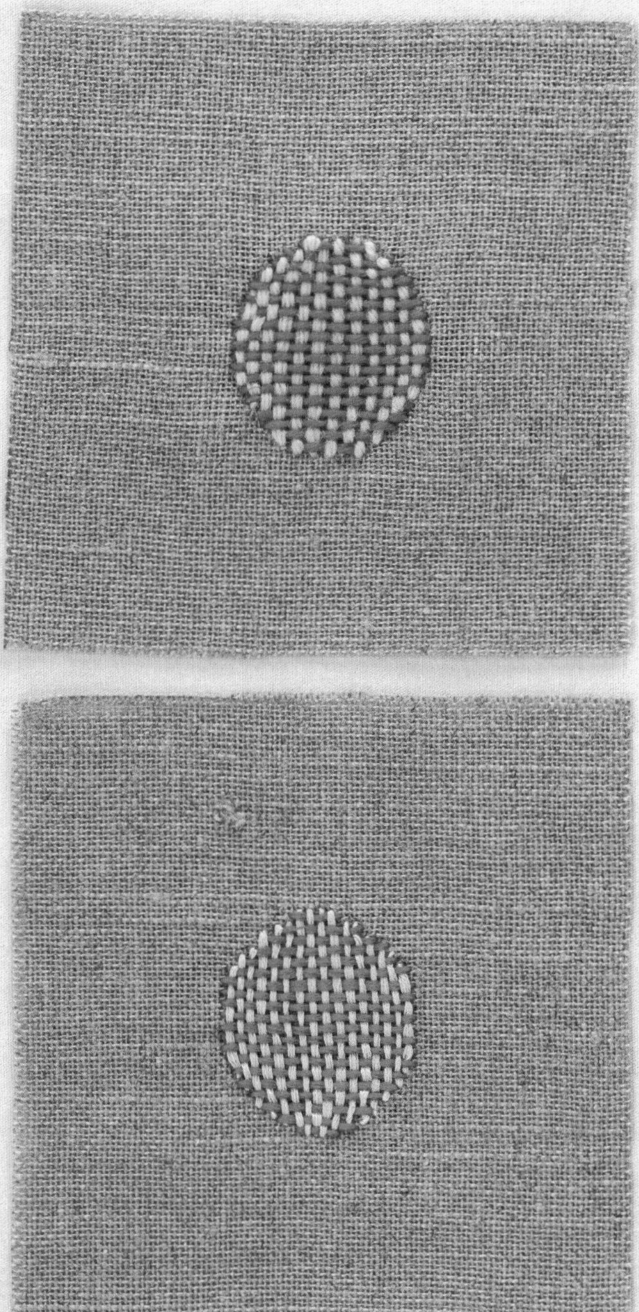

Coton Perlé

Retors mat

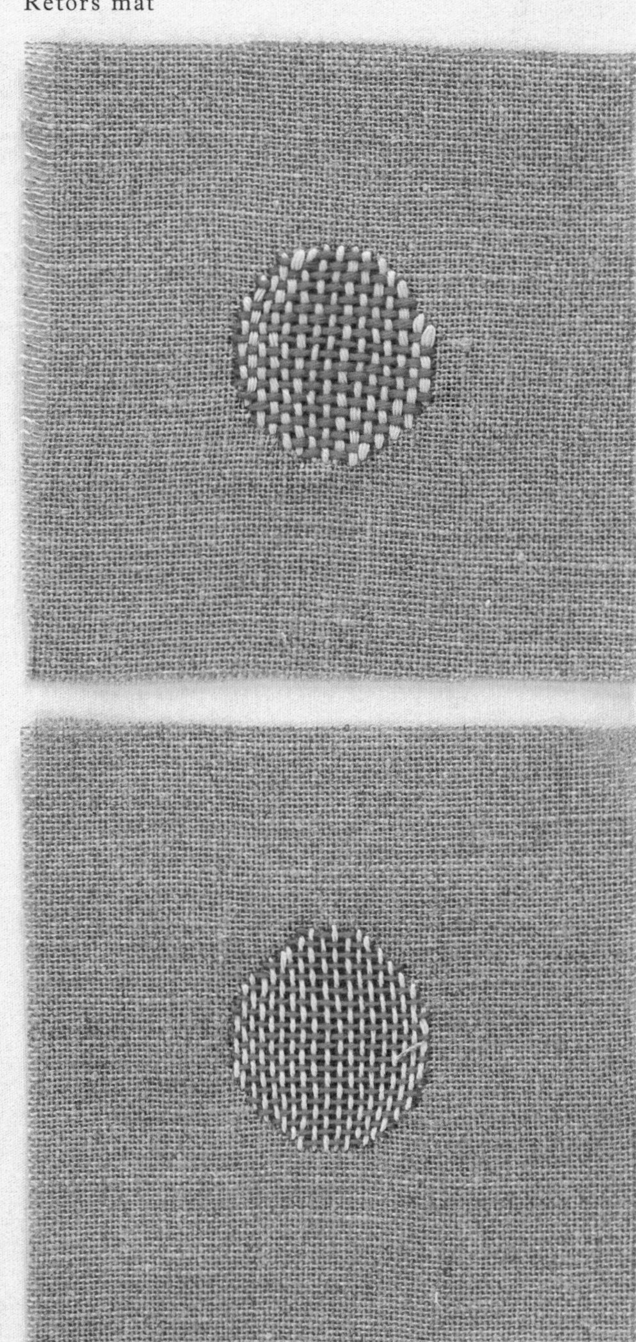

Coton Mouliné

LEÇONS DE POINTS

1 — Le point de Chausson (pp. 102 à 107)
2 — Le point d'épine (pp. 114 à 119)
3 — Le point de vannerie (pp. 120 à 125)
4 — Le point de tissage (pp. 126 à 129)

Pour en savoir plus, retrouvez tous les points de ce chapitre, expliqués en schémas, pages 214 à 217.

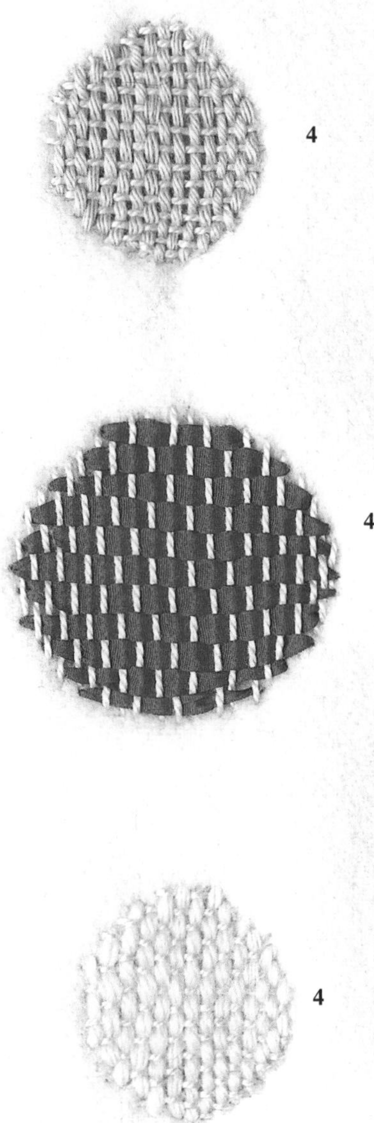

CHAPITRE 4

RÉALISER LES POINTS DE REMPLISSAGE

CHAPITRE 4

leçon n° 17

RÉALISER LES POINTS DE REMPLISSAGE

LEÇON N° 17

LE PASSÉ PLAT*

exercice : réaliser un top brodé

explications → page 136 • couture → page 137
• schéma coté et plan de coupe → page 138 • motifs → page 139

FOURNITURES

90 x 110 cm de coton blanc

150 cm de biais de coton blanc

Échevette de coton Mouliné DMC gris (413), noir (310) et écru

Fil à coudre coordonné

MATÉRIEL

Aiguille à broder à bout pointu n° 9

Aiguille et fil à bâtir

Épingles

Tambour à broder

Ciseaux à broder

Ciseaux de couturière

Papier quadrillé à carreaux de 5 cm de côté

Crayon à papier

Règle

DIMENSIONS DE LA BRODERIE

10,5 x 4 cm

TAILLES

S = 36/38

M = 38/40

L = 40/42

POINTS EMPLOYÉS

Le passé plat

Le point de tige

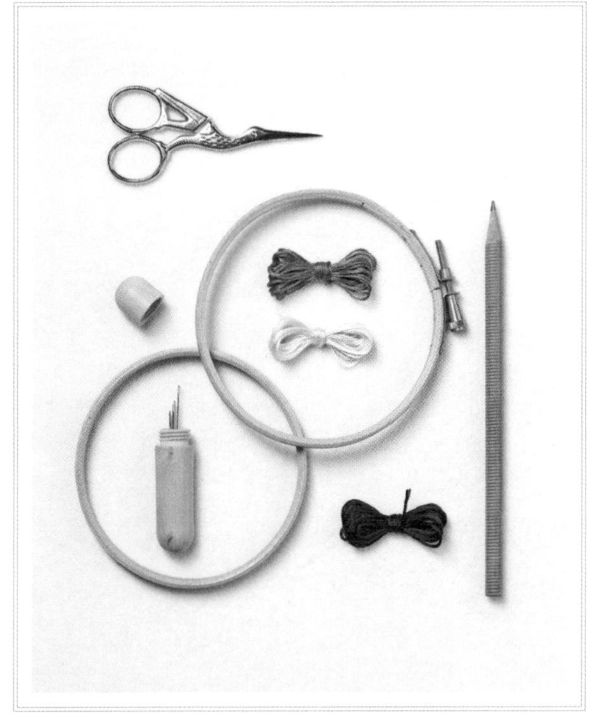

* Réalisé à la façon d'un coloriage, le passé plat remplit rapidement toutes les petites surfaces. Il se travaille dans tous les sens pour donner un aspect vivant au motif.

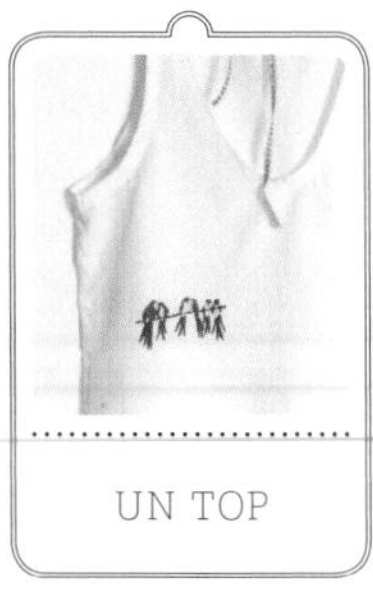
UN TOP

1 / Tracer

Tracer le patron du top sur une feuille quadrillée à carreaux de 5 cm de côté en se référant au schéma coté. Couper ensuite le patron sur le tracé.

2 / Couper

Placer le patron du top droit-fil sur l'envers du tissu. Épingler puis tracer les contours des pièces à l'aide du crayon à papier et de la règle. Couper à 1,5 cm du tracé. Surfiler les 2 pièces. Passer un fil de bâti croisé sur l'endroit du devant du top, à 12 cm du côté droit et 17,5 cm du bas, pour marquer le centre du motif hirondelles.

3 / Broder

Relever le motif à broder par transparence avec le crayon à papier. Monter la pièce de tissu sur le tambour et travailler avec 2 brins de Mouliné. Commencer la broderie par le remplissage des ailes des hirondelles puis travailler leur ventre. Terminer par la ligne noire au point de tige. Réaliser tous les points avec 2 brins de Mouliné.

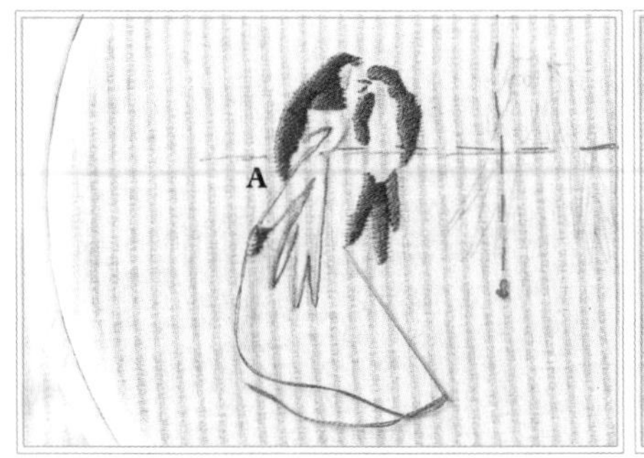

1 Travailler les ailes et le dos des hirondelles en allant du bas vers le haut du motif. Sortir le fil en A sur le tracé à gauche.

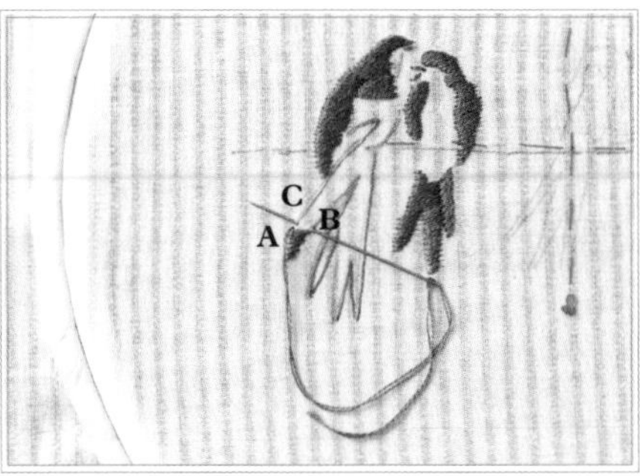

2 Piquer en B, situé sur le tracé face au point A. Sortir l'aiguille en C au-dessus du point A.

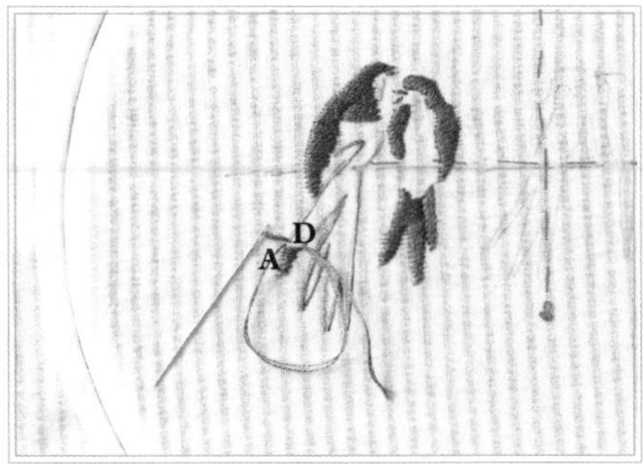

3 Tirer l'aiguillée pour former le premier point et piquez en D au-dessus point B.

4 Travailler en répétant les étapes 2 et 3.

5 Le remplissage du dos des hirondelles terminé, broder les ventres au passé plat horizontal.

6 Terminer l'ouvrage par la ligne au point de tige.

4 / Coudre

Assembler le dos et le devant. Couper et poser les biais sur les emmanchures et le col. Finir en effectuant l'ourlet du bas.

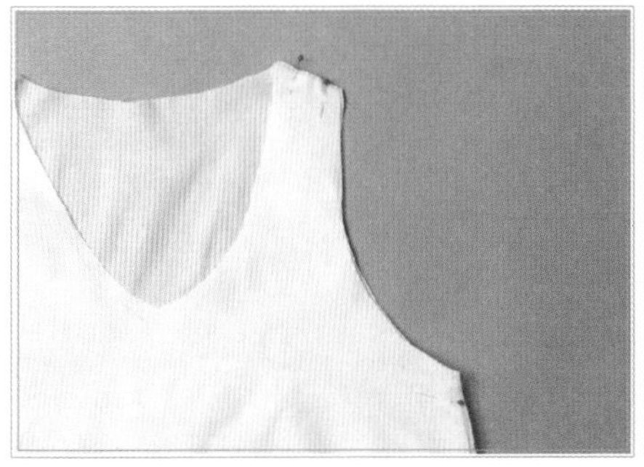

1 Épingler le devant et le dos aux épaules et sur les côtés, endroit contre endroit. Piquer sur le tracé.

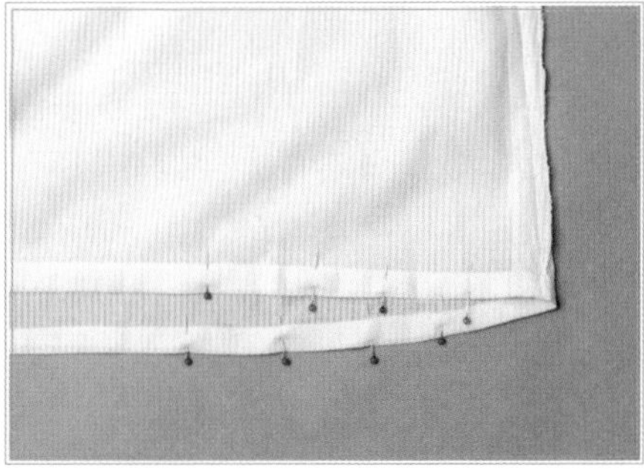

2 Ouvrir les coutures au fer, puis marquer en bas du top un rentré de 0,5 cm puis un second de 1 cm. Piquer l'ourlet. Retourner le top sur l'endroit.

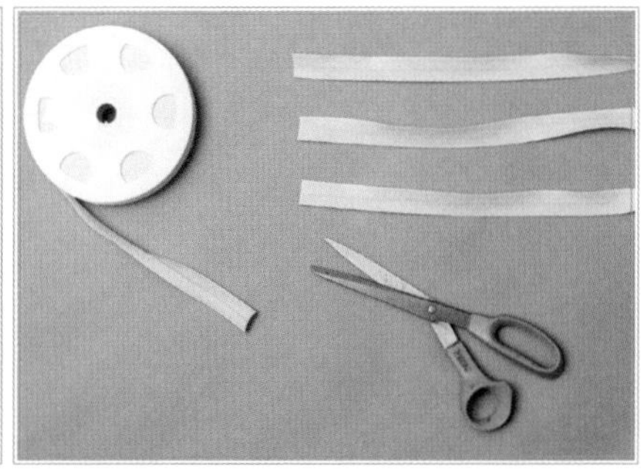

3 Couper trois morceaux de biais : deux correspondant aux dimensions des emmanchures et un pour l'encolure.

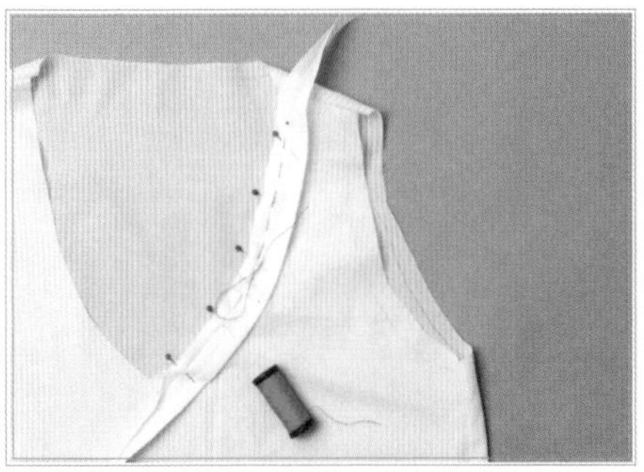

4 Ouvrir le morceau de biais pour l'encolure et l'épingler sur son contour, endroit contre endroit et le long du bord du top. Bâtir.

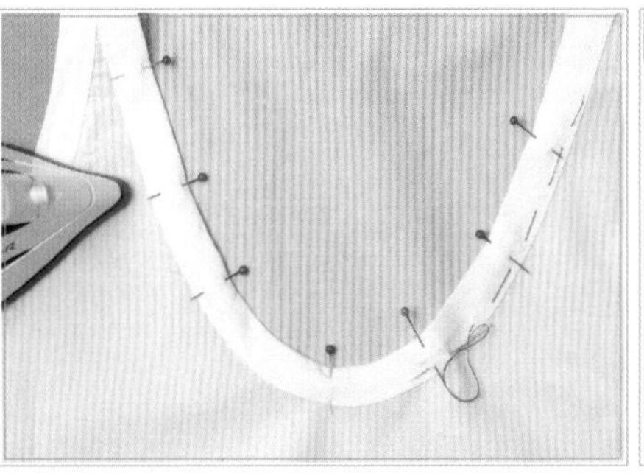

5 Piquer dans le creux du pli du biais, puis rabattre le biais sur l'envers du tissu. Épingler puis piquer l'autre bord du biais le long de l'encolure. Repiquer également l'autre côté du biais à 2 mm du bord de l'encolure.

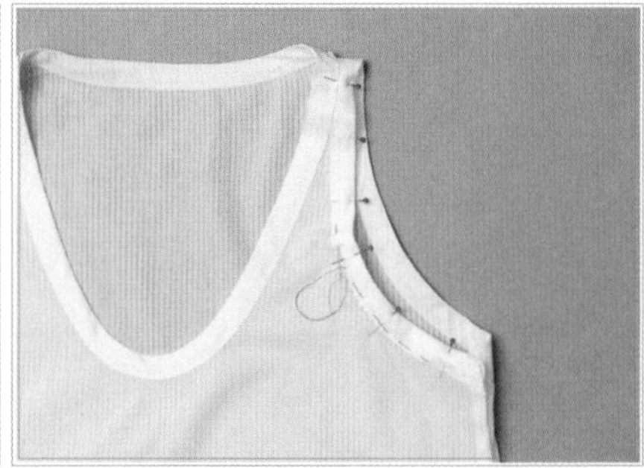

6 Reprendre les étapes 4 et 5 pour border les emmanchures du top.

plan de coupe

DOS

DEVANT

pliure tissu

schéma coté

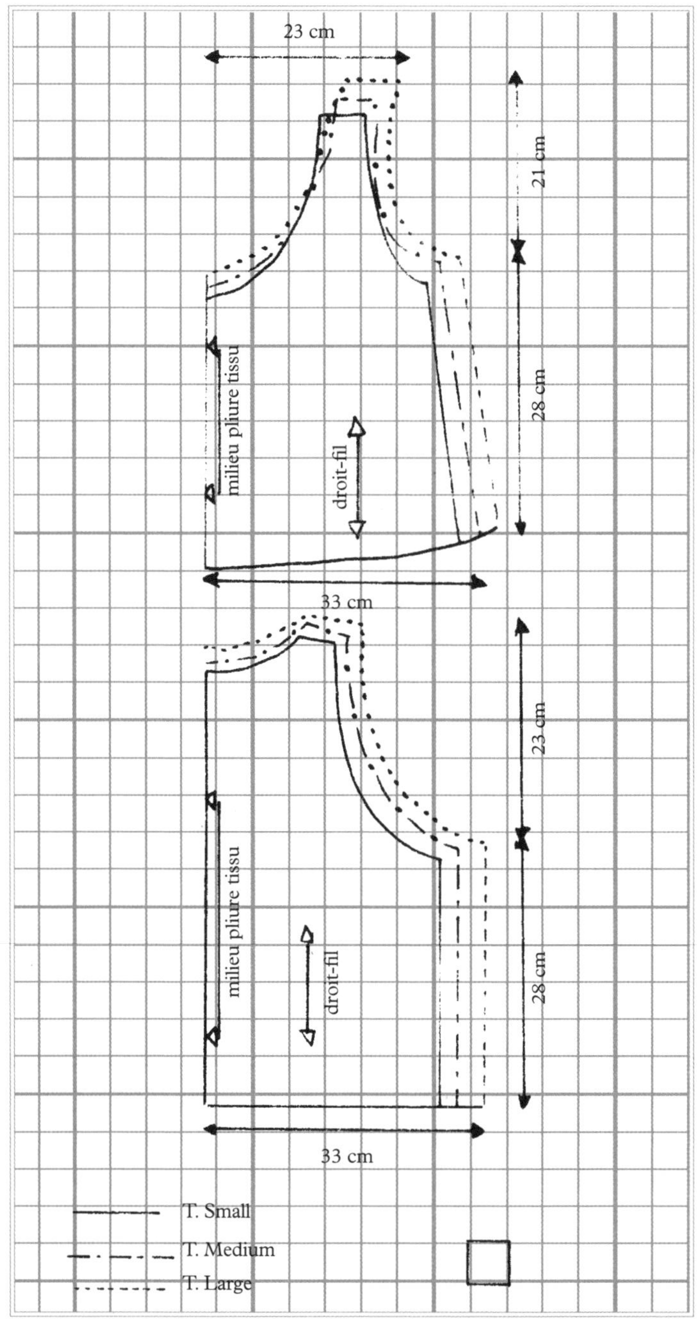

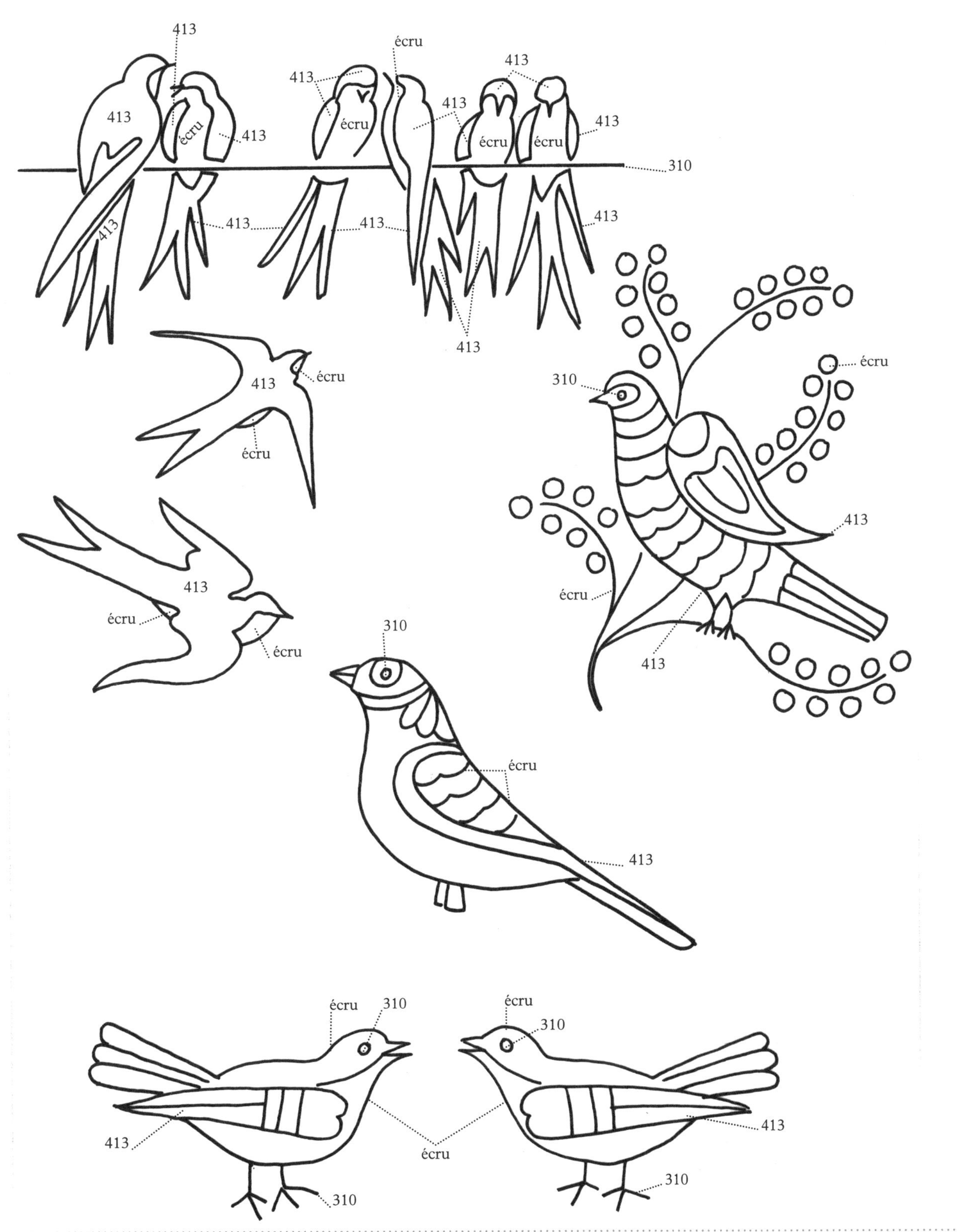

——— point de tige point passé plat

CHAPITRE 4

leçon n° 18

RÉALISER
LES POINTS
DE REMPLISSAGE

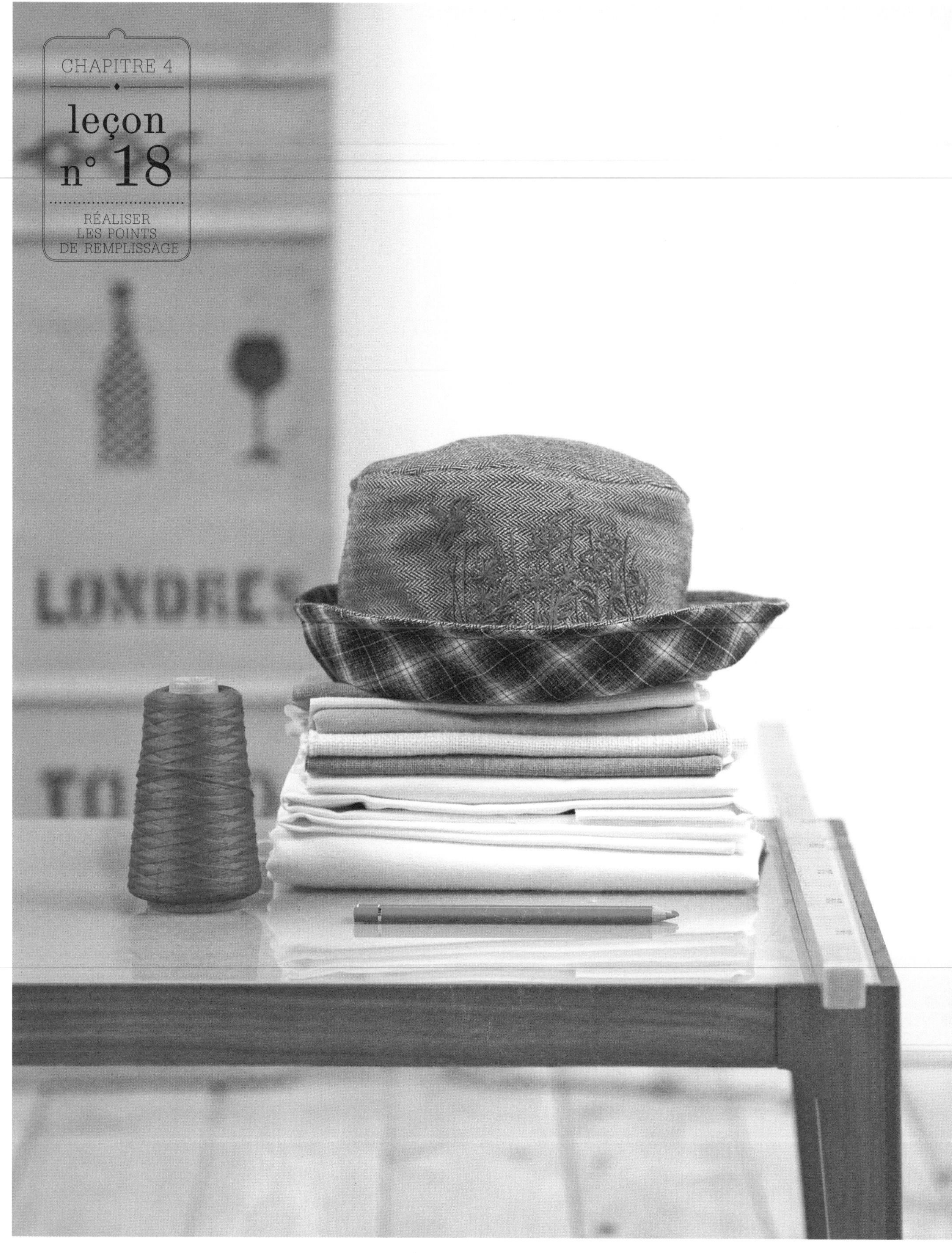

LEÇON N° 18

LE POINT LANCÉ*

exercice : broder un chapeau

explications → page 142 • motifs → page 143

FOURNITURES

Chapeau en toile de lin à chevron

Échevette de coton Spécial à broder n° 20 DMC rouge (321) et rouge foncé (498)

MATÉRIEL

Aiguille à broder à bout pointu n° 9

Aiguille et fil à bâtir

Tambour à broder

Ciseaux à broder

Film soluble

Feutre blanc

Règle

DIMENSIONS DE LA BRODERIE

15 x 8,5 cm

POINTS EMPLOYÉS

Le point avant

Le point lancé

Le point de tige

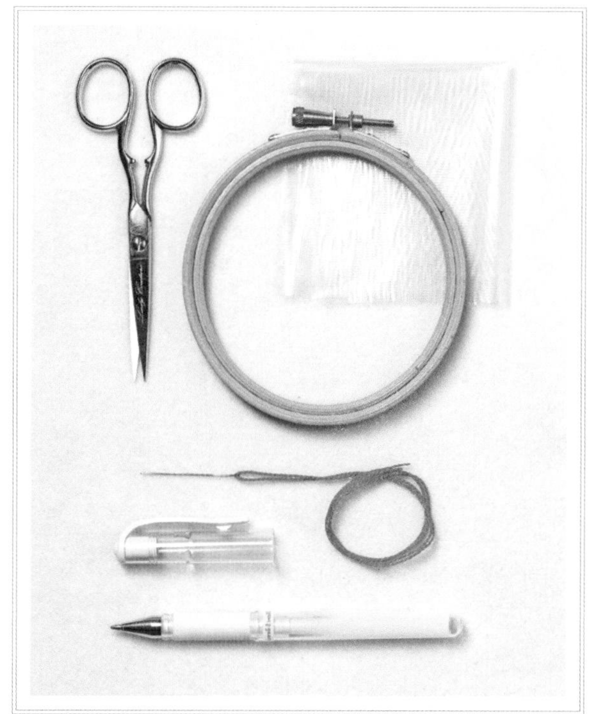

* Simplissime à réaliser, le point lancé est idéal pour customiser très rapidement objets et vêtements, puisque tous les supports lui conviennent. Il peut être orienté dans n'importe quel sens, et s'adapte donc à tous les motifs.

UN CHAPEAU

1 / Tracer

Passer un fil de bâti croisé sur un côté du chapeau pour marquer le centre du motif à broder.

2 / Broder

Relever le motif à broder par transparence sur le film soluble, avec le feutre blanc. Bâtir le film sur le chapeau en le centrant. Monter le chapeau sur le tambour. Commencer la broderie par les herbes, les fleurs et les tiges au point de tige puis travailler le cœur des fleurs, les pattes et l'intérieur des ailes de la libellule au point lancé.

1 Broder les motifs de fleur au point de tige.

2 Broder le cœur des fleurs au point lancé. Sortir le fil en A, au centre de la fleur.

3 Piquer en B, sur le contour du cœur de la fleur, à l'extrémité d'un trait.

4 Sortir en A à nouveau et repiquer en C à l'extrémité du trait suivant.

5 Broder ainsi tous les traits du cœur de la fleur d'un grand point lancé.

6 Réaliser de la même façon les pattes de la libellule et l'intérieur des ailes. Une fois la broderie achevée, dissoudre le film dans de l'eau tiède.

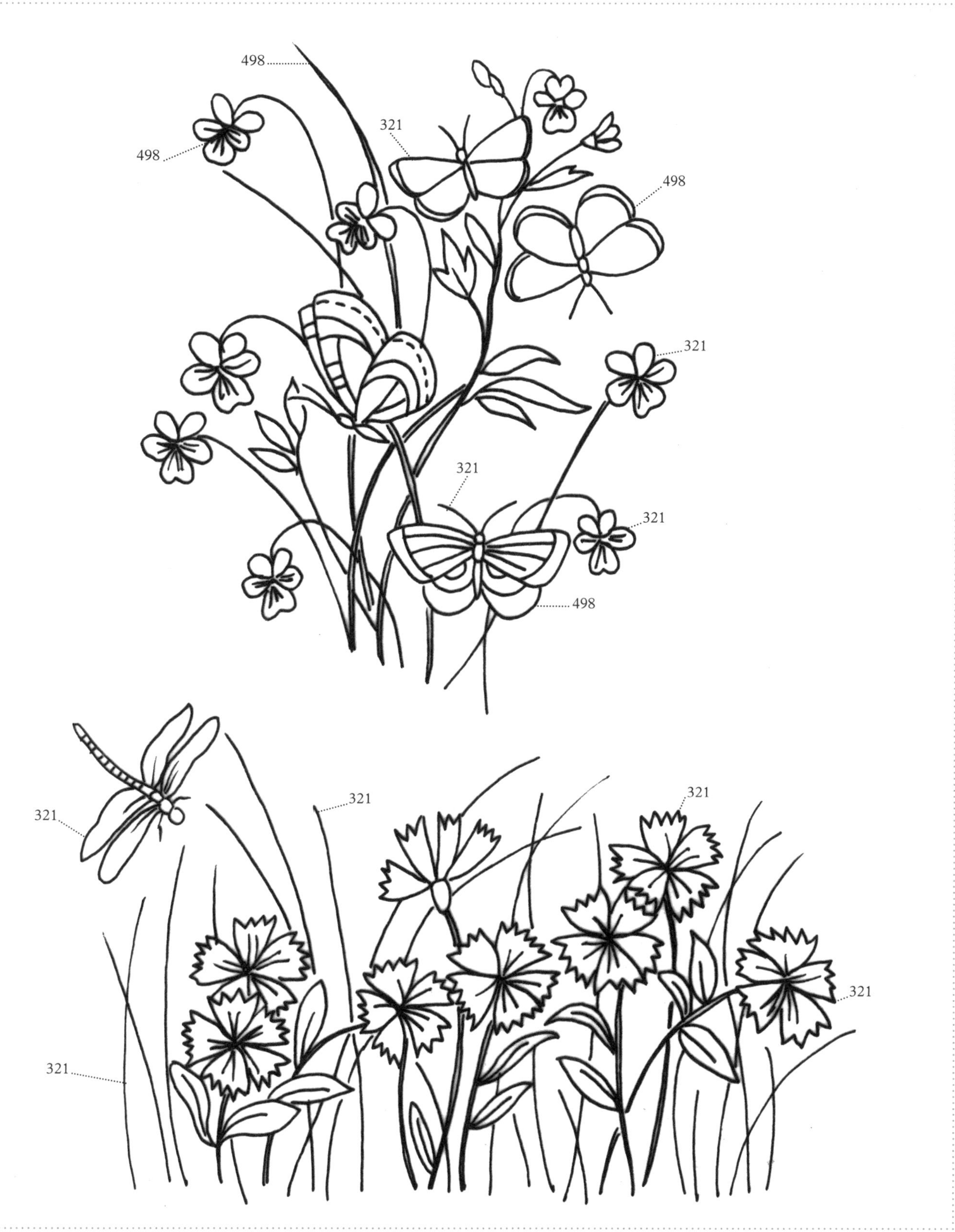

------ point avant ——— point de tige \\|// point lancé

CHAPITRE 4

leçon n° 19

RÉALISER LES POINTS DE REMPLISSAGE

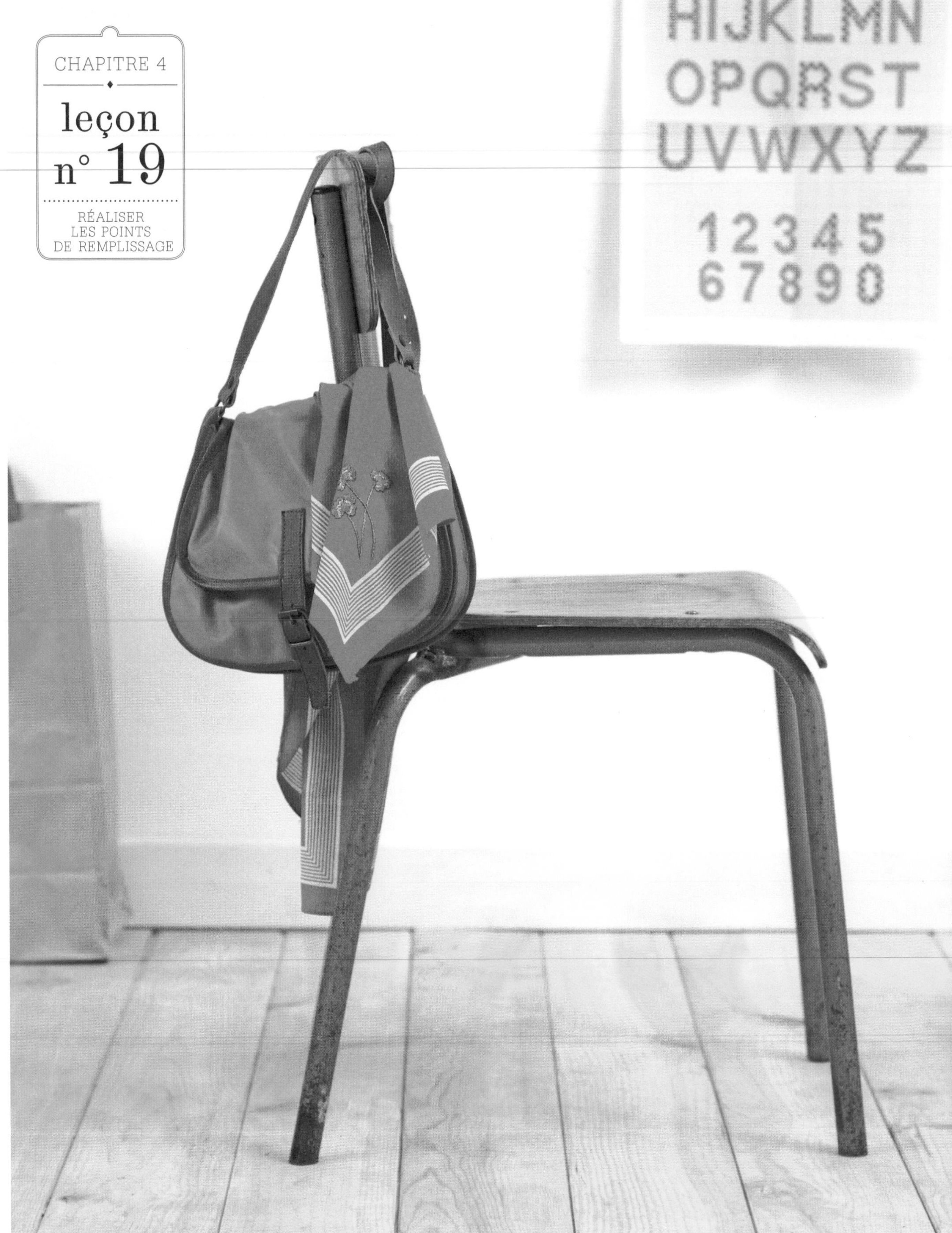

LEÇON N° 19

LE PASSÉ EMPIÉTANT*

exercice : broder un triangle

explications → page 146 • motifs → page 147

FOURNITURES

Foulard en coton

Échevette de coton Mouliné DMC 911 (menthe), 3849 (vert), 3819 (anis), 3046 (marron), 842 (beige foncé), 822 (beige), 413 (gris foncé), 414 (gris), 966 (bleu vif), 930 (bleu-gris), 3810 (bleu), 598 (bleu clair), 321 (rouge), 666 (rouge vif), 606 (orange), 3706 (rose), 3777 (bordeaux) et blanc

MATÉRIELS

Aiguille à broder à bout pointu n° 9

Aiguille et fil à bâtir

Tambour à broder

Ciseaux à broder

Papier-calque et papier carbone jaune ou blanc

Stylo à bille

Règle

DIMENSIONS DE LA BRODERIE

5 x 8 cm

POINTS EMPLOYÉS

Le passé empiétant

Le passé plat

Le point de tige

Le point avant

Le point lancé

Le point de sable

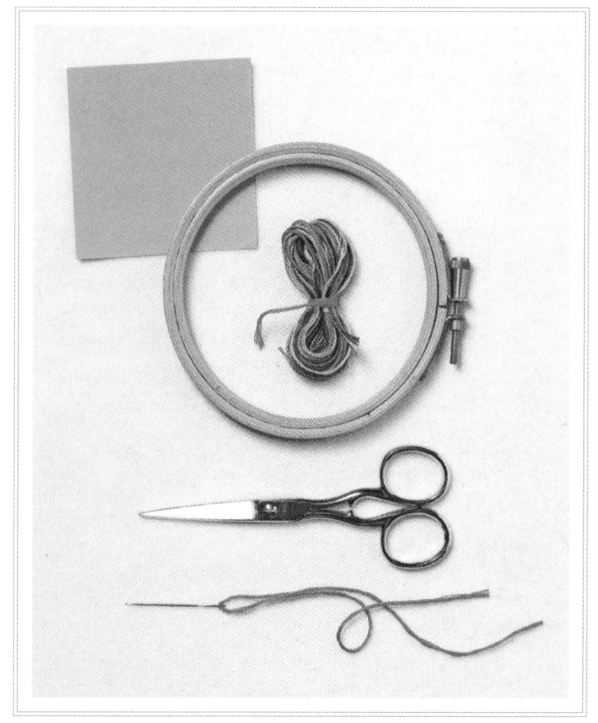

* Ce point, qui alterne les rangs travaillés de gauche à droite et ceux réalisés de droite à gauche, demande de la régularité. Il permet de couvrir de grandes surfaces mais aussi de réaliser des broderies avec de beaux dégradés.

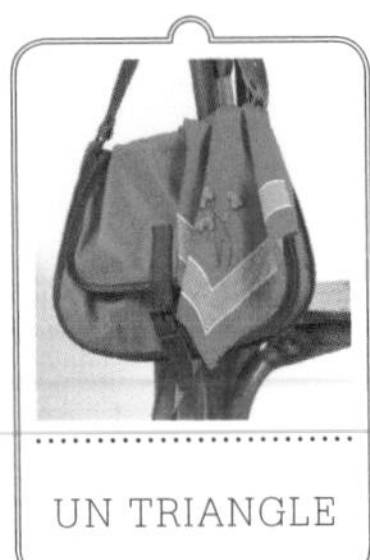

UN TRIANGLE

1 / Tracer

Passer un fil de bâti croisé sur un angle du carré, à 10 cm des côtés, pour marquer le centre du motif à broder.

2 / Broder

Relever le motif à broder sur le calque. Épingler ce dernier sur le foulard en le centrant par rapport aux repères. Glisser le carbone sous le calque et tracer le motif avec le stylo. Monter la pièce de tissu sur le tambour. Commencer la broderie par l'auréole vert clair des feuilles au passé plat, puis remplir les feuilles au passé empiétant. Terminer la broderie par les tiges au point de tige. Travailler tous les points avec 2 brins de Mouliné.

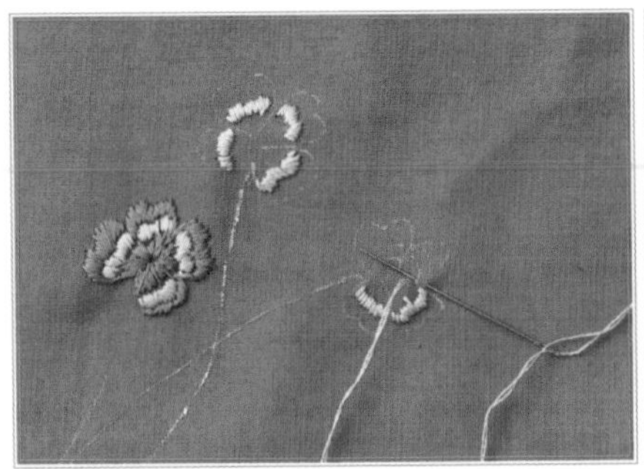

1 Broder l'auréole de la feuille au passé plat, en orientant les points de façon à leur donner une apparence naturelle.

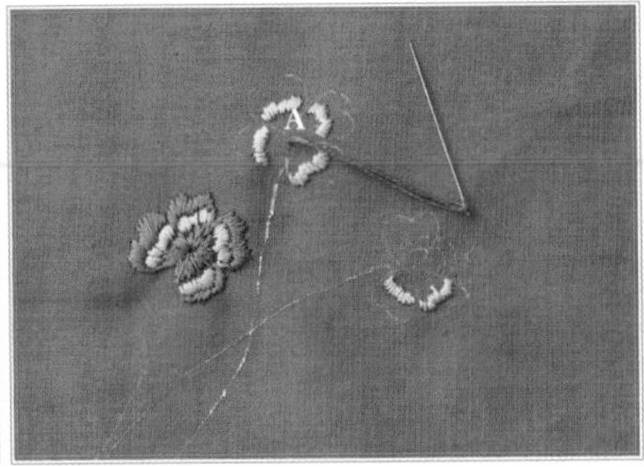

2 Avec le fil vert, broder au passé empiétant en travaillant du centre vers l'extérieur. Sortir le fil en A.

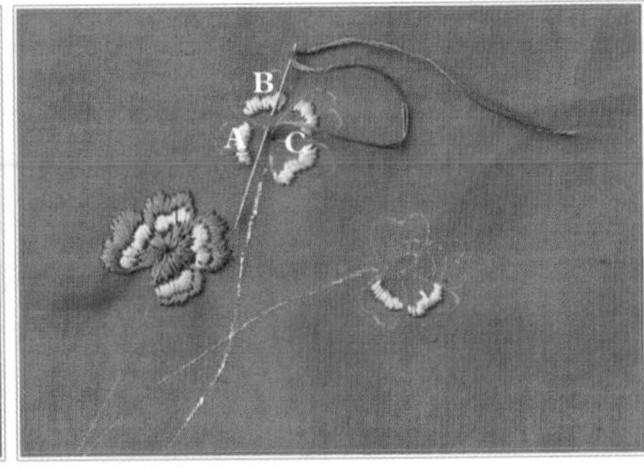

3 Piquer en B quelques millimètres au-dessus de A. Ressortir l'aiguille en C, situé en léger décalage vers la droite. Tirer le fil pour former le premier point.

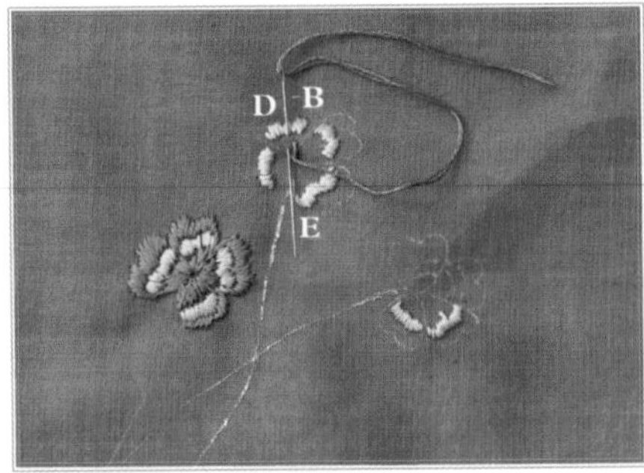

4 Repiquer en D à côté du point B. Sortir la pointe de l'aiguille en E, vers le bas. Tirer l'aiguillée pour former le deuxième point, plus court que le premier.

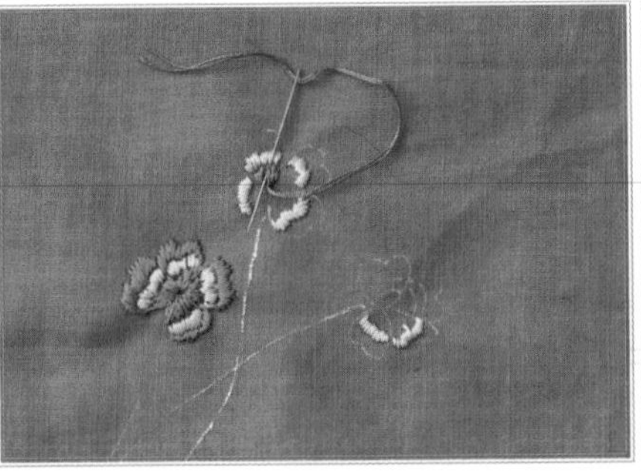

5 Alterner petits et grands points et orienter les points de telle manière qu'ils donnent un aspect naturel à la feuille brodée.

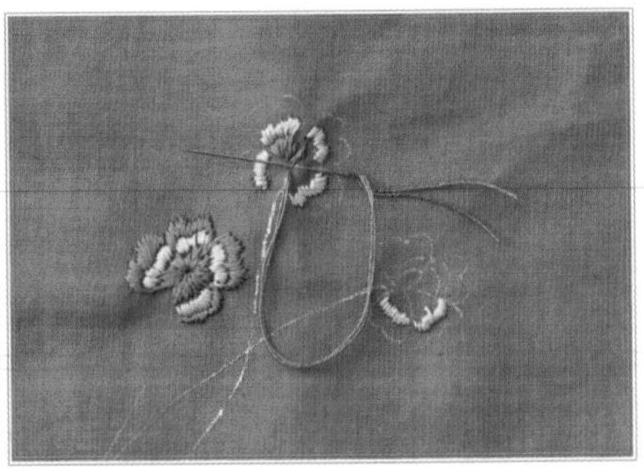

6 Au rang suivant, continuer à alterner points longs et courts en remplissant les interstices entre les points du premier rang. Remplir ainsi les 3 feuilles en répétant des étapes 2 à 6. Finir le motif par les tiges au point de tige.

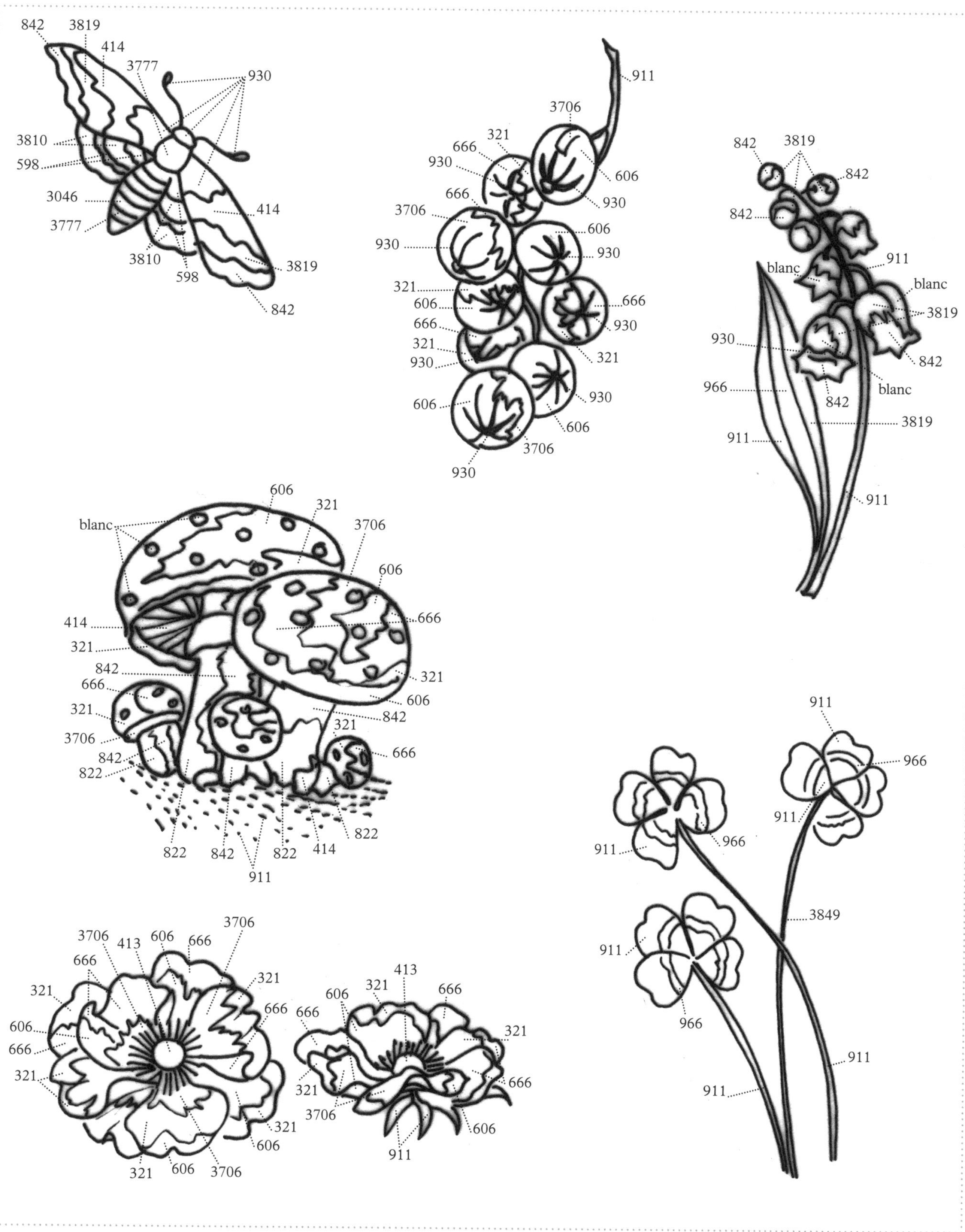

::: point de sable ...... point avant —— point de tige |||||| point lancé point de nœud passé empiétant passé plat

CHAPITRE 4

leçon n° 20

RÉALISER LES POINTS DE REMPLISSAGE

LEÇON N° 20

LE POINT DE BOURDON*

exercice : broder un monogramme

explications → page 152 • motifs → page 153

FOURNITURES

Chemisier blanc en coton

Échevette de coton Spécial à broder n° 20 DMC blanc (B5200)

MATÉRIEL

Aiguille à broder à bout pointu n° 9

Aiguille et fil à bâtir

Tambour à broder

Ciseaux à broder

Crayon à papier

Règle

DIMENSIONS DE LA BRODERIE

7,5 x 8 cm

POINT EMPLOYÉ

Le point de bourdon

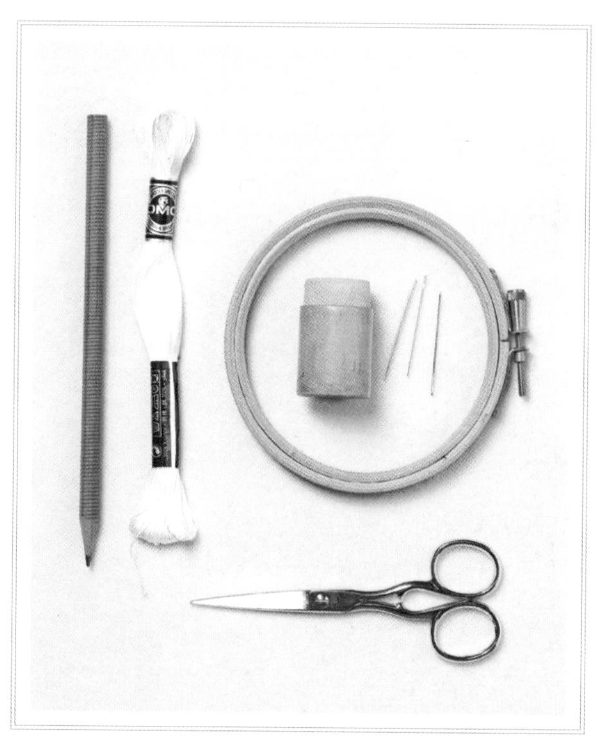

* Le point de bourdon est sûrement le point que nos aïeules savaient le mieux réaliser. Il était notamment utilisé pour marquer les initiales des belles pièces du trousseau de mariée. Ce point se travaille en deux étapes. La première consiste à cerner le motif au point avant et la seconde à recouvrir au passé plat la forme cernée.

UN CHEMISIER

1 / Tracer

Passer un fil de bâti croisé sur le côté droit du chemisier, à 8 cm du bord de la patte de boutonnage et 16 cm de la couture d'épaule, pour marquer le centre du motif à broder.

2 / Broder

Relever le motif à broder par transparence avec le crayon à papier en le centrant par rapport aux repères précédemment marqués. Monter la partie à broder sur le tambour. Commencer la broderie par le contour du monogramme au point avant puis procéder au recouvrement de la forme au passé plat.

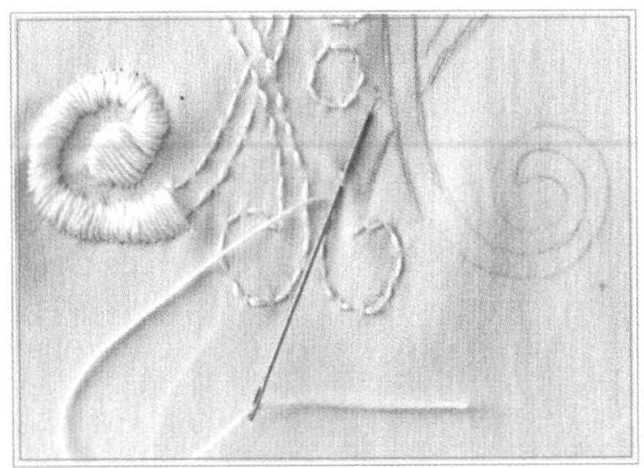

1 Cerner le motif d'un rang de points avant réguliers réalisés sur le tracé.

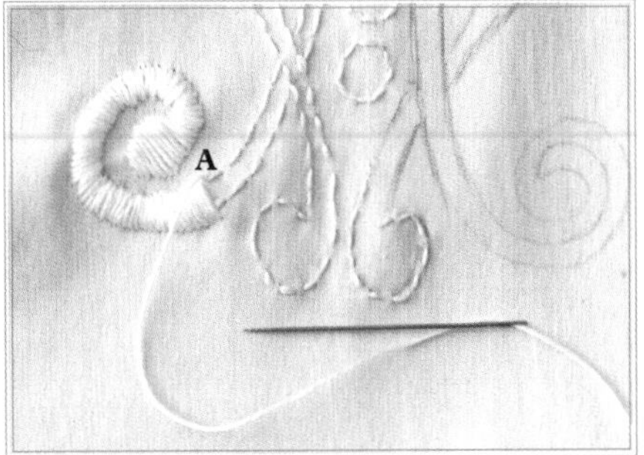

2 Le passé plat recouvre la forme cernée : sortir le fil en A à gauche et à l'extérieur du motif, contre le point avant qui cerne la forme.

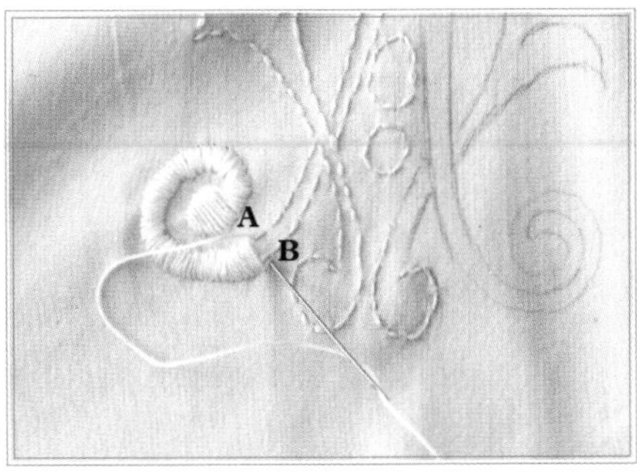

3 Piquer en B sur le bord droit de la forme à recouvrir, à l'extérieur du motif et contre le point avant. Tirer l'aiguillée pour former le premier point horizontal.

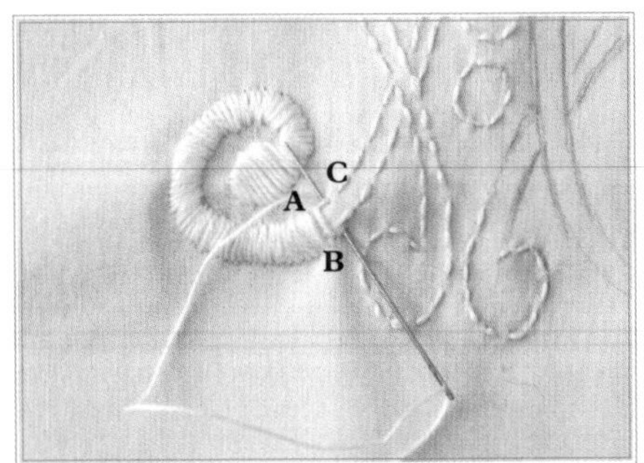

4 Sortir l'aiguille en C juste au-dessus de A et repiquer en D juste au-dessus de B. Former le deuxième point, qui se place à côté du premier.

5 Continuer la broderie en répétant les étapes 2 à 4. Les points doivent être assez serrés entre eux pour faire totalement disparaître le contour au point avant.

6 Une fois la partie à broder entièrement finie, arrêter l'aiguillée avant de reprendre à un autre endroit du motif. Il ne doit pas y avoir de fils flottants au dos entre les différentes parties du motif.

blanc
blanc
blanc
blanc
blanc
blanc
blanc

blanc
blanc
blanc
blanc
blanc
blanc
blanc
blanc

CHAPITRE 4

leçon n° 21

RÉALISER LES POINTS DE REMPLISSAGE

LE POINT DE PLUMETIS*

exercice : customiser une paire de tennis

explications → page 156 • motifs → page 157

FOURNITURES

Paire de tennis en toile

Chute de feutrine coordonnée à la paire de tennis

Échevette de coton Spécial à broder n° 20 DMC blanc (B5200)

MATÉRIEL

Aiguille à broder à bout pointu n° 9

Aiguille et fil à bâtir

Ciseaux à broder

Feutre blanc

Crayon à papier

Colle pour textile

DIMENSIONS DE LA BRODERIE

3 x 3 cm

POINT EMPLOYÉ

Le point de plumetis

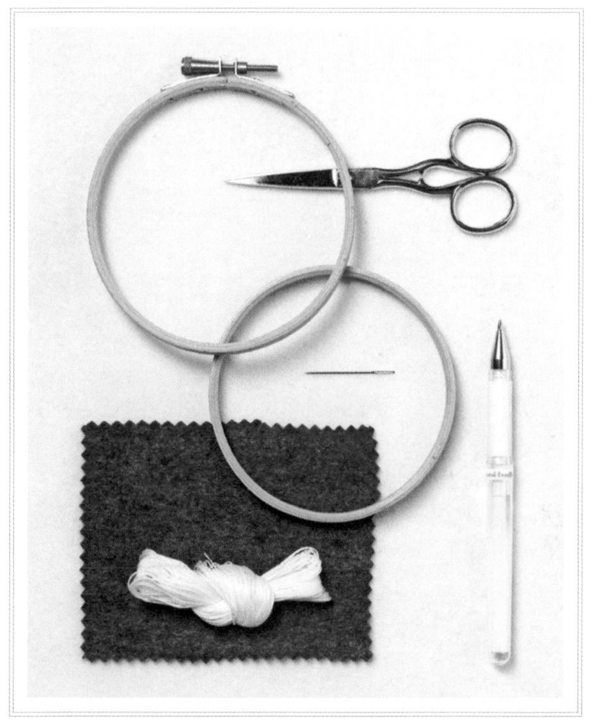

* Le petit truc qui fera de vos étoiles des étoiles réussies consiste à broder des pointes moins volumineuses que le centre. Pour doser le bourrage, il faut ajouter une ou deux couches de points obliques sur cette partie du motif pour qu'elle paraisse plus rembourrée.

UNE PAIRE DE TENNIS

1 / Tracer

Faire une photocopie du motif de l'étoile. Découper ce motif sur le tracé. Épingler le motif sur de la feutrine et tracer son contour au feutre blanc.

→ **ASTUCE**

La colle vinylique est très résistante à l'usage et supporte même les lavages en machine jusqu'à 60 °C. De couleur blanche, elle devient transparente au séchage. Appliquer une bonne couche uniforme en insistant particulièrement sur les détails, ici les pointes des étoiles.

2 / Broder

Ce point se travaille en trois étapes. La première consiste à cerner le motif au point avant, la deuxième à remplir le motif de deux couches de points obliques et la troisième à travailler au passé plat de façon à recouvrir entièrement le tout.

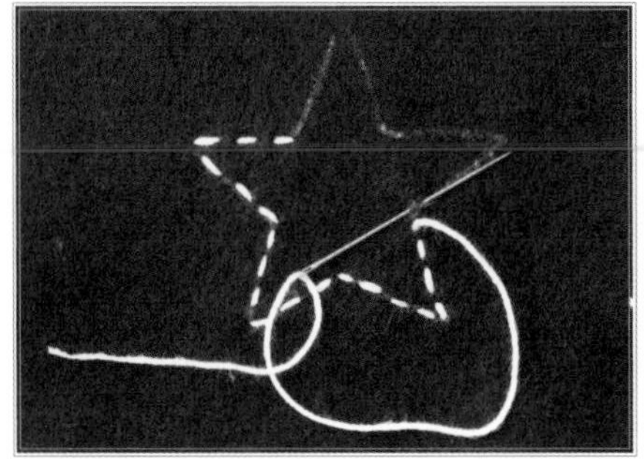

1 Cerner le motif d'un rang de points avant réguliers réalisés sur le tracé. C'est la première étape.

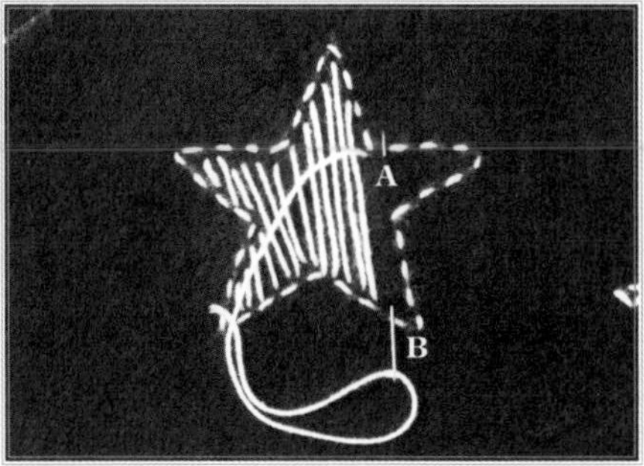

2 Deuxième étape : remplir la forme cernée au point avant de grands points lancés obliques. Sortir l'aiguille en A et piquer en B pour former un grand point oblique.

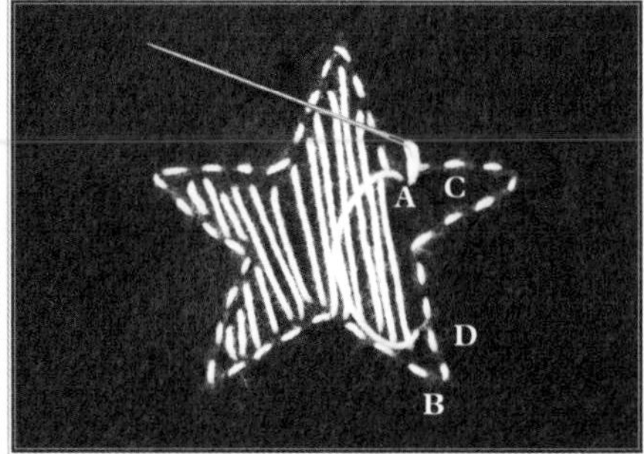

3 Sortir l'aiguille en C à côté de A et repiquer en D à côté de B. Les points sont légèrement espacés. Remplir ainsi l'intérieur de l'étoile pour former la première couche de points.

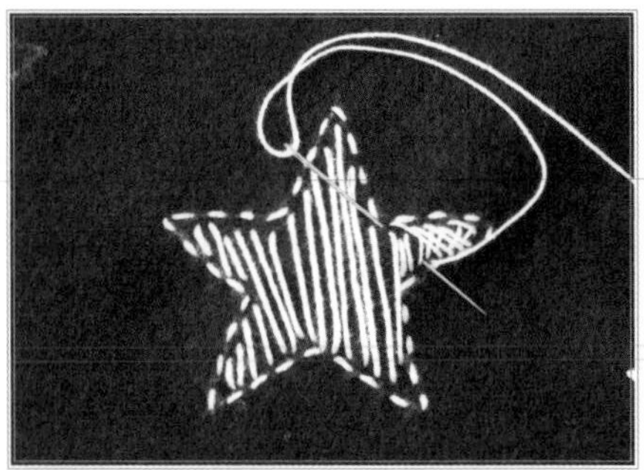

4 Former une deuxième couche de points dans l'oblique opposée à la première et toujours à l'intérieur de la forme cernée. Bien couvrir le centre pour qu'il soit plus volumineux que les pointes en faisant une ou deux couches en plus.

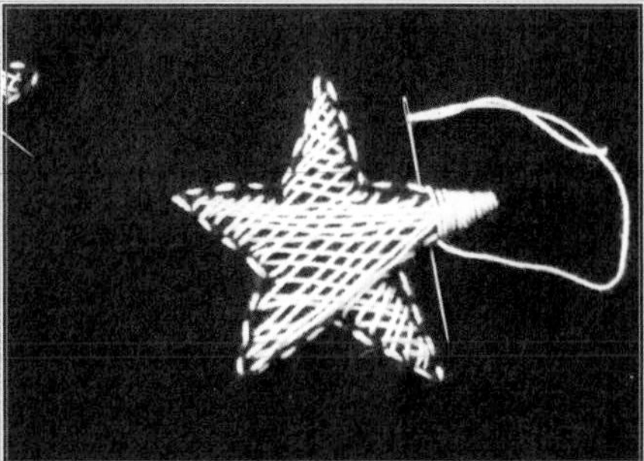

5 Troisième étape : travailler au passé plat de façon à recouvrir entièrement l'étoile. Reprendre les étapes 2 à 4 du point de bourdon (voir p. 152).

6 Une fois les étoiles terminées, recouper la feutrine à 2 mm de leur contour et coller les étoiles sur les tennis. Maintenir avec une épingle durant le séchage de la colle.

_____ point de plumetis

CHAPITRE 4

leçon n° 22

RÉALISER LES POINTS DE REMPLISSAGE

LEÇON N° 22

LE POINT DE SABLE*

exercice : réaliser une housse de cahier

plan de montage → page 161 • explications → page 160 • couture → page 162 • motifs → page 163

FOURNITURES

74 x 38 cm de lin blanc (housse) + 2 rectangles de 17 x 5,5 cm (pattes)

Épingle de nourrice

Échevette de coton Mouliné DMC rouge (321)

MATÉRIEL

Aiguille à broder à bout pointu n° 9

Aiguille et fil à bâtir

Tambour à broder

Ciseaux à broder

Crayon à papier

Règle

DIMENSIONS DE LA BRODERIE

15 x 20 cm

POINTS EMPLOYÉS

Le point de sable

Le point de tige

Le point de piqûre

Le point lancé

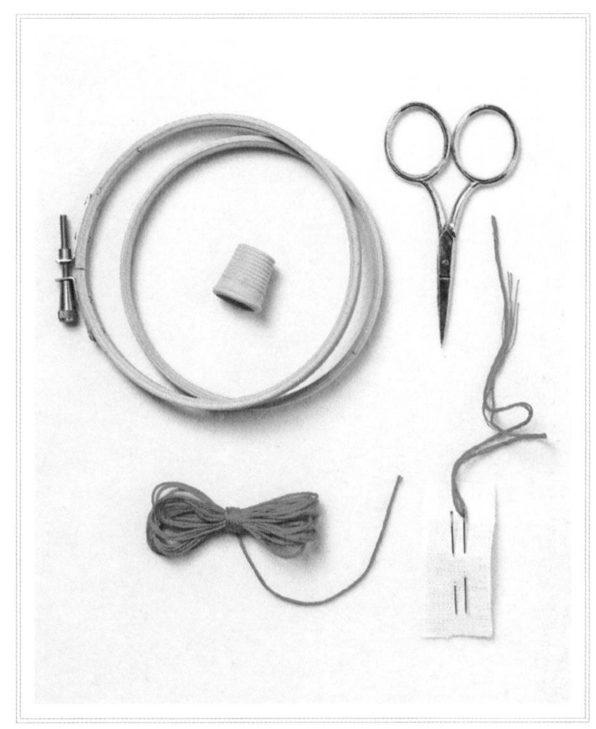

* Utilisé pour orner les chiffres et les monogrammes de la lingerie et du linge de maison, le point de sable, aussi appelé « point de sable irrégulier », se travaille en semis, et le sens n'a pas d'importance. Les remplissages en semis qu'il permet de faire sont d'une grande subtilité.

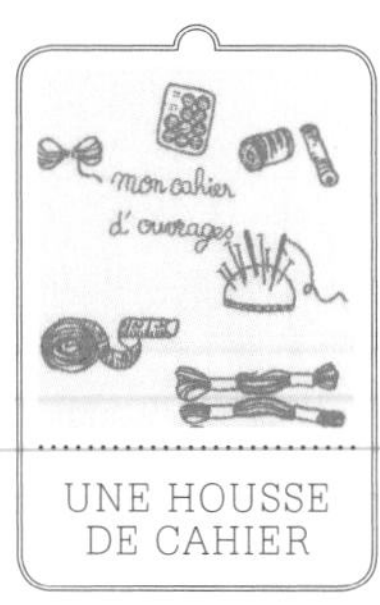

1 / Tracer

Plier en deux le rectangle de lin. Plier en quatre une moitié de ce rectangle et passer un fil de bâti croisé pour déterminer le centre du motif à broder. Surfiler le contour du rectangle.

2 / Broder

Relever le motif à broder par transparence avec le crayon à papier. Monter la pièce de tissu sur le tambour et travailler avec 2 brins de Mouliné. Commencer par les contours des motifs en suivant les indications de points du dessin. Terminer par les remplissages au point de sable ou au point lancé.

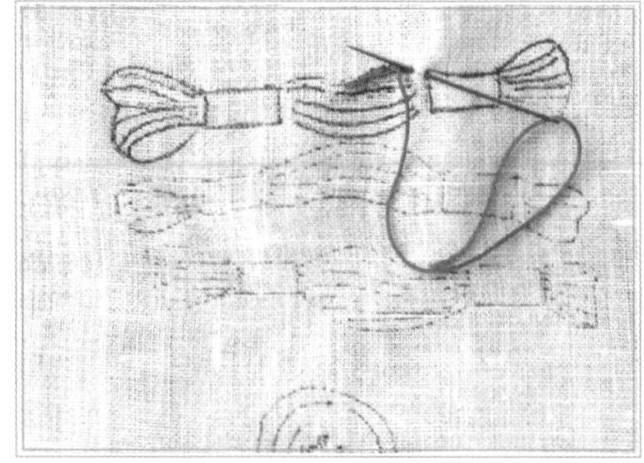

1 Broder le contour des différents motifs au point de tige : bobines, mètre à ruban, carte de boutons…

2 Broder les mots au point de piqûre.

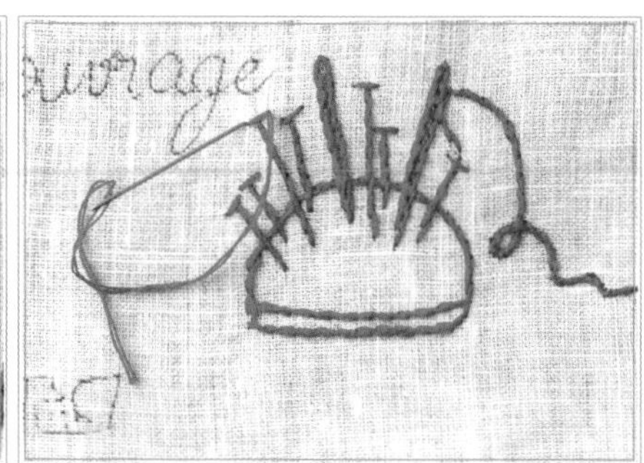

3 Réaliser la tête des épingles, les graduations du mètre à ruban au point lancé.

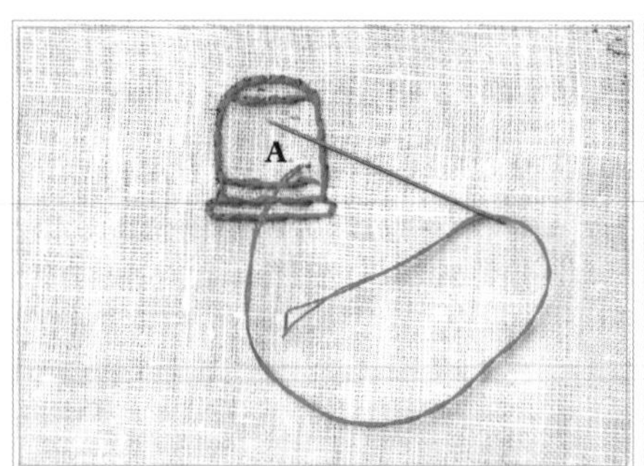

4 Travailler les trous des boutons, l'intérieur du dé et la base de la pelote à épingles au point de sable. Sortir le fil en A sur le tracé.

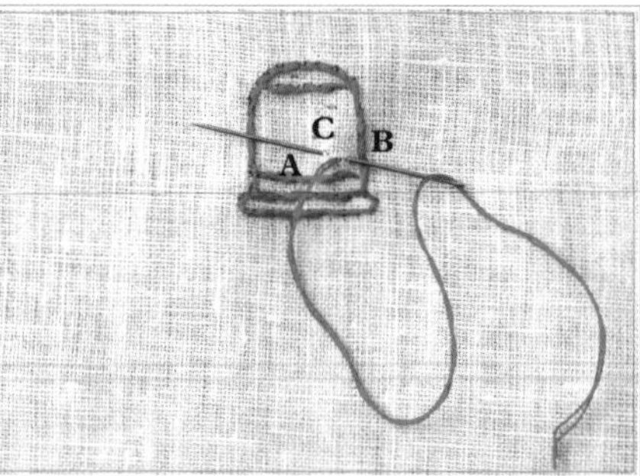

5 Piquer en B de manière à former un petit point arrière. Sortir la pointe de l'aiguille en C un peu plus haut à gauche.

6 Piquer en D de manière à former un nouveau petit point arrière un peu oblique. Répéter les étapes 4 et 5 et recouvrir la surface du motif d'un semis de petits points arrière de longueur égale et orientés en tous sens.

* plan de montage

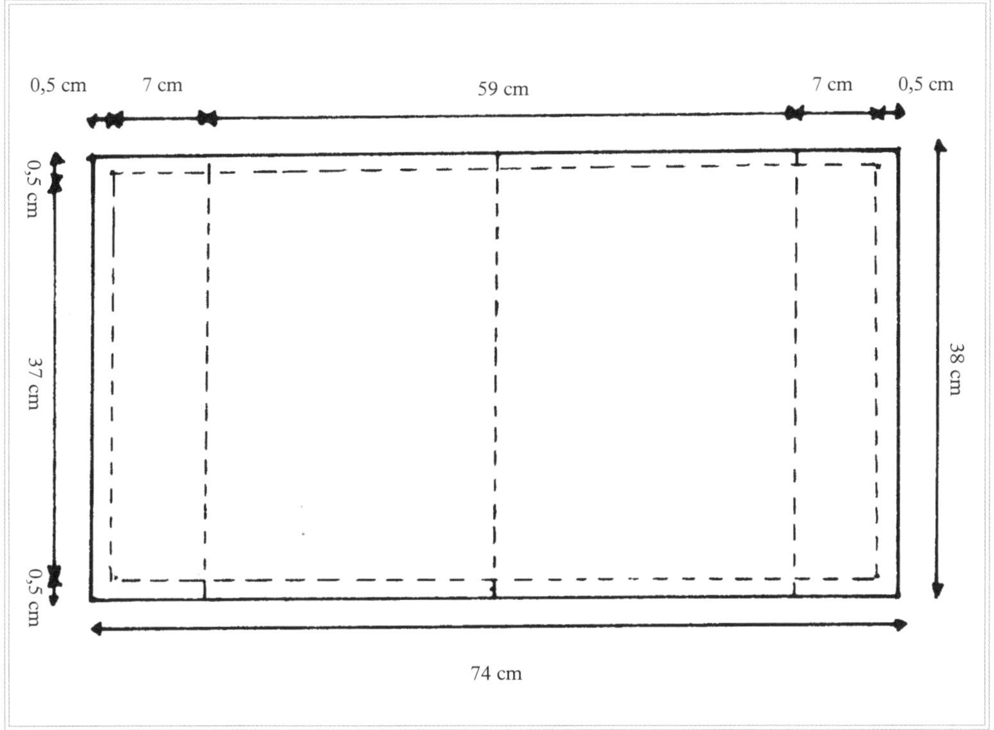

→ **ASTUCE**

Pour réussir le point de sable, il est indispensable de tendre la toile de support sur un tambour car tous les petits points qui forment le semis doivent être d'égale longueur. Cette régularité est obtenue en maîtrisant la tension du fil et celle de la toile. Il est conseillé de s'exercer sur un échantillon pour apprendre à bien répartir des points sur la surface à recouvrir et à bien les orienter en tous sens.

3 / Coudre

Réaliser la housse avec des rabats puis confectionner et fixer la patte de fermeture. Terminer en plaçant une épigle de nourrice.

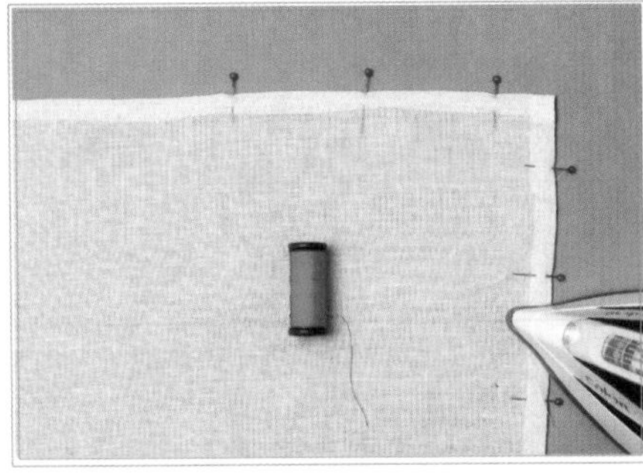

1 Former au fer à repasser un ourlet de 0,5 cm sur tout le tour du grand rectangle. Bâtir puis piquer à 3 mm du bord.

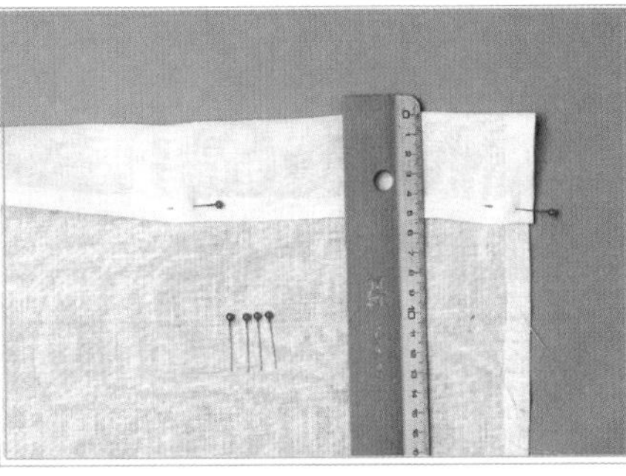

2 Rabattre au fer à repasser, vers le dos de la housse, le haut et le bas du rectangle de lin, sur 5 cm de hauteur. Piquer à 2 mm des bords pour maintenir le pliage en place.

3 Replier vers le dos de la housse les côtés droit et gauche, sur 7 cm de large. Piquez à 2 mm des bords pour maintenir le pliage en place.

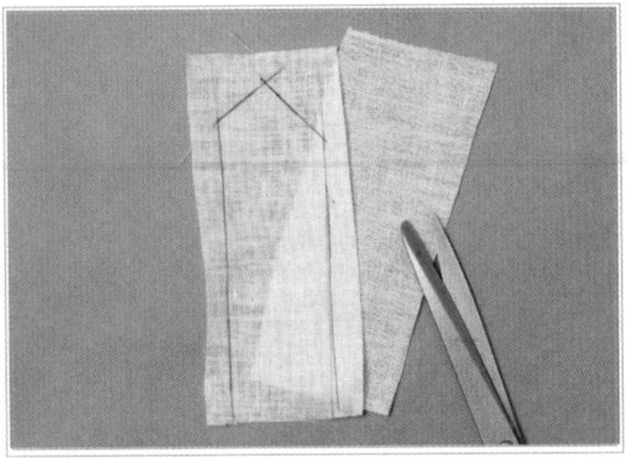

4 Pour la patte, tailler en pointe une extrémité de chaque bande.

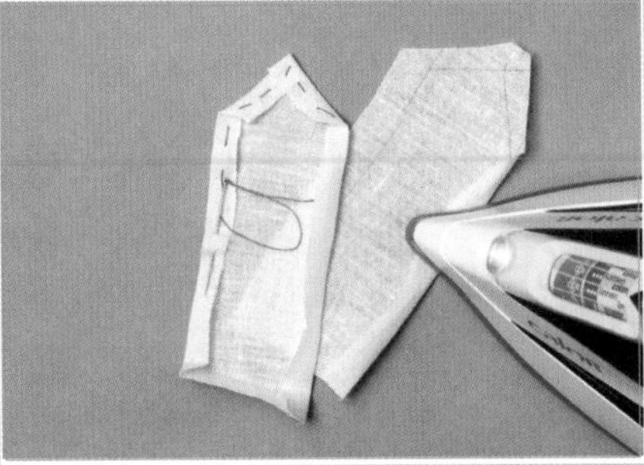

5 Former au fer à repasser un rentré de 0,5 cm autour de chaque patte. Bâtir.

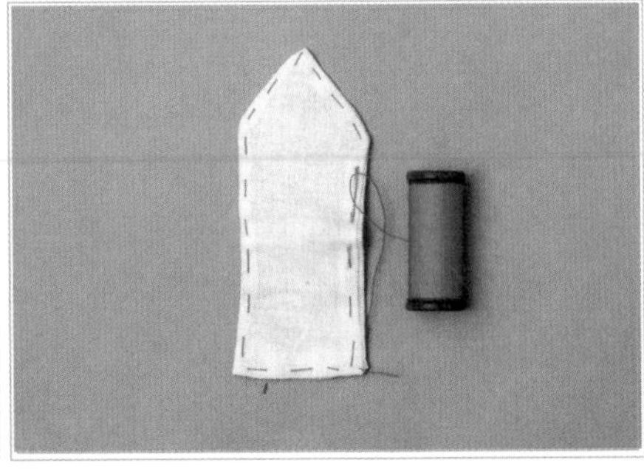

6 Superposer les deux morceaux de la patte, tissus envers contre envers. Épingler et piquer à 2 mm des bords.

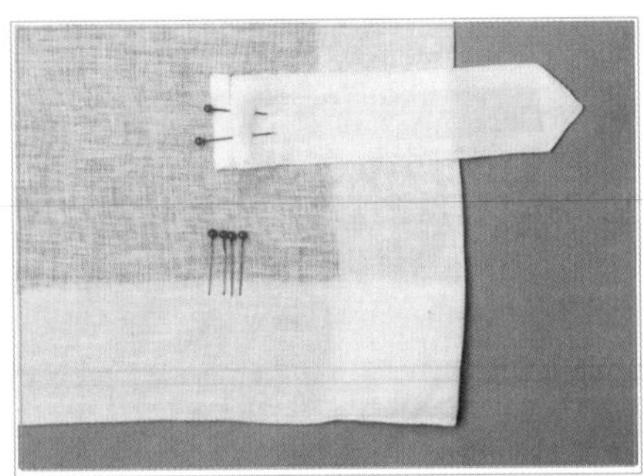

7 Épingler la patte au dos de la housse, au milieu de la largeur.

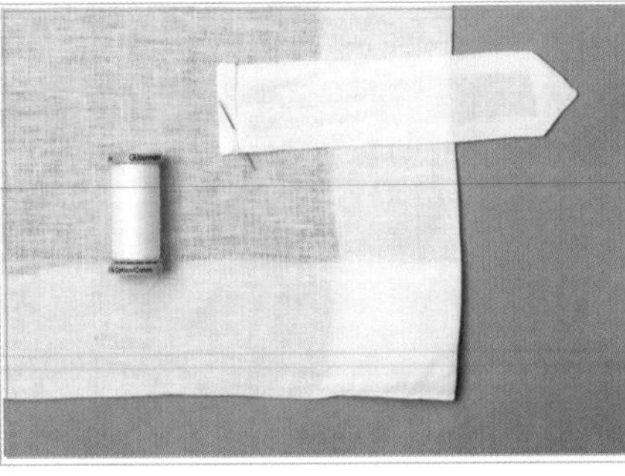

8 Fixer la patte à la main à points invisibles, avec du fil blanc.

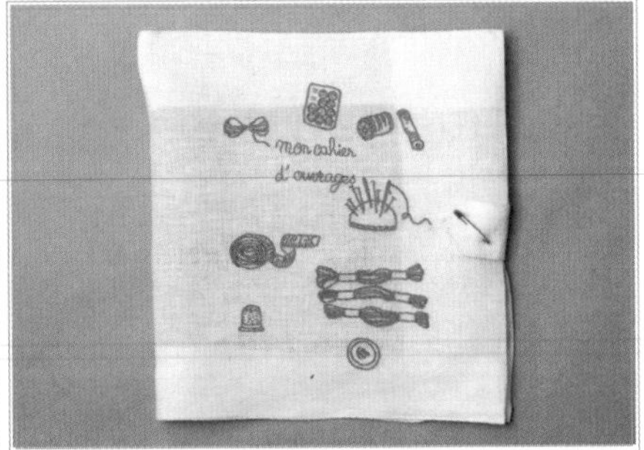

9 Glisser le cahier dans la housse, passer la patte sur le devant et maintenir fermé à l'aide d'une épingle de nourrice fixée à son extrémité.

------ point de piqûre ~~~~~ point de tige |||||||| point lancé ⁘ point de sable

CHAPITRE 4

leçon n° 23

RÉALISER LES POINTS DE REMPLISSAGE

LEÇON N° 23

LE POINT DE BOULOGNE*

exercice : créer un sac à tout

explications → page 166 • couture → page 167

FOURNITURES

Torchon (60 x 80 cm)

40 cm de biais de coton blanc

1 m de cordon rouge

Échevettes de coton Retors mat DMC rouge (2346) et écru (2644)

MATÉRIEL

Aiguille à broder à bout pointu n° 5

Aiguille et fil à bâtir

Épingle de nourrice

Tambour à broder

Ciseaux à broder

Feutre textile effaçable à l'eau

Règle

DIMENSIONS DE LA BRODERIE

19 x 31 cm

POINT EMPLOYÉ

Le point de Boulogne

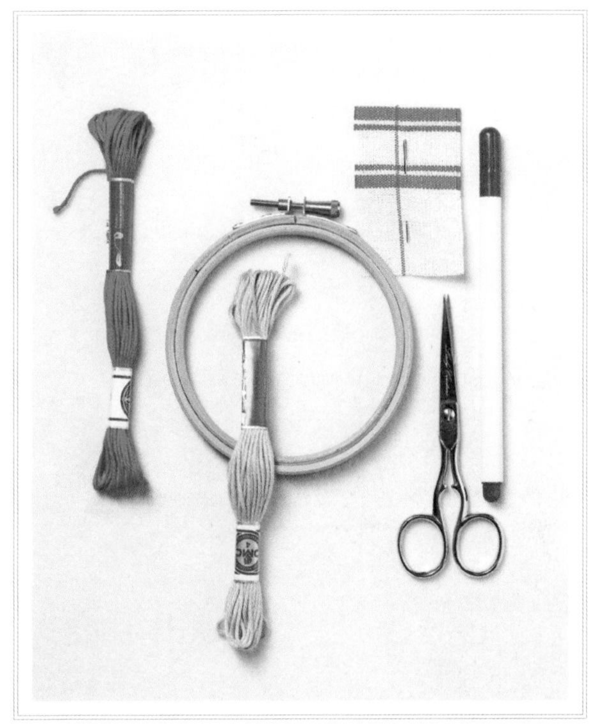

* Réalisé avec de grands points en passé plat maintenus ensuite par des petits points, le point de Boulogne permet de jouer avec l'alternance des couleurs et offre de multiples possibilités. Pour ce petit sac, nous avons opté pour deux couleurs seulement, pour garder le côté « tissage » du torchon.

UN SAC
À TOUT

1 / Tracer

Tracer sur l'envers du torchon un rectangle de 60 x 22 cm. Les lisières du torchon se trouvent à chaque extrémité de ce rectangle et serviront de bords en haut de l'ouverture du sac. Plier en deux ce rectangle. Tracer sur une moitié, avec le feutre effaçable et la règle, un carré de 2,5 cm de côté au centre de chaque carreau de la toile.

2 / Couper

Couper les côtés du rectangle à 1,5 cm du tracé et surfiler ces côtés.

3 / Broder

Broder les motifs un par un en alternant un carré à fond rouge et un autre à fond écru. Ce point se travaille en deux temps. Réaliser de grands points verticaux ou horizontaux puis broder de petits points par-dessus les grands points pour les fixer contre la toile.

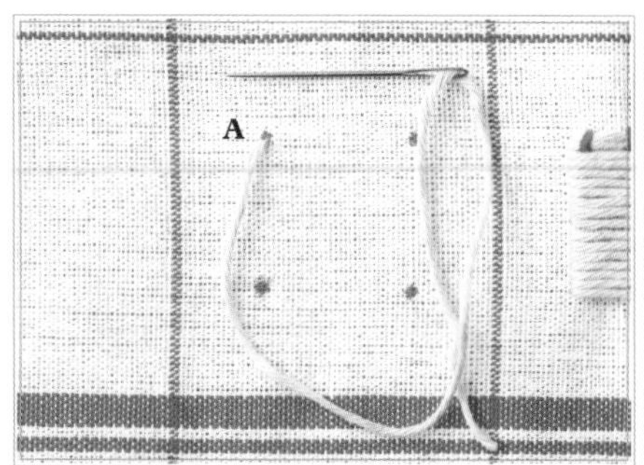

1 Avec le fil écru, sortir l'aiguille en A à gauche et en haut de la surface à recouvrir.

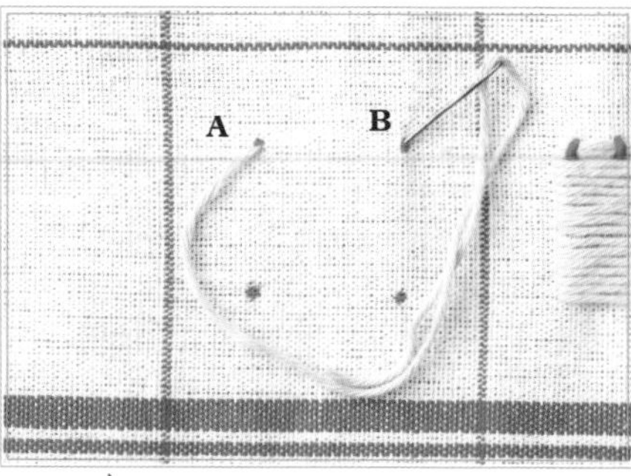

2 Piquer en B à l'horizontale de A pour former le premier grand point, qui recouvre toute la largeur du carré à broder.

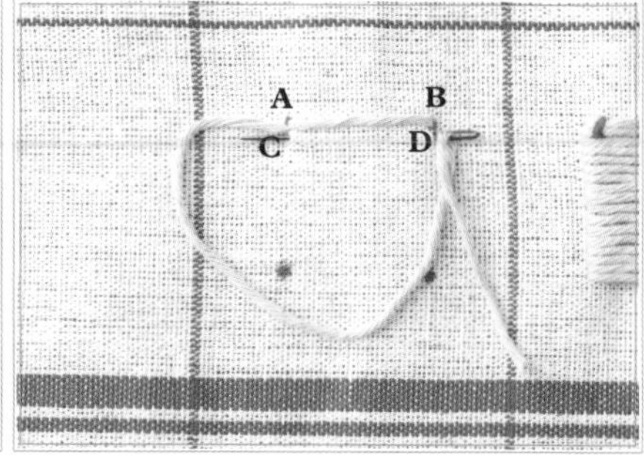

3 Ressortir l'aiguille en C sous le point A et repiquer en D sous le point B parallèlement au premier point. Continuer ainsi à recouvrir l'ensemble de la surface. Il est impératif de réaliser un nombre de points pair.

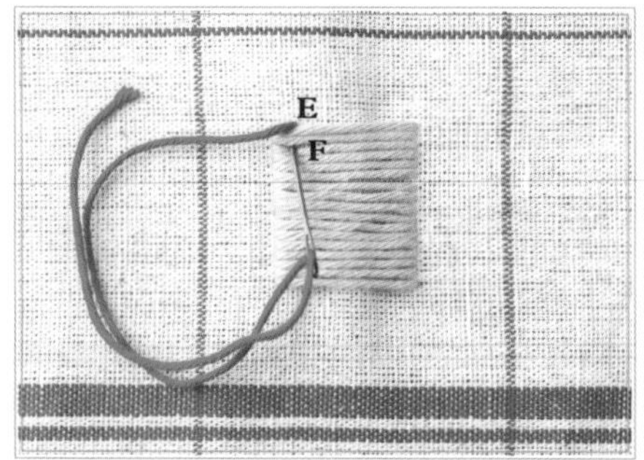

4 Enfiler le coton rouge sur l'aiguille et réaliser des rangées de petits points verticaux. Sortir l'aiguille en E à gauche. Piquer en F pour former le premier petit point vertical par-dessus les deux premiers points horizontaux.

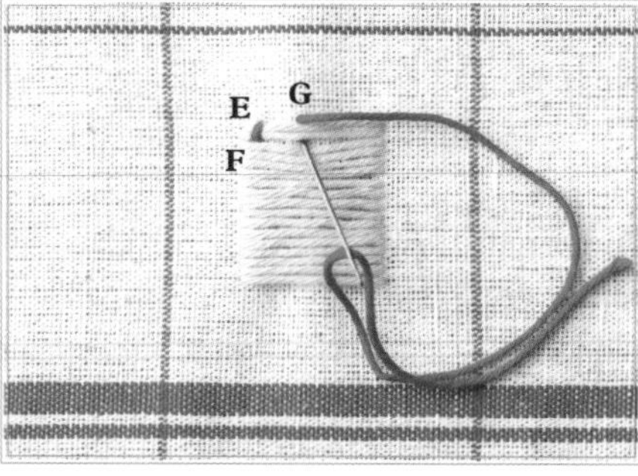

5 Ressortir en G quelques millimètres à droite de E et réaliser un nouveau petit point vertical pour maintenir les deux mêmes grand points. Continuer ainsi en répétant les étapes 4 et 5 sur toute la largeur du motif.

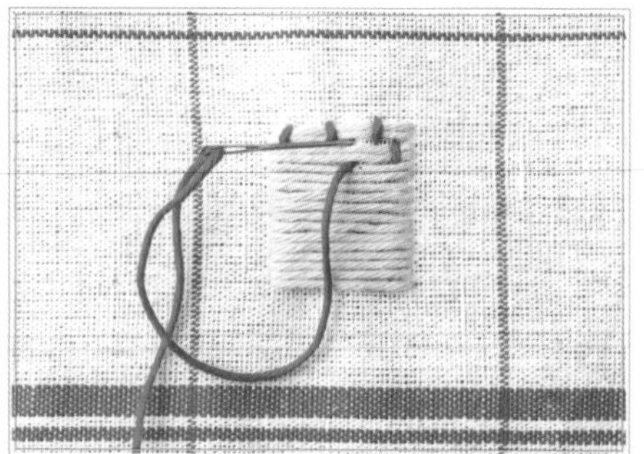

6 Au deuxième rang de petits points verticaux, revenir de droite à gauche sur les deux longs points suivants, en plaçant les petits points en quinconce par rapport à ceux du premier rang. Continuer ainsi afin de maintenir l'ensemble des fils couchés.

✲ plan de montage

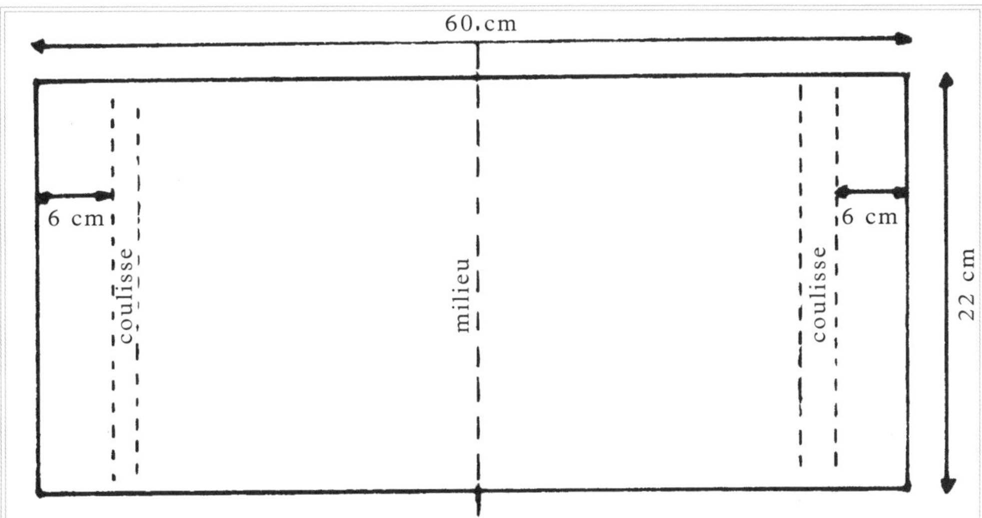

4 / Coudre

Réaliser les coulisses intérieures avec le biais puis assembler le sac. Finir en retournant le sac sur l'endroit et en glissant les cordons dans les coulisses. Faire quelques petits points d'arrêt aux extrémités si nécéssaire.

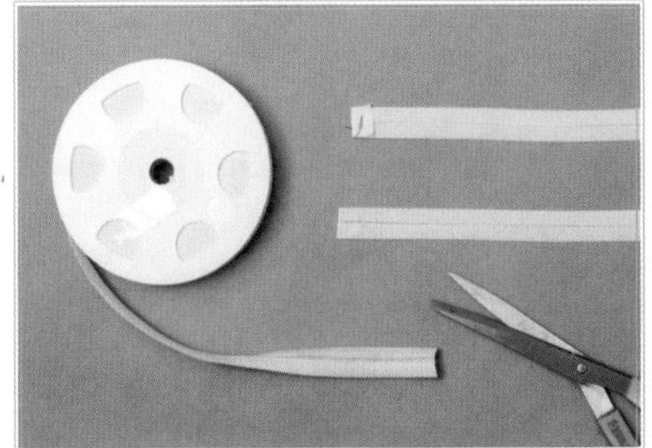

1 Couper le biais en deux et faire un rentré de 1 cm à chaque extrémité des deux morceaux.

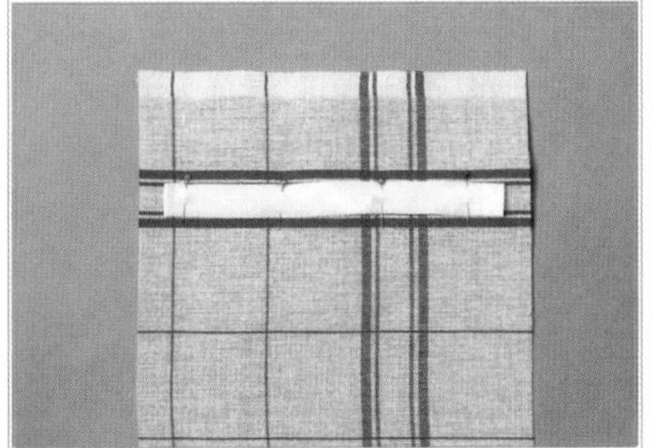

2 Épingler les biais au dos du rectangle en torchon, à 6 cm de chaque longueur pour former deux coulisses à l'intérieur. Bâtir puis piquer les biais en haut et en bas.

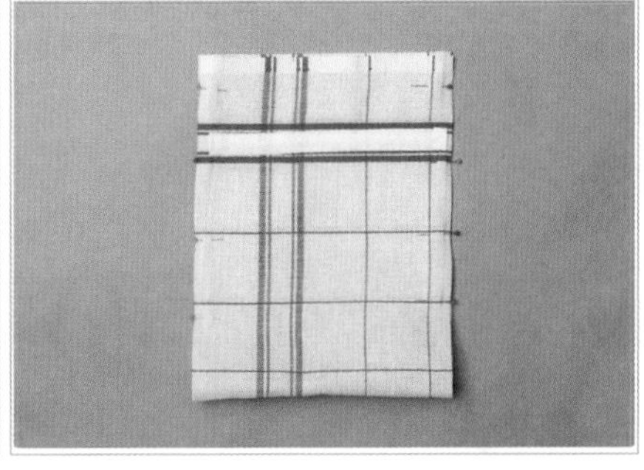

3 Plier le rectangle en deux, endroit contre endroit, et épingler les côtés.

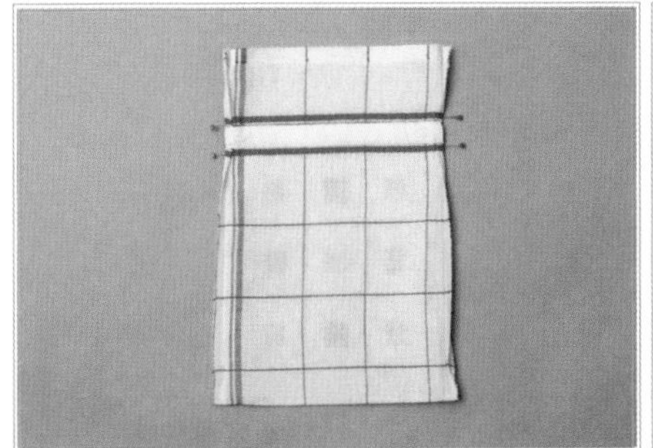

4 Piquer les côtés à 1, 5 cm des bords, du bas du sac jusqu'au bas du biais. Arrêter la couture. Passer la largeur du biais et reprendre l'assemblage jusqu'en haut. Ouvrir les coutures au fer.

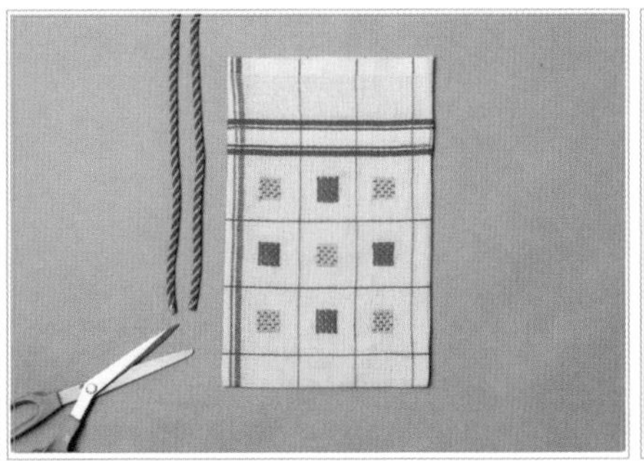

5 Retourner le sac sur l'endroit et couper le cordon en deux.

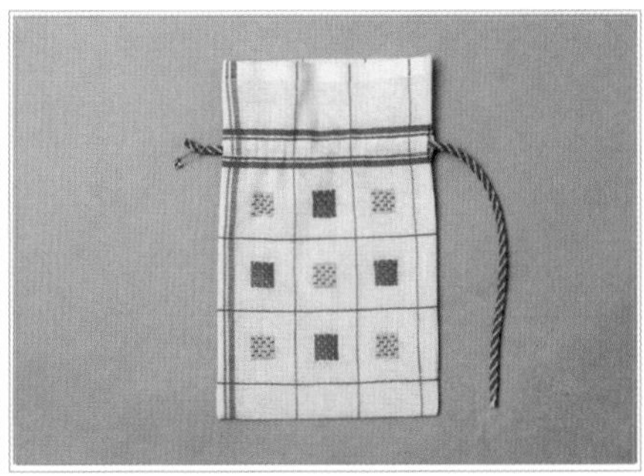

6 Glissez les cordons dans les coulisses en biais en vous aidant d'une épingle de nourrice pour les passer.

LEÇONS DE POINTS

1 — Le point lancé (pp. 140 à 143)
2 — Le point de sable (pp. 158 à 163)
3 — Le passé plat (pp. 134 à 139)
4 — Le point de Boulogne (pp. 164 à 167)
5 — Le passé empiétant (pp. 144 à 149)

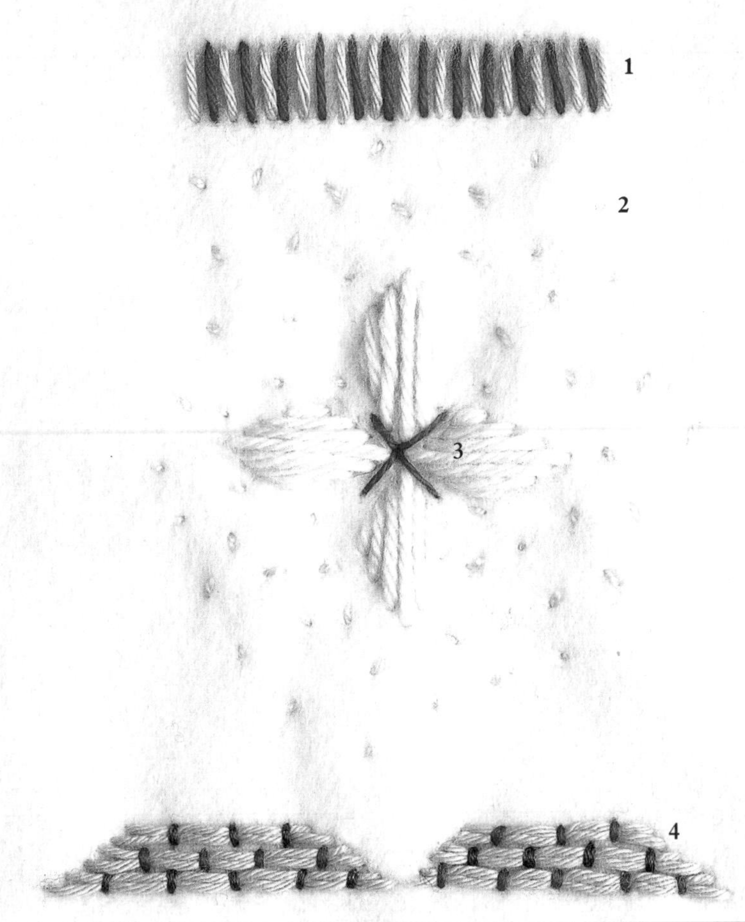

Pour en savoir plus, retrouvez tous les points de ce chapitre, expliqués en schémas, pages 214 à 217.

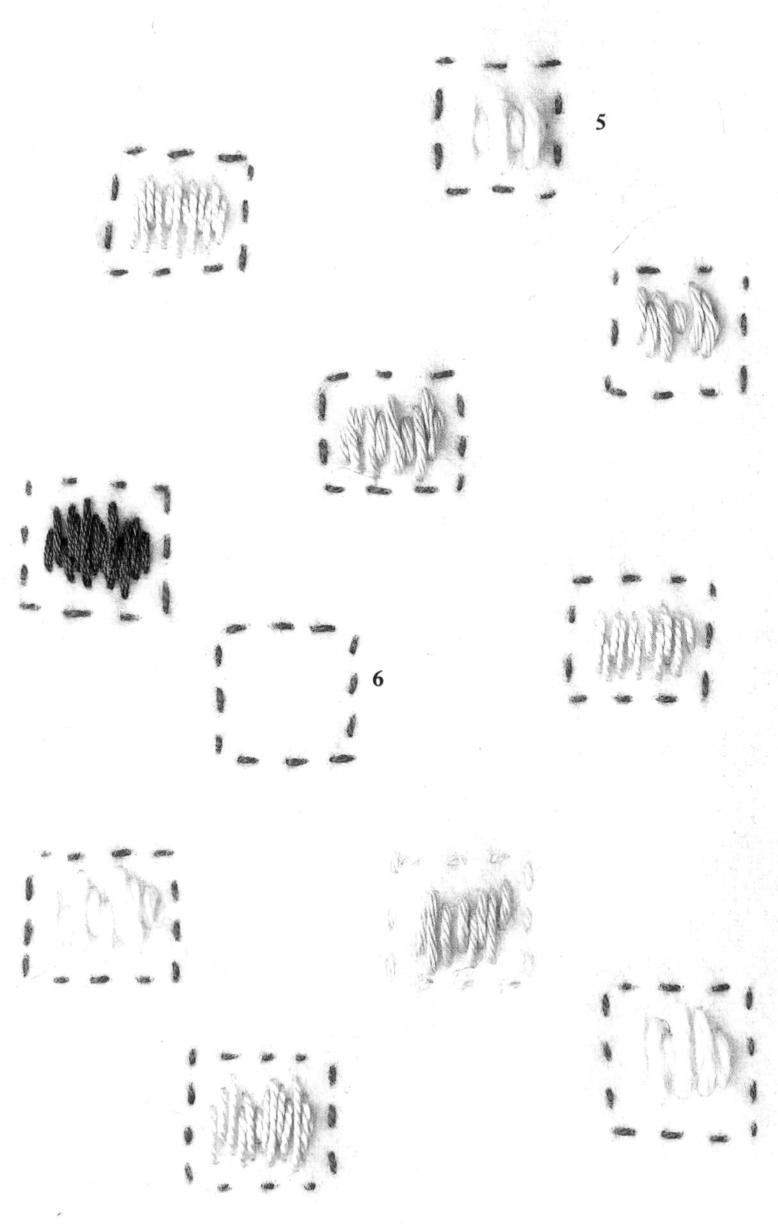

CHAPITRE 5

JOUER AVEC LES POINTS ISOLÉS

CHAPITRE 5

leçon n° 24

JOUER AVEC LES POINTS ISOLÉS

LEÇON N° 24

LE POINT DE NŒUD*

exercice : réaliser une pochette

explications → page 174 • couture → page 175 • plan de montage → page 176 • motifs → page 177

FOURNITURES

25 x 50 cm de coton marine

20 cm de gros-grain marine de 15 mm de large

Fermeture à glissière de 20 cm de long

Échevette de coton Spécial à broder n° 20 DMC blanc (B5200)

MATÉRIEL

Aiguille à broder à bout pointu n° 9

Aiguille et fil à bâtir

Tambour à broder

Ciseaux à broder

Papier-calque et papier carbone jaune ou blanc

Stylo à bille

Règle

DIMENSIONS DE LA BRODERIE

22 x 11 cm

POINTS EMPLOYÉS

Le point de nœud

Le point de tige

Le point avant

Le point lancé

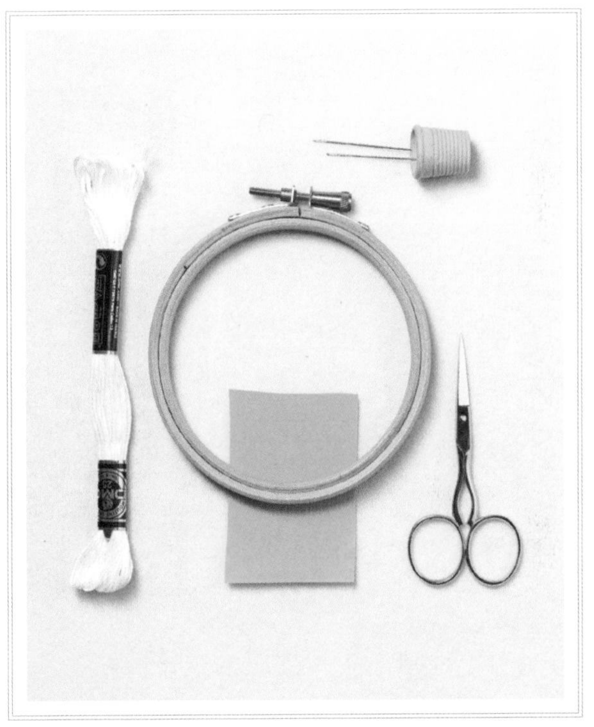

* Il est beaucoup utilisé dans la broderie traditionnelle parce qu'il permet de créer des petits détails en relief dans un motif, ce qui apporte de belles touches finales aux broderies.

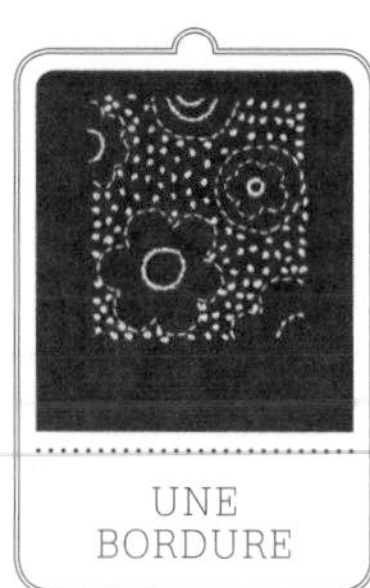

UNE BORDURE

1 / Tracer

Tracer le rectangle qui forme la pochette sur l'envers du tissu en suivant les indications du schéma coté.

2 / Couper

Couper le rectangle à 1 cm du tracé. Surfiler les bords de la pièce. Passer un fil de bâti croisé à 6,5 cm d'une largeur et 11 cm d'une longueur du rectangle pour marquer le centre du motif à broder.

3 / Broder

Relever le motif à broder sur le papier-calque. L'épingler sur le tissu en le centrant grâce aux fils de bâti. Glisser le carbone entre le papier-calque et le tissu et relever le motif avec le stylo. Monter la pièce de tissu sur le tambour. Commencer la broderie par le contour des fleurs au point avant puis les cœurs au point de tige, et terminer la broderie par le semis au point de nœud.

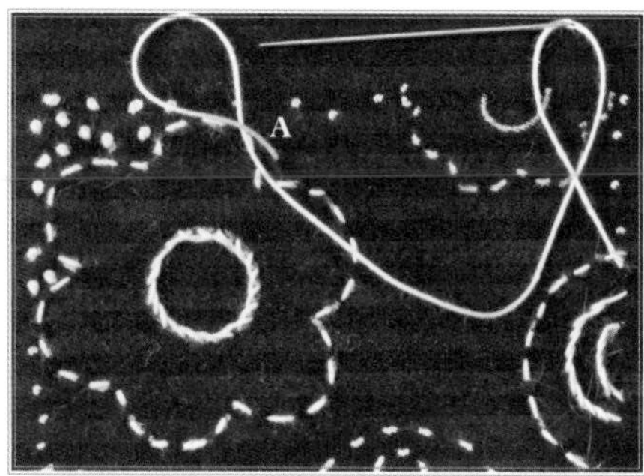

1 Sortir le fil en A. Former une boucle sur le tissu au-dessus du point A.

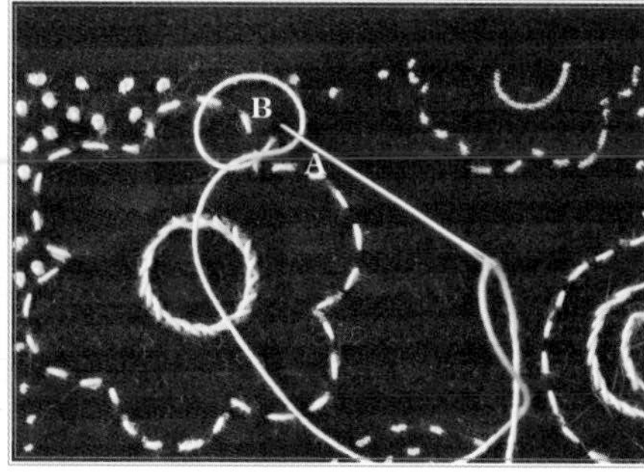

2 Piquer en B, à l'intérieur de la boucle et un peu à côté de A.

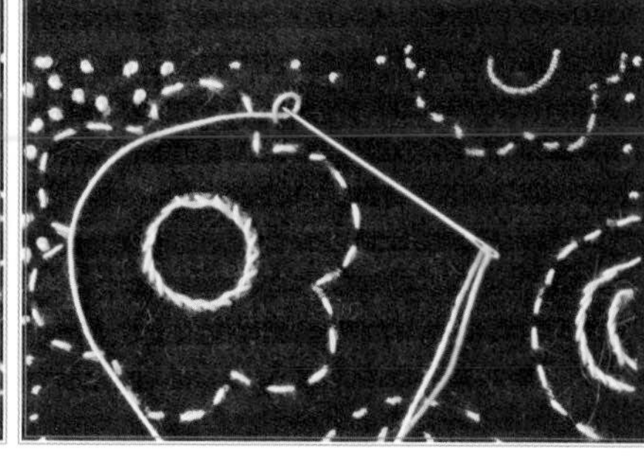

3 Tirer sur le fil de l'aiguillée, sans bouger l'aiguille, pour que la boucle se resserre autour de l'aiguille, contre le tissu.

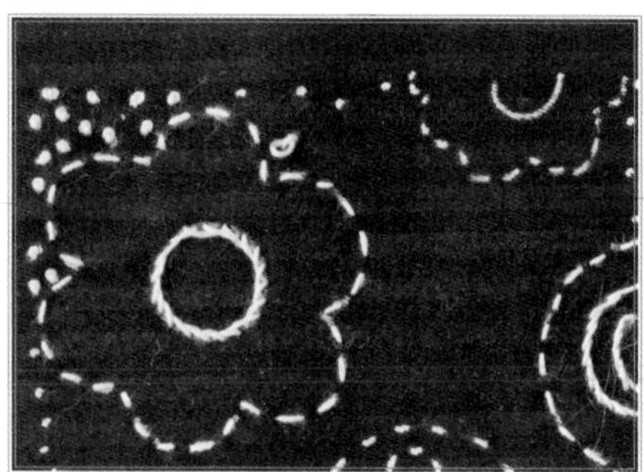

4 Pousser sur l'aiguille pour qu'elle ressorte sur l'envers de la broderie, sans trop tirer sur l'aiguillée pour laisser un beau volume au point.

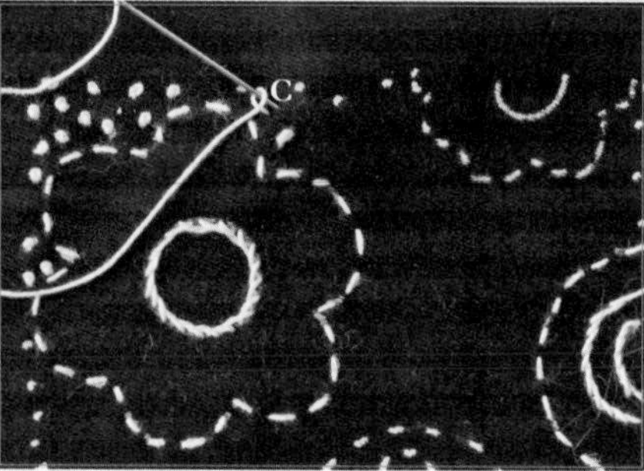

5 Pour le point suivant, sortir l'aiguille en C à côté du premier point. Broder un nœud en reprenant les étapes 2 à 4.

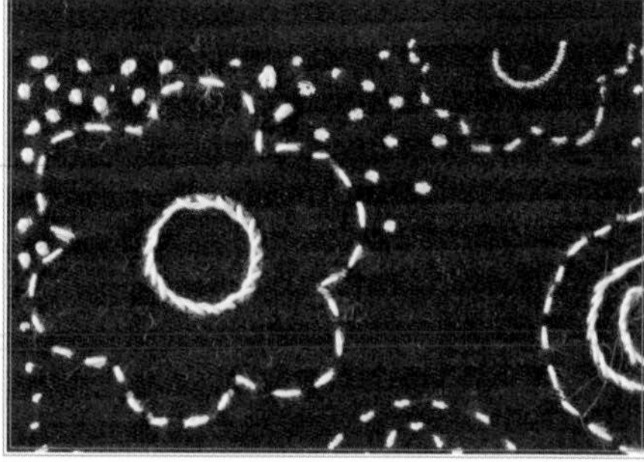

6 Travailler le point de nœud en semis, le sens du point n'a pas d'importance.

4 / Coudre

Former les ourlets tout autour du tissu. Réaliser la pochette, poser la fermeture à glissière puis fixer le gros-grain.

1 Former au fer à repasser un ourlet de 1 cm sur tout le tour du tissu. Bâtir.

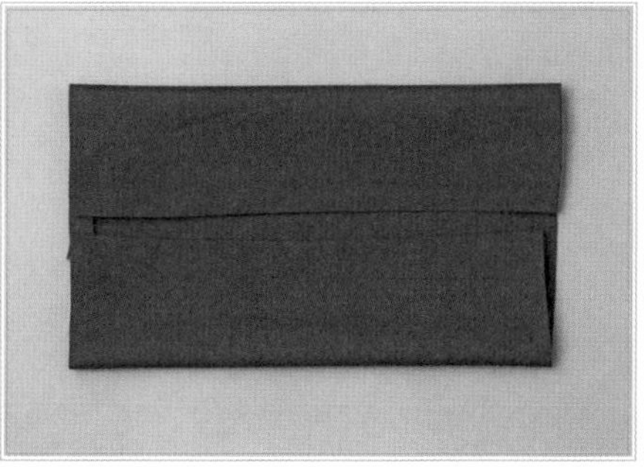

2 Plier le rectangle de tissu en trois, tissu envers contre envers, de manière à centrer l'ouverture sur le dessus.

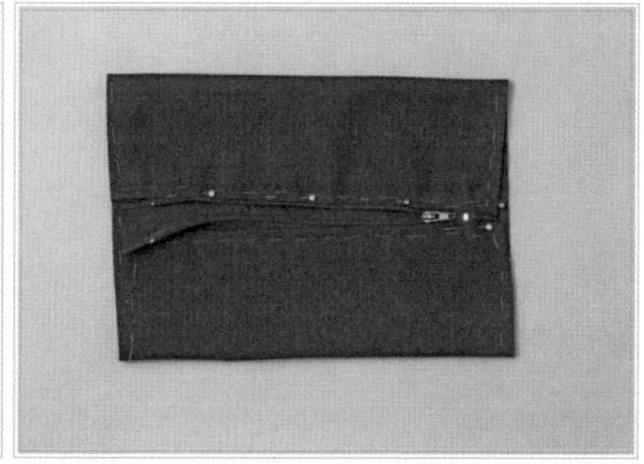

3 Ouvrir la fermeture à glissière et épingler ses bords de chaque côté de l'ouverture, sous l'ourlet. Bâtir les deux rubans de la fermeture puis les piquer. Coudre à la main les deux côtés de l'ouverture de chaque côté de la fermeture.

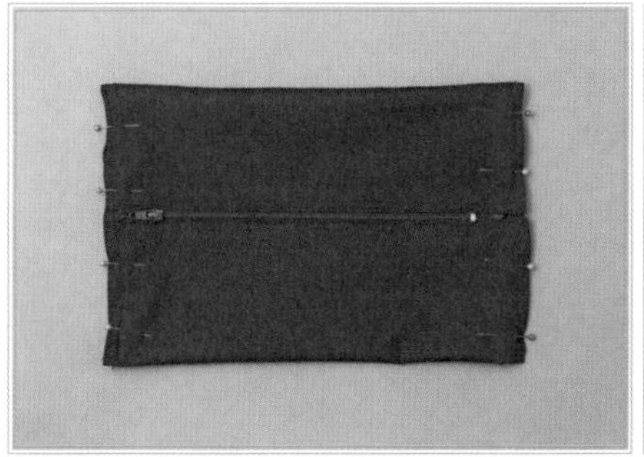

4 Épingler les côtés de la pochette et piquer à 5 mm des bords. Retourner la pochette sur l'endroit.

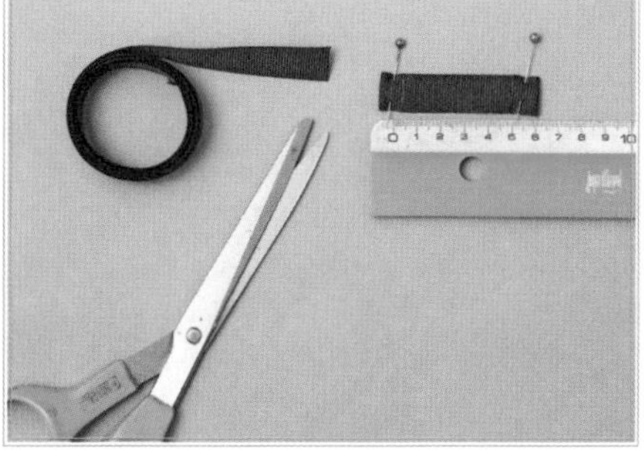

5 Couper un morceau de gros-grain de 9 cm. Replier les extrémités sur 1 cm.

6 Plier le gros-grain en deux et l'épingler à cheval sur la couture de l'ouverture, en bas de la fermeture. Piquer à 3 mm de l'extrémité du gros-grain.

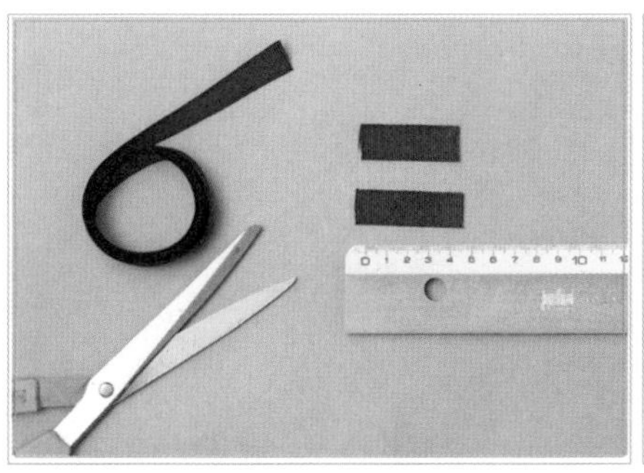

7 Couper deux morceaux de gros-grain de 5 cm et former un rentré de 1 cm à chaque extrémité.

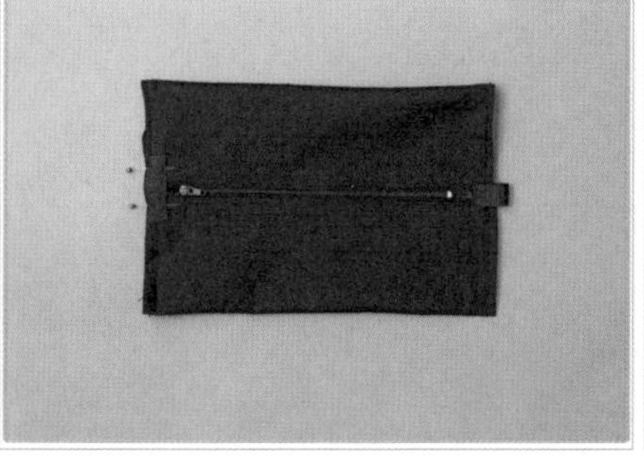

8 Superposer les deux morceaux de gros-grain et les positionner à cheval sur la couture de côté de la trousse, en haut de la fermeture. Piquer ensemble les quatre côtés du gros-grain.

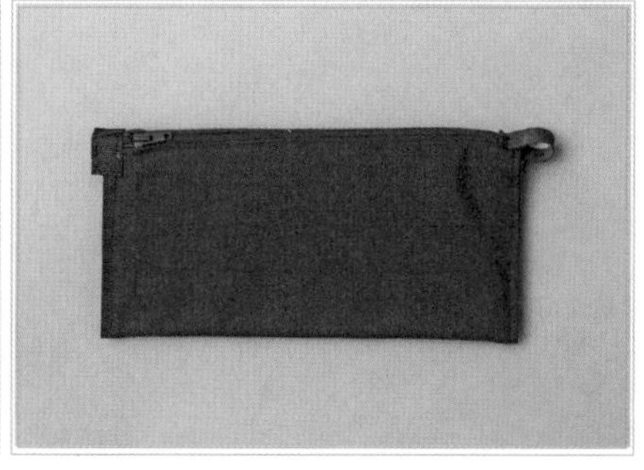

9 Repliée en deux, fermeture sur le dessus, la pochette présente une double poche.

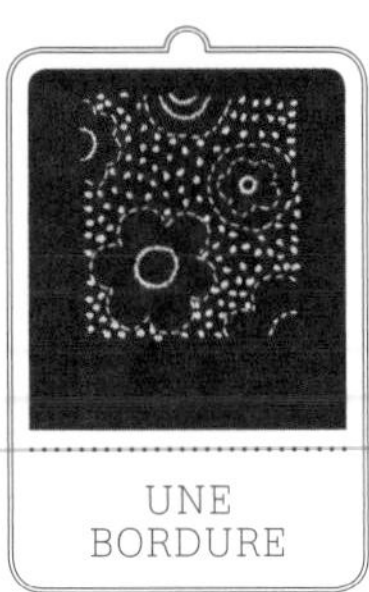

✻ **plan de montage**

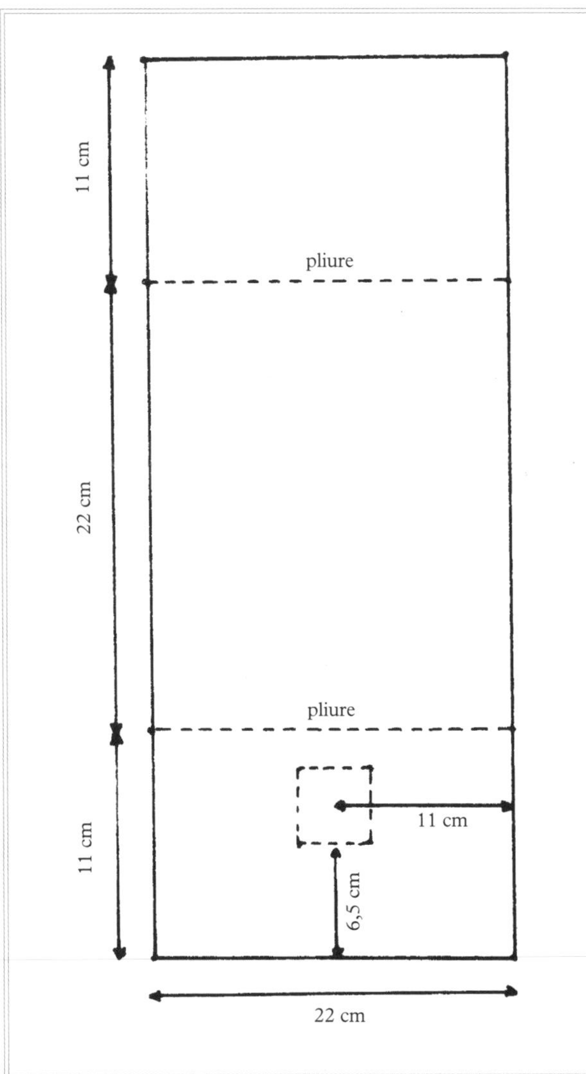

→ **ASTUCE**

La broderie de la housse de cahier peut être réalisée avec la même référence de coloris mais en employant des qualités de fil différentes. Utiliser du Perlé n° 12 ou du coton Spécial à broder n° 12 permet d'obtenir la même finesse de points. Le numéro d'aiguille ne change pas.

→ **CONSEIL**

Pour obtenir une piqûre bien droite le long des ourlets du contour de la housse ainsi que sur les rabats, il est conseillé de prendre comme repère le droit-fil du tissu. Si un décalage du droit-fil survient lors de la coupe ou bien de la confection des ourlets et qu'il est impossible de le prendre pour repère, l'astuce consiste à préparer la piqûre machine par un fil de bâti minutieusement réalisé à la main à l'aide d'une règle. Pour éviter que le point ne dévie encore lors du piquage à la machine, il faut alors positionner un pied presseur à double entraînement ou un pied à rouleau et régler le piquage sur la vitesse la plus lente.

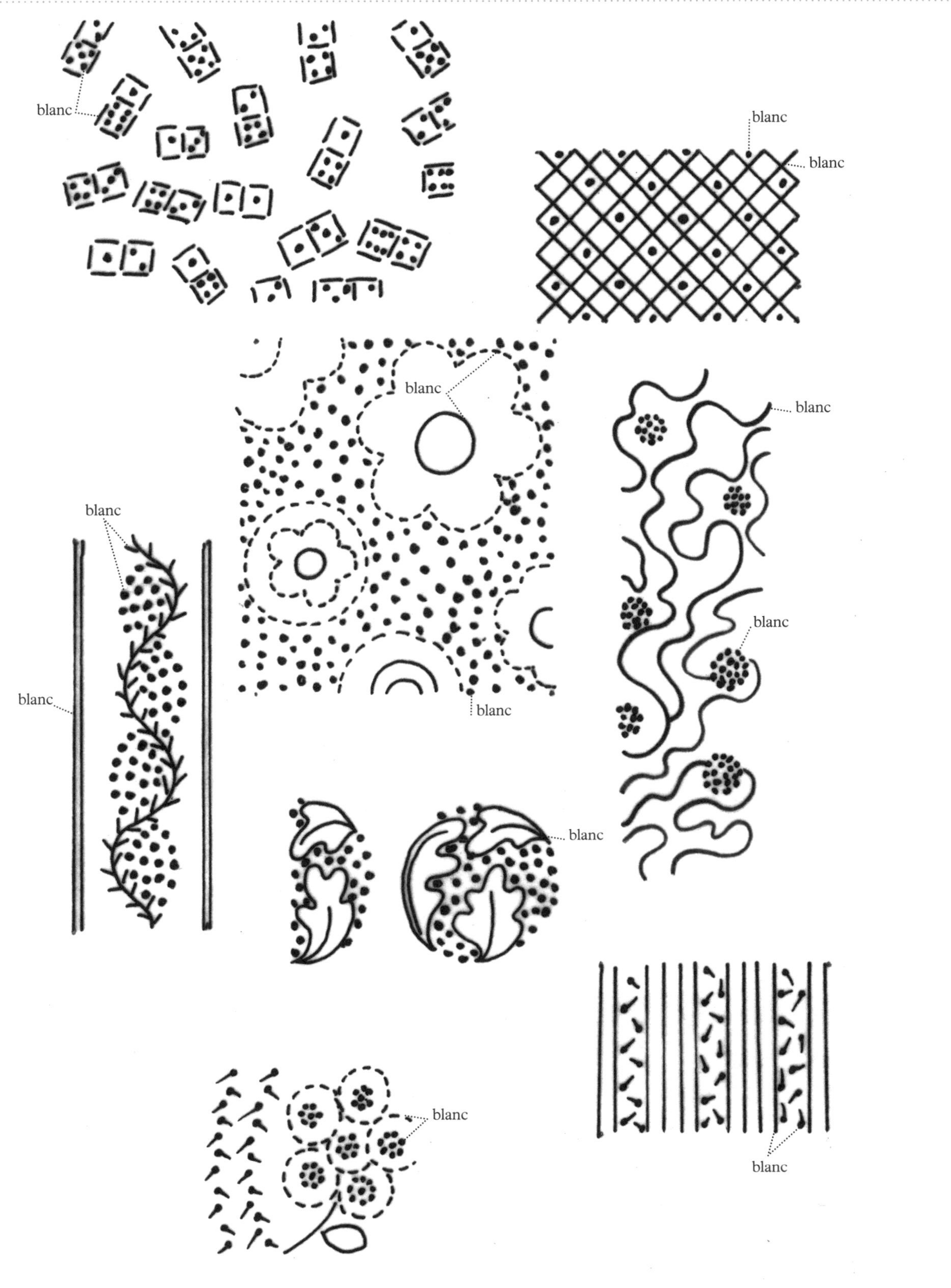

point avant | point de tige | point de nœud | point lancé

CHAPITRE 5

leçon n° 25

JOUER AVEC LES POINTS ISOLÉS

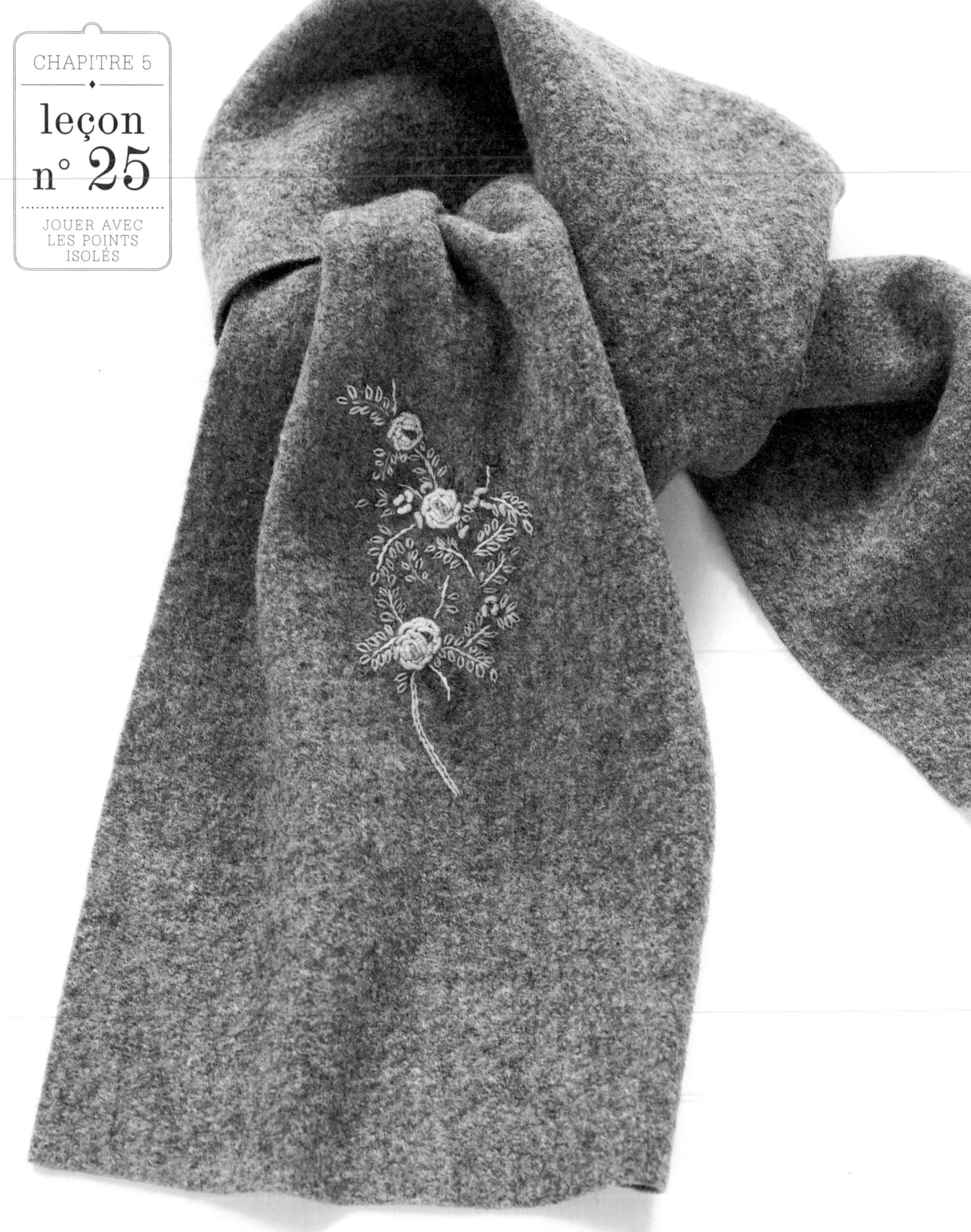

LEÇON N° 25

LE POINT DE POSTE*

exercice : customiser une écharpe

motif → page 180 • explications → page 181

FOURNITURES

Écharpe en flanelle ou en laine bouillie grise

Échevette de coton Mouliné DMC beige (3033), bleu (597), vert (166), gris (926), bleu marine (930) et bronze (834)

Échevette de coton Perlé n° 5 DMC beige (3033), et bronze (834)

MATÉRIEL

Aiguille à broder à bout pointu n° 7 et n° 5

Aiguille et fil à bâtir

Tambour à broder

Ciseaux à broder

Film soluble

Feutre blanc

Règle

DIMENSIONS DE LA BRODERIE

9 x 22 cm

POINTS EMPLOYÉS

Le point de poste

Le point de bouclette

Le point de tige

Le point de nœud

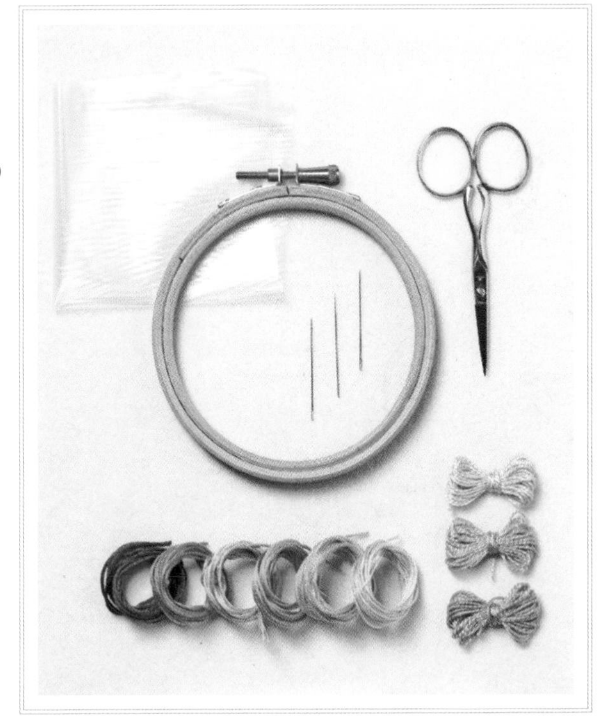

* Ce point, avec beaucoup de relief, ressemble à une petite chenille. Il peut être travaillé de manière unique ou en semis pour remplir un motif.

1 / Tracer

Passer un fil de bâti croisé à 24 cm du bas de l'écharpe et, dans le sens vertical, au milieu, pour marquer le centre du motif à broder.

> → **ASTUCE**
>
> Ce motif est composé d'un seul dessin de bouquet répété régulièrement en hauteur pour former une frise. Pour cette écharpe, il est répété 2 fois. Il peut également être utilisé en motif isolé dans chaque angle pour customiser un carré ou au centre d'un triangle.

point de tige — point de nœud — point de poste — point de bouclette

2 / Broder

Relever le motif à broder par transparence sur le film soluble, avec le feutre blanc. Bâtir le film sur l'écharpe en le centrant. Monter la pièce de tissu sur le tambour. Commencer la broderie par les fleurs au point de poste en Perlé n° 5, puis, avec 4 brins de Mouliné, broder le cœur des fleurs en réalisant 4 points de nœud. Broder ensuite les tiges au point de tige et travailler les feuilles au point de bouclette. Ces deux derniers points sont travaillés avec 3 brins de Mouliné.

1 Sortir le fil en A. Piquer en B quelques millimètres à droite, à l'horizontale, et ressortir en A.

2 Enrouler plusieurs fois le fil autour de la pointe de l'aiguille.

3 Former ainsi 7 boucles autour de la pointe de l'aiguille, sans serrer.

4 Tirer l'aiguille puis l'aiguillée à travers les boucles de manière à former une « chenille » composée des boucles.

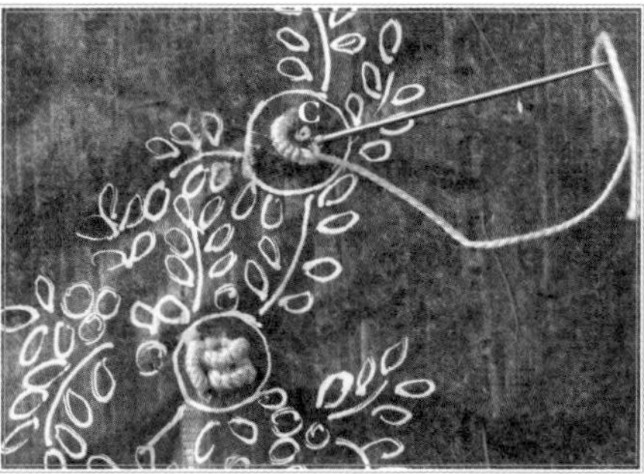

5 Piquer en C juste à côté du point B pour fixer le point contre la surface du tissu.

6 Réaliser un second point de poste oblique autour du cœur de la fleur.

7 Broder un troisième point de poste de façon à former un triangle autour du cœur de la fleur. Broder autour de ce triangle une seconde rangée de points de poste.

8 Broder les points de nœud du cœur de la fleur.

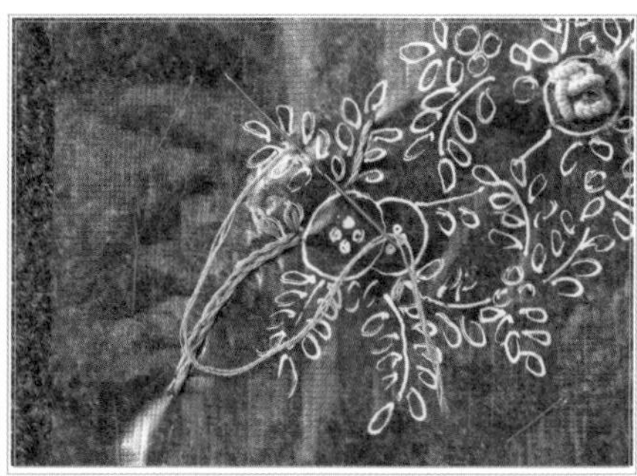

9 Broder les tiges au point de tige et les feuillages au point de bouclette.

CHAPITRE 5
leçon
n° 26
JOUER AVEC
LES POINTS
ISOLÉS

LE POINT DE BOUCLETTE*

exercice : réaliser une robe

explications → page 184 • couture → page 185 • schéma coté et plan de coupe → page 186 • motifs → page 186

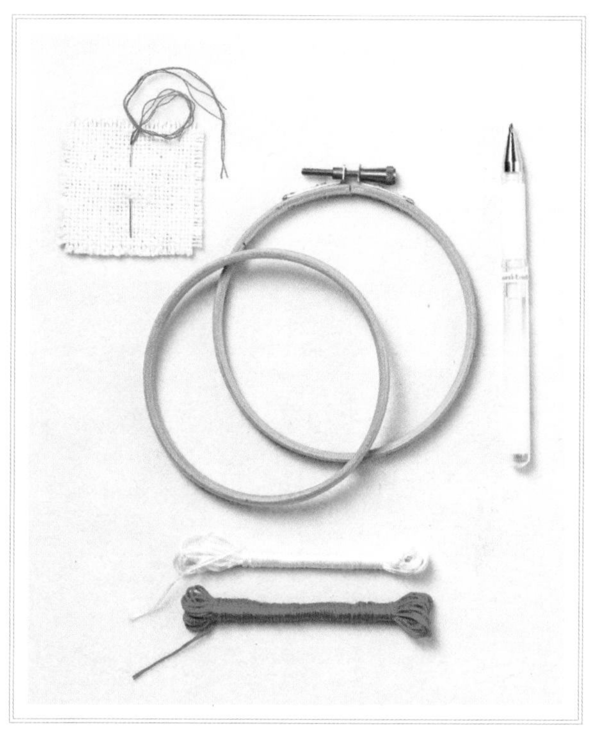

FOURNITURES

190 x 140 cm (S), 200 x 140 cm (M), 210 x 140 cm (L) de large de coton marine à pois blancs

1 m d'élastique plat de 2 cm de large

Échevette de coton Mouliné DMC rouge (321) et blanc (B5200)

MATÉRIEL

Aiguille à broder à bout pointu n° 9

Fil à coudre coordonné

Épingles

Tambour à broder

Ciseaux à broder

Ciseaux de couturière

Papier quadrillé à carreaux de 5 cm de côté

Feutre blanc

Craie tailleur

Règle

DIMENSIONS DE LA BRODERIE

En fonction de l'imprimé

POINTS EMPLOYÉS

Le point de bouclette

Le point de tige

Le point de nœud

TAILLES

S = 36/38 M = 38/40 L = 40/42

* Le point de bouclette est beaucoup utilisé pour former les pétales des fleurs lorsqu'on veut donner un côté enfantin aux broderies, mais il sert aussi dans les remplissages très aériens des broderies. Ici, nous nous sommes servis des pois pour former le cœur des fleurs et broder uniquement les pétales.

UNE ROBE

1 / Tracer

Réaliser le patron sur du papier quadrillé à carreaux de 5 cm de côté en se référant au schéma coté. Couper ensuite les différentes parties du patron.

2 / Couper

Plier le tissu en deux, endroit contre endroit, dans le sens de la longueur. Positionner les pièces comme indiqué sur le plan de coupe. Tracer à l'aide de la craie tailleur. Couper les pièces à 1,5 cm du tracé.

3 / Broder

Une fois la robe entièrement montée, tracer les tiges des fleurs à main levée sur le devant. Partir d'un pois et dessiner une tige en s'inspirant du modèle. Broder les pétales au point de bouclette avec 2 brins de Mouliné blanc. Travailler les tiges au point de tige avec 2 brins de Mouliné rouge. Réaliser 1 point de nœud au centre du pois avec 3 brins de Mouliné rouge.

→ **ASTUCE**

Pour un travail soigné, sans fils flottants sur l'envers de l'ouvrage, il vaut mieux arrêter le fil après chaque fleur et reprendre le travail un peu plus loin pour la fleur suivante. C'est un peu plus long, mais le résultat sera sans équivalent, surtout si le tissu de support de la broderie est un tissu fin et transparent.

1 Sortir le fil en A sur le bord du pois. Repiquer dans le même point A et sortir la pointe de l'aiguille en B, quelques millimètres à gauche du point A.

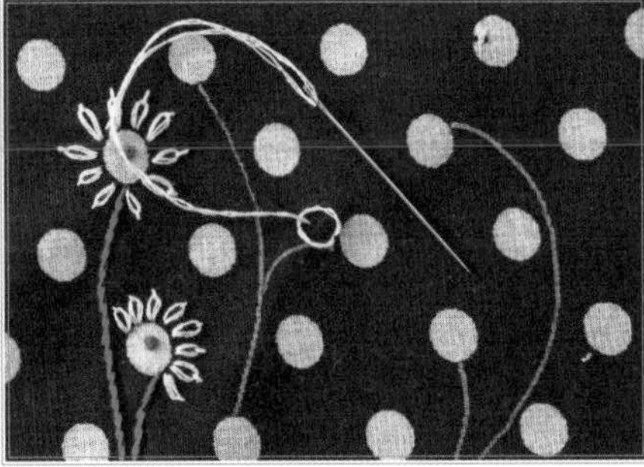

2 Glisser le fil sous la pointe de l'aiguille et tirer doucement pour former une boucle à plat sur le tissu.

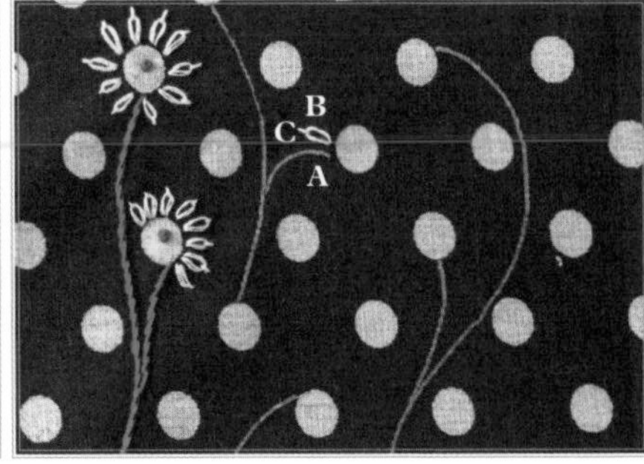

3 Pour fixer le point, réaliser un petit point, par-dessus le fil de la bouclette en piquant en C, en vis-à-vis de B.

4 Passer à la bouclette suivante en repartant du bord du pois, à quelques millimètre de A.

5 Orienter les points en étoile autour du pois. Broder 8 à 10 points de bouclette autour de chaque pois pour former les pétales.

6 Figurer le cœur de la fleur par un point de nœud au centre du pois et broder les tiges au point de tige en coloris rouge.

4 / Coudre

Assembler le dos et le devant par les coutures des côtés, en faisant une couture surpiquée. Faire ensuite un ourlet autour des emmanchures et border l'encolure d'une bande où passer un élastique. Pour terminer, faire un ourlet en bas de la robe.

1 Superposer le devant et le dos, tissus endroit contre endroit. Épingler les côtés de la robe.

2 Piquer les côtés à 1,5 cm des bords. C'est la première étape de la couture surpiquée.

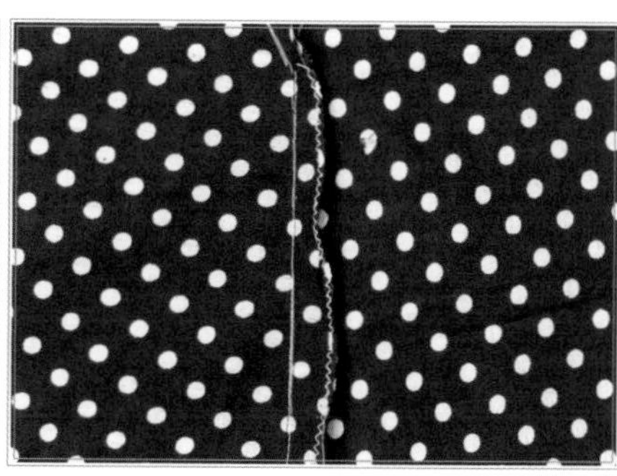

3 Surfiler ensemble les bords des marges de couture. Repasser en rabattant les marges de couture vers le dos.

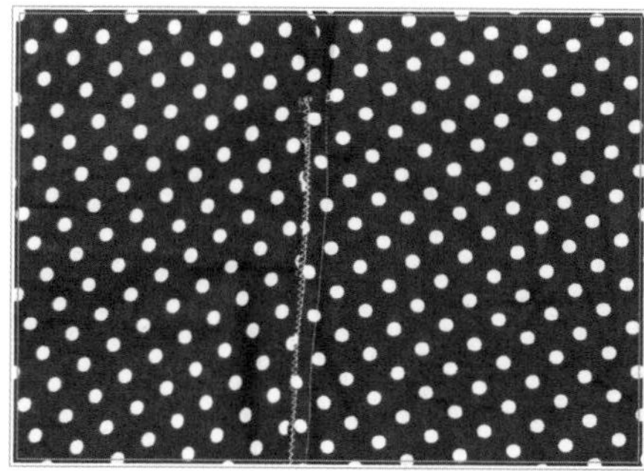

4 Régler la longueur du point de piqûre sur 4 mm et piquer les trois épaisseurs ensemble à 1 cm de la couture de l'étape 1. Rester bien parallèle à cette première couture.

5 Au niveau des emmanchures, rabattre au fer vers l'envers un ourlet de 1,5 cm et piquer à 1 cm du bord plié. Surfiler la marge de couture.

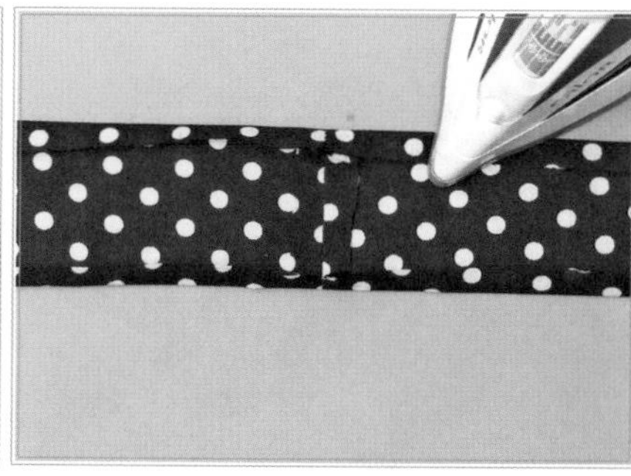

6 Piquer ensemble les deux extrémités de la bande d'encolure pour la fermer en rond. Former au fer un rentré de 1,5 cm sur un bord.

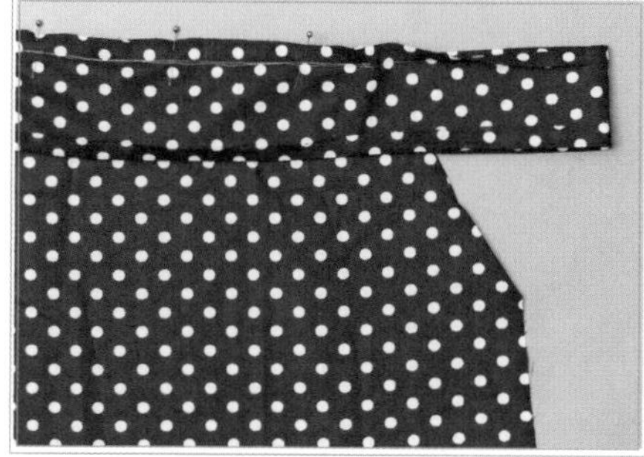

7 Épingler la bande d'encolure sur le devant et le dos en la centrant, le bord ourlé le long de l'encolure. Piquer.

8 Replier la bande d'encolure en deux vers l'envers du tissu en formant un rentré de 1,5 cm. Piquer à 1 cm du bord replié en laissant une ouverture pour y glisser l'élastique. Passer ce dernier, l'ajuster, le coudre et fermer l'ouverture.

9 Au bas de la robe, former au fer un ourlet à double repli, le premier de 1 cm et le second de 2,5 cm. Piquer à 2 cm du bord.

✻ **schéma coté**

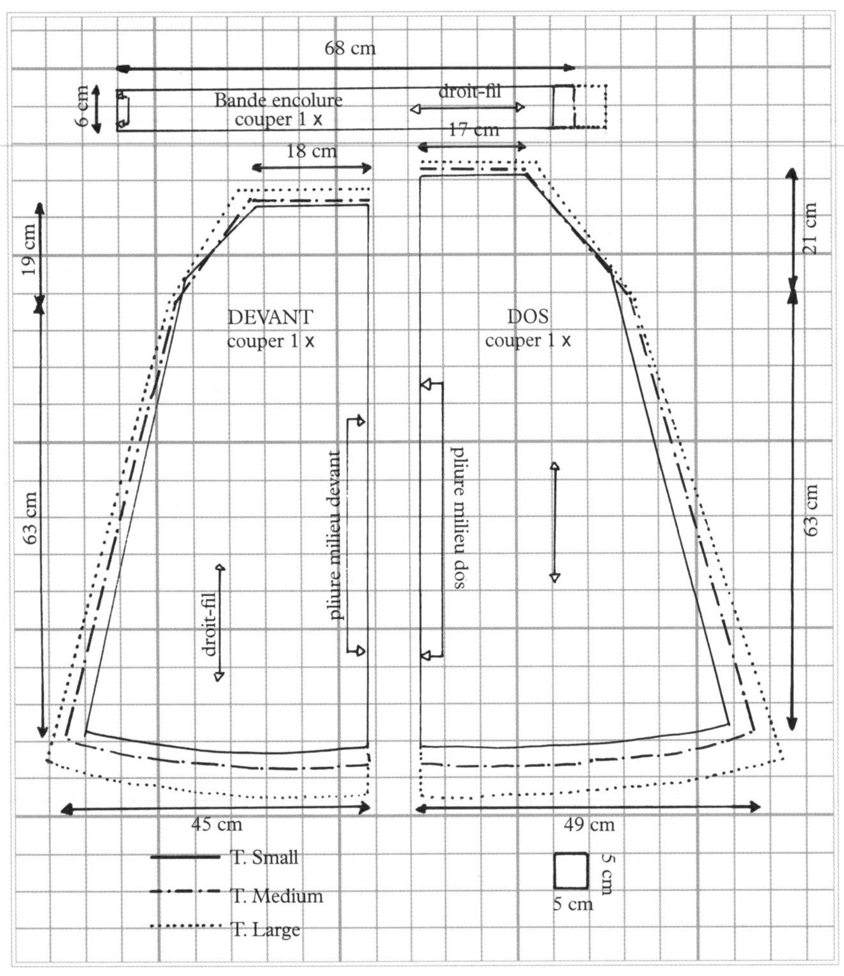

✻ **plan de coupe**

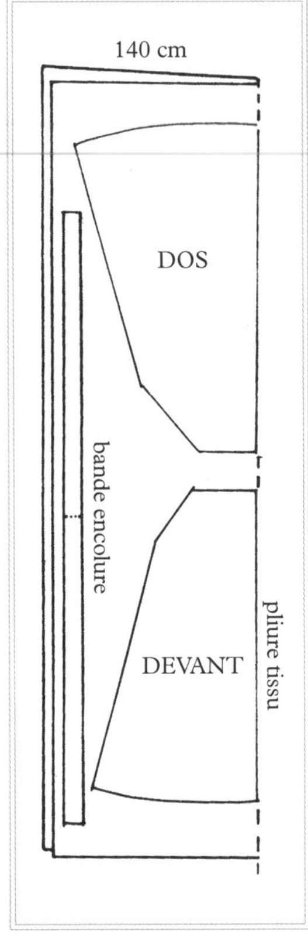

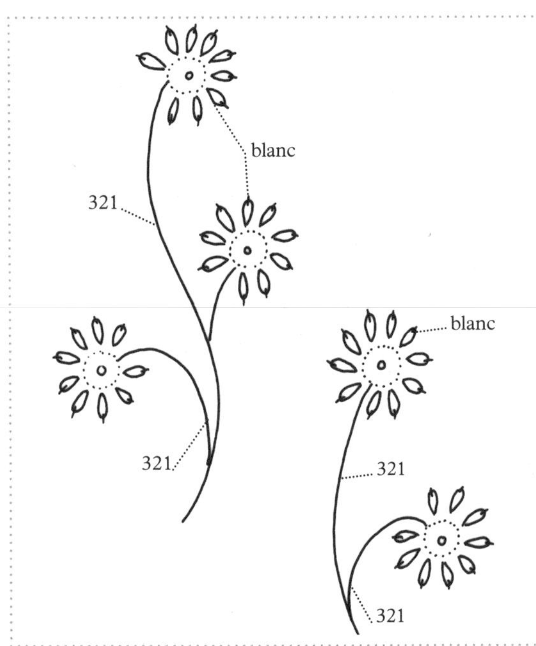

point de bouclette

point de nœud

point de tige

CHAPITRE 5

leçon n° 27

JOUER AVEC LES POINTS ISOLÉS

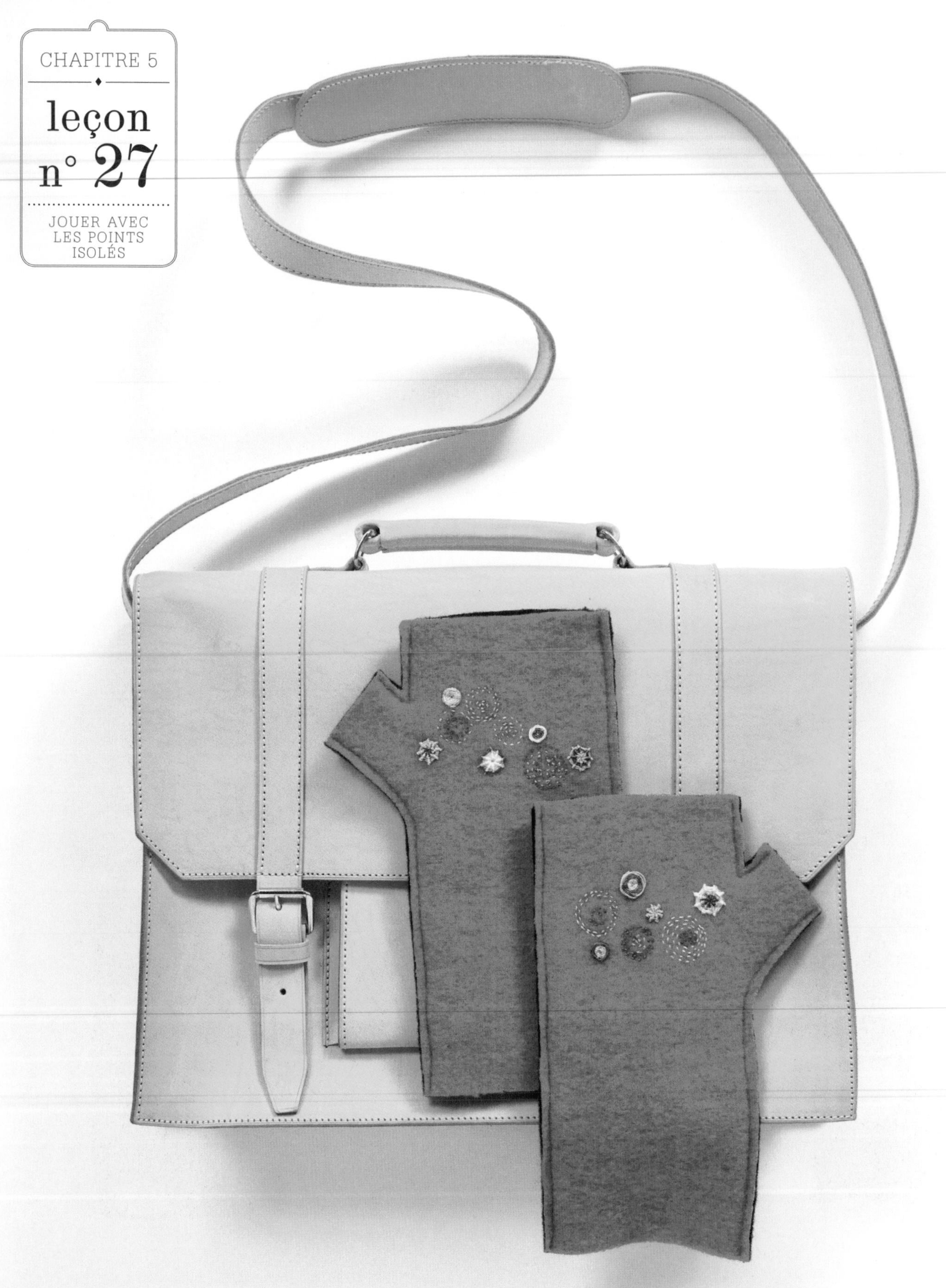

LEÇON N° 27

LE POINT D'ARAIGNÉE*

exercice : customiser une paire de mitaines

motifs → page 190 • explications → page 191

FOURNITURES

Paire de mitaines en laine bouillie rouge

Échevette de coton Mouliné DMC gris (317), gris clair (415) et argent (E677)

Échevette de coton Spécial à broder n° 16 DMC blanc

MATÉRIEL

Aiguille à broder à bout pointu n° 7

Aiguille et fil à bâtir

Ciseaux à broder

Papier-calque et papier carbone jaune ou blanc

Stylo à bille

Règle

DIMENSIONS DE LA BRODERIE

10 x 5,5 cm

POINTS EMPLOYÉS

Le point d'araignée

Le point avant

* Le point d'araignée paraît compliqué, mais il est en fait très simple à réaliser. Il faut dans un premier temps broder une étoile à huit branches avec de grands points lancés d'égale longueur, et ensuite tisser un fil entre les branches de l'étoile, du centre vers l'extérieur. Ce point est un peu long à réaliser, mais le résultat est unique.

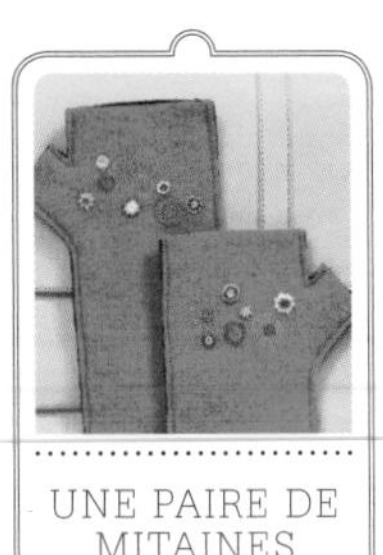

1 / Tracer

Passer un fil de bâti sur le milieu du dessus de chaque mitaine pour marquer le centre du motif à broder.

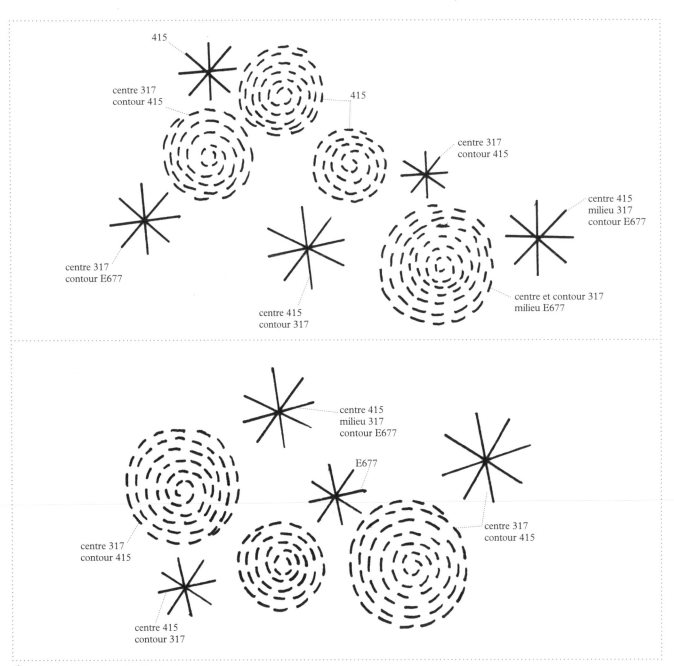

415

centre 317
contour 415

415

centre 317
contour 415

centre 415
milieu 317
contour E677

centre 317
contour E677

centre et contour 317
milieu E677

centre 415
contour 317

centre 415
milieu 317
contour E677

E677

centre 317
contour 415

centre 317
contour 415

centre 415
contour 317

point avant   point d'araignée

2 / Broder

Relever juste le contour des cercles et les étoiles sur le calque. Épingler le papier-calque sur le dessus des mitaines en faisant coïncider les repères. Glisser le carbone sous le calque et relever le contour des motifs avec le stylo à bille. Broder les étoiles au point d'araignée en se reportant aux références de coloris de fil du schéma. Terminer la broderie par les cercles réalisés au point avant. Ce point se travaille en deux étapes : la structure du point formée d'un point du diable puis le tissage.

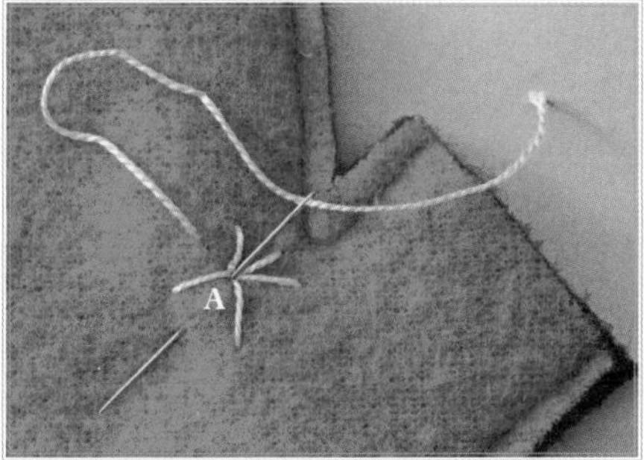

1 Former une étoile à 8 branches en faisant de grands points lancés partant tous du point A, au centre d'un cercle, avec le coton Spécial à broder.

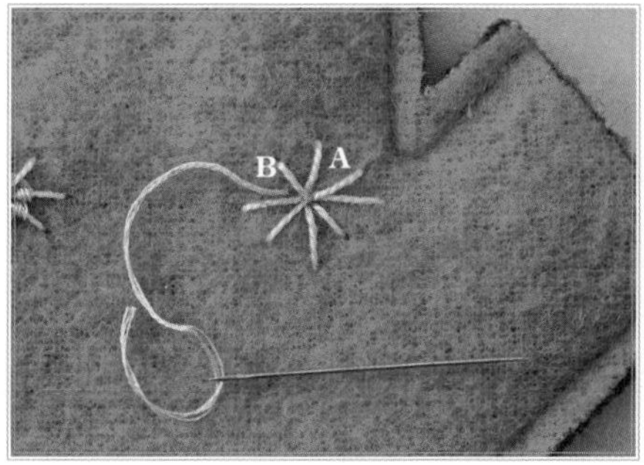

2 Prendre une aiguillée de 3 brins de Mouliné pour former le remplissage du point. Sortir le fil en B juste à côté de A, entre deux branches de l'étoile.

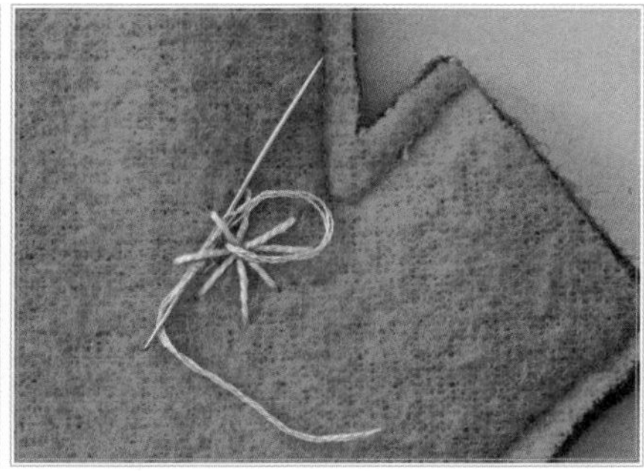

3 Le chas de l'aiguille en avant, glisser l'aiguille sous la branche précédente et sous la suivante dans le sens inverse des aiguilles d'une montre.

4 Tirer l'aiguillée, le fil vient entourer la première branche.

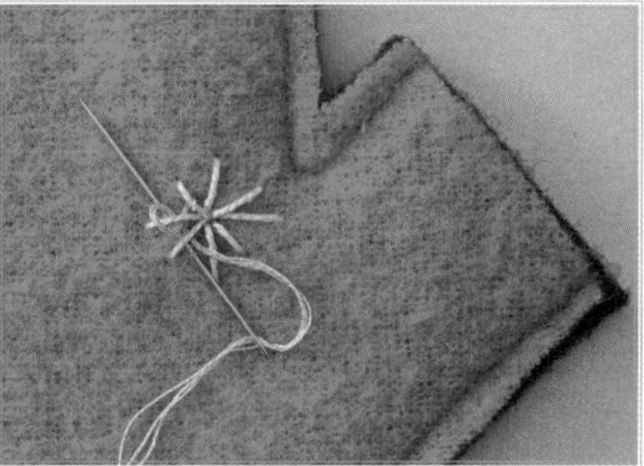

5 Reprendre les étapes 3 et 4 pour former le point suivant. L'aiguille ne pique plus le tissu.

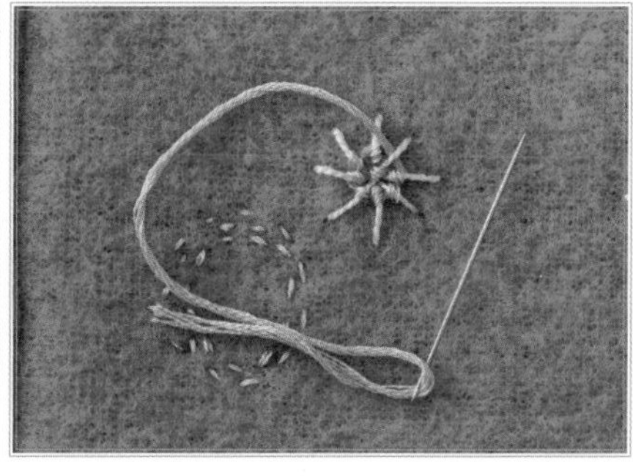

6 Continuer à glisser l'aiguille sous la branche précédente et sous la suivante en tournant dans le sens inverse des aiguilles d'une montre et en serrant les rangs entre eux.

7 Lorsque un tiers de l'étoile est rempli, piquer l'aiguille entre deux branches de l'étoile et arrêter l'aiguillée au dos.

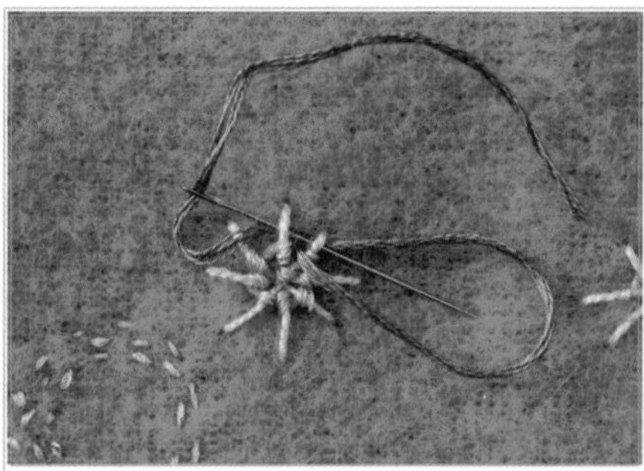

8 Prendre un nouveau coloris et sortir la nouvelle aiguillée au point d'arrêt de l'aiguillée précédente. Reprendre le tissage.

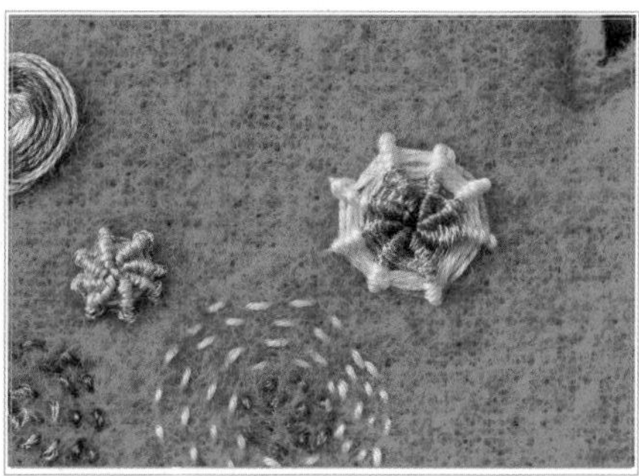

9 Un tissage côtelé apparaît. Lorsque les branches de l'étoile sont entièrement recouvertes, piquer l'aiguillée dans le tissu entre deux branches et arrêter le fil au dos de l'ouvrage.

CHAPITRE 5

leçon n° 28

JOUER AVEC LES POINTS ISOLÉS

LEÇON N° 28

LE POINT DE SHISHA*

exercice : customiser une veste militaire

explications → pages 194-195

FOURNITURES

Veste militaire

Petits miroirs ou grosses paillettes

Échevette de coton Perlé n° 5 DMC rouge (321) et beige (3046)

MATÉRIEL

Aiguille à broder à bout pointu n° 5

Longues épingles à tête

Ciseaux à broder

Feutre blanc

DIMENSIONS DE LA BRODERIE

En fonction du semis réalisé

POINT EMPLOYÉ

Le point de shisha

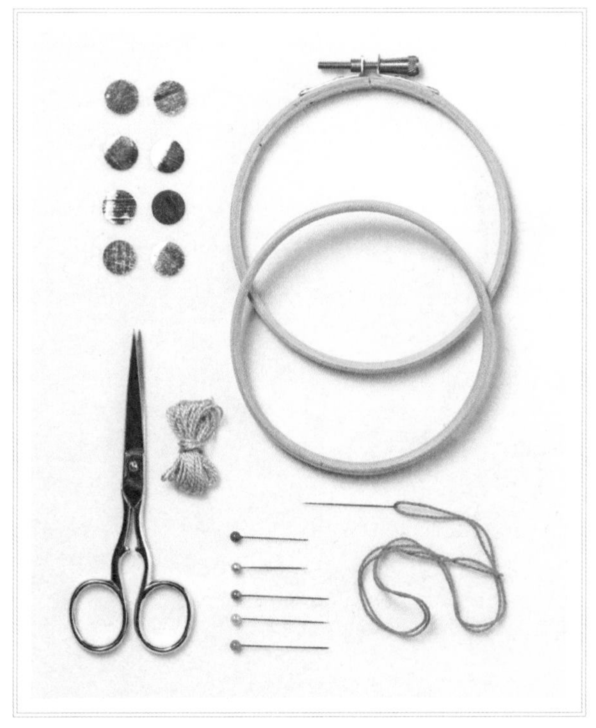

* Ce point permet d'appliquer toutes sortes de formes en tissu ou en métal, comme ici des petits miroirs ou des grosses paillettes.

UNE VESTE MILITAIRE

1 / Tracer

Placer les miroirs en semis irrégulier au dos de la veste posée à plat (voir modèle).

→ CONSEIL

Au début de la pose du miroir, si les épingles gênent le travail, les remplacer par 2 grands points croisés réalisés avec une aiguillée de fil de bâti. Si c'est une pièce en textile qui est posée, la fixer avec un petit point de colle textile.

2 / Broder

Relever juste le contour des miroirs par quelques points réalisés au feutre blanc. Broder tous les contours des miroirs en Perlé n° 3046 et un seul en rouge 321. Le coton des vestes militaires étant très solide, il n'est pas nécessaire de le tendre sur un tambour.

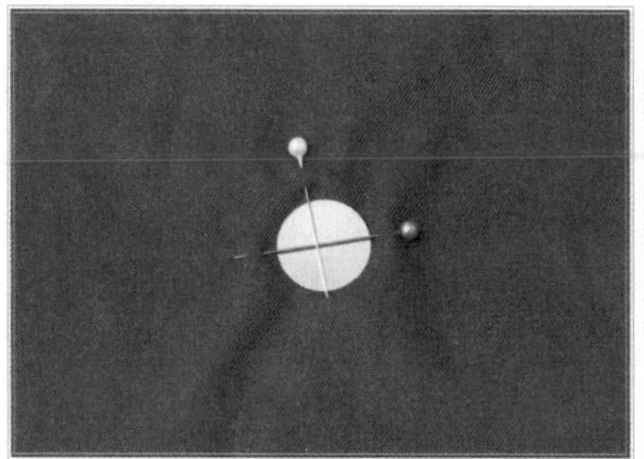

1 Poser sur le tissu le miroir à appliquer. Le maintenir par deux longues épingles posées en croix.

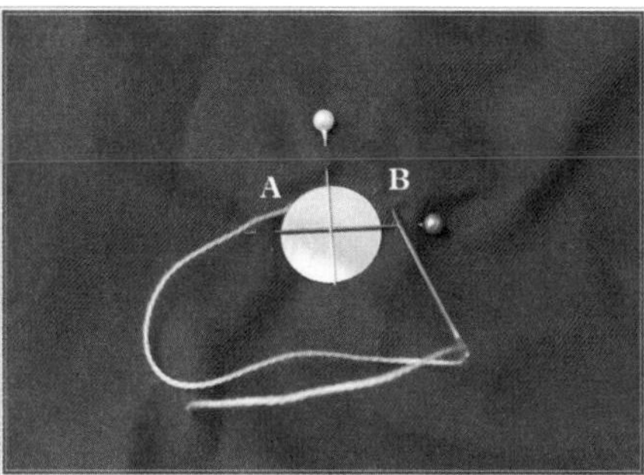

2 Sortir en A, en haut à gauche, et repiquer en B, de l'autre côté du miroir, en formant un grand point droit horizontal.

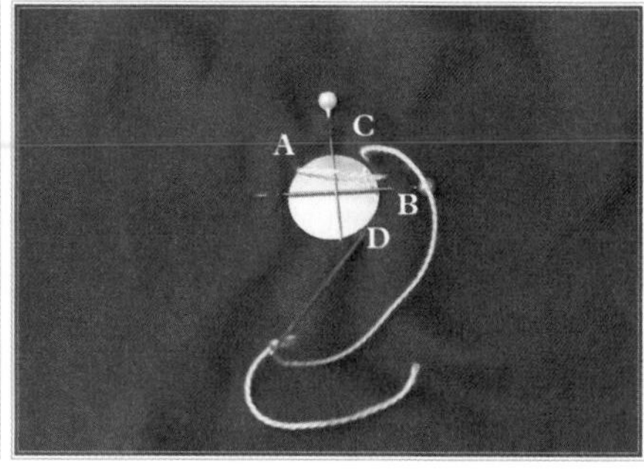

3 Sortir en C, au-dessus de B, et repiquer en D, en vis-à-vis de B, pour réaliser un grand point droit vertical.

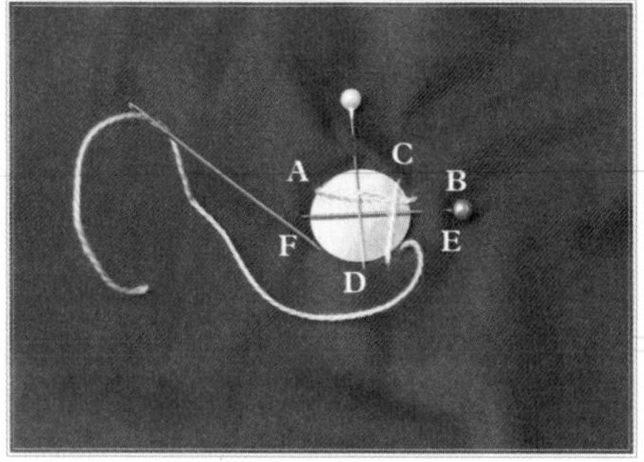

4 Sortir en E et repiquer en F. Réaliser ainsi quatre grands points pour maintenir le miroir. Retirer les épingles.

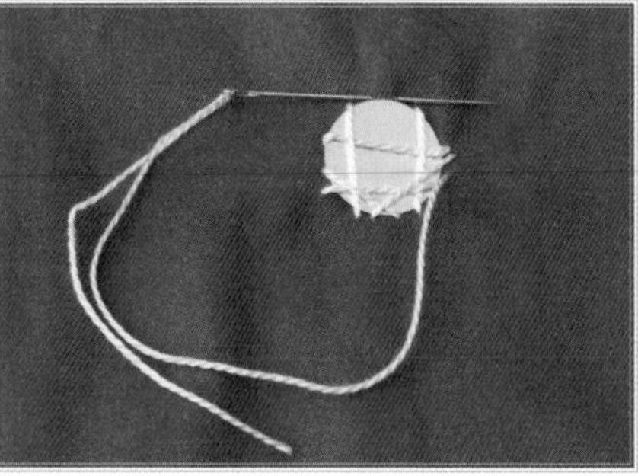

5 Continuer à faire des grands points, croisés avec les premiers.

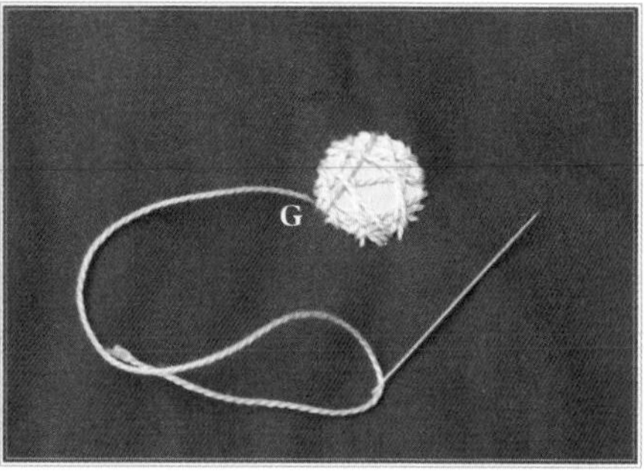

6 Broder ensuite la bordure au point de feston : sortir l'aiguille en G un peu sur le côté du contour, à gauche.

→ **CONSEIL**

Ce sont les points de feston qui font disparaître entièrement les grands points de la première étape du point de shisha. L'aiguille doit les prendre et les resserrer au fur et à mesure de l'avancée de la bordure. Bien serrer les points de feston les uns contre les autres pour obtenir une bordure régulière et uniforme.

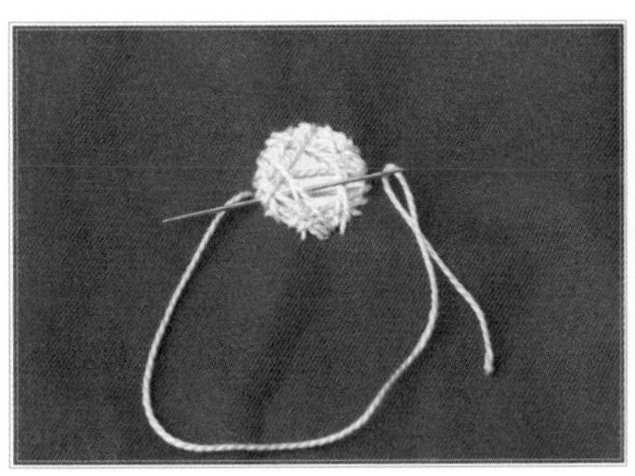

7 Glisser l'aiguille sous les points de bordure, de l'intérieur vers l'extérieur, sans piquer dans le tissu, et passer le fil sous l'aiguille.

8 Tirer l'aiguillée pour former le premier point. Les grands points de contour se placent sous le point de feston.

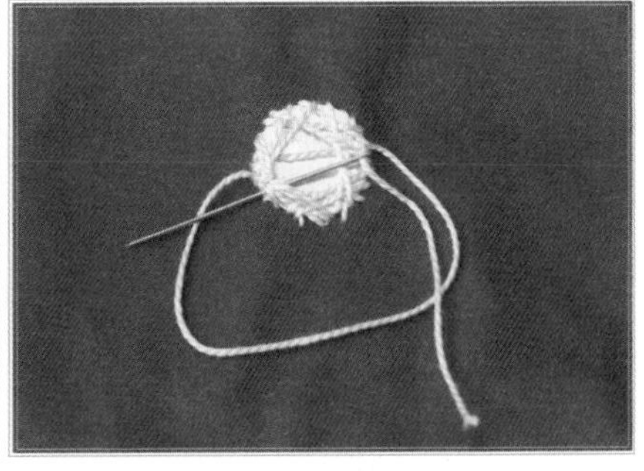

9 Pour les points de feston suivants, aligner les points les uns contre les autres de manière régulière.

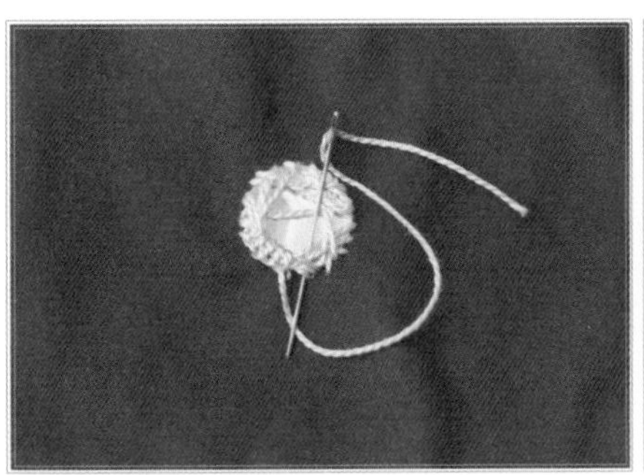

10 Travailler en reprenant les étapes 7 à 9 en procédant dans le sens inverse des aiguilles d'une montre.

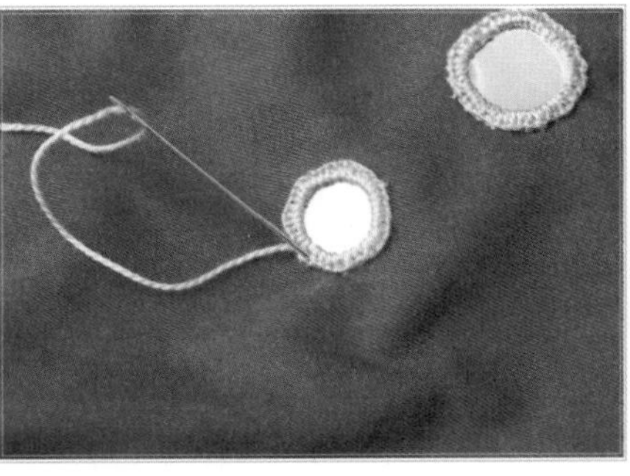

11 Pour finir le contour du miroir, terminer le point par un petit point à cheval sur le dernier point de feston pour le fixer.

12 Travailler la pose de tous les miroirs en reprenant à partir de l'étape 1.

CHAPITRE 5

leçon n° 29

JOUER AVEC LES POINTS ISOLÉS

LA POSE DE PAILLETTES*

exercice : réaliser un cabas

explications → pages 198-199 • couture → page 200 • motifs → page 201

FOURNITURES

70 x 90 cm de drap de laine blanc cassé

Anses en cuir avec des mousquetons

Paillettes de différents diamètres or mat, blanc nacré et rose

Perles de rocaille blanc nacré et or

Cartonnettes de ruban de soie à broder :
2 rouge dégradé bordeaux de 4 mm de large
1 verte de 7 mm de large
1 blanc cassé de 4 mm de large

Échevette de coton Mouliné DMC doré (E3821)

Échevette de coton Spécial à broder n° 20 DMC vert (471) et blanc (B5200)

Échevette de coton Perlé n° 5 DMC beige (3033)

MATÉRIEL

Aiguille à broder à bout pointu n° 7

Aiguille à perles

Aiguille et fil à bâtir

Fil à coudre blanc cassé

Ciseaux : cranteurs / à broder / de couturière

Crayon à papier

Règle

DIMENSIONS DE L'OUVRAGE

Chaque broderie mesure 10 x 10 cm

POINTS EMPLOYÉS

La pose de paillettes

Le point de tige

Le point de nœud

Le point lancé

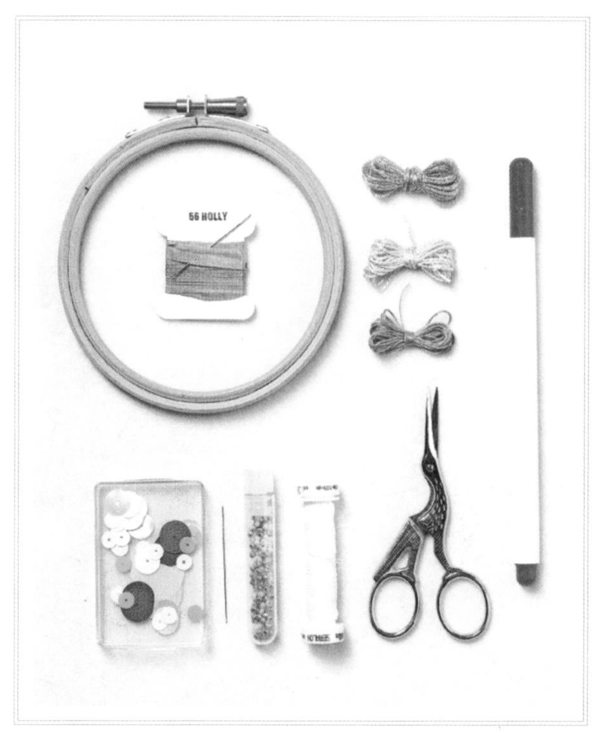

* Les paillettes et les sequins se posent de différentes manières, suivant leurs formes et l'effet visuel recherché, mais c'est un jeu d'enfant à réaliser.

UN CABAS

1 / Tracer

Tracer au dos du drap de laine, au crayon à papier et à l'aide de la règle, seize carrés de 10 cm de côté, un carré de 37 cm de côté pour le dos du cabas et trois bandes de 37 x 8 cm pour les soufflets.

2 / Couper

Couper les différentes pièces sur le tracé avec les ciseaux cranteurs.

3 / Broder

Réaliser des repères à main levée au crayon à papier et d'un trait léger pour les motifs de fleurs et de branches. Procéder en premier à la pose des paillettes puis broder les détails des branches en suivant les indications du schéma.

Pose de paillettes par un point

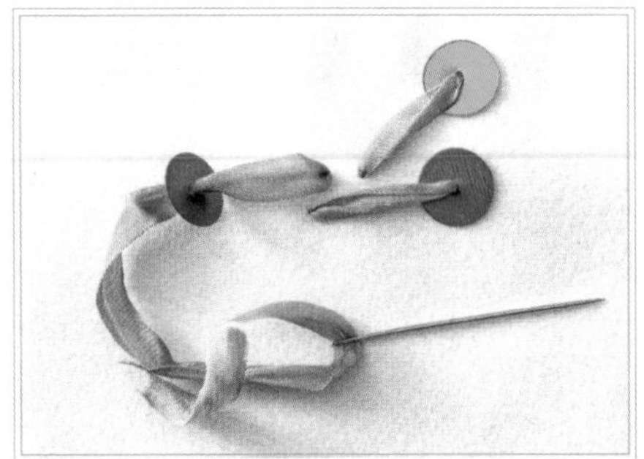

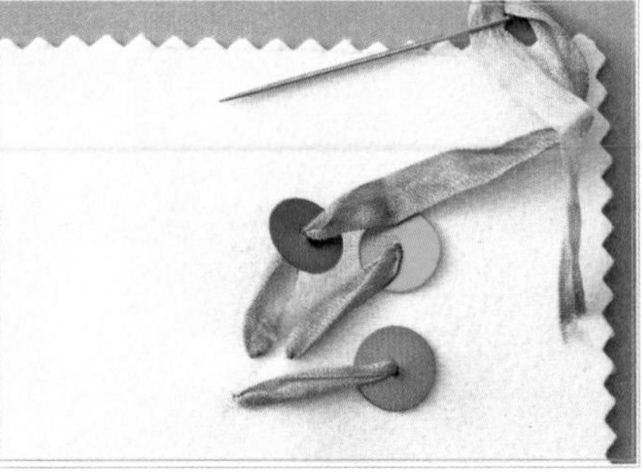

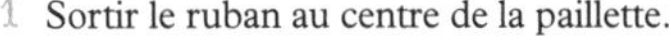

1 Sortir le ruban au centre de la paillette.

2 Tirer le ruban en le maintenant à plat.

3 Piquer l'aiguille quelques centimètres plus loin dans le sens souhaité pour la tige.

Pose de paillettes par deux points

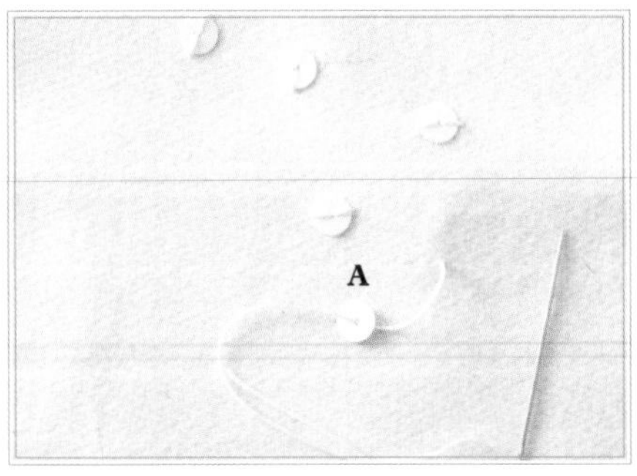

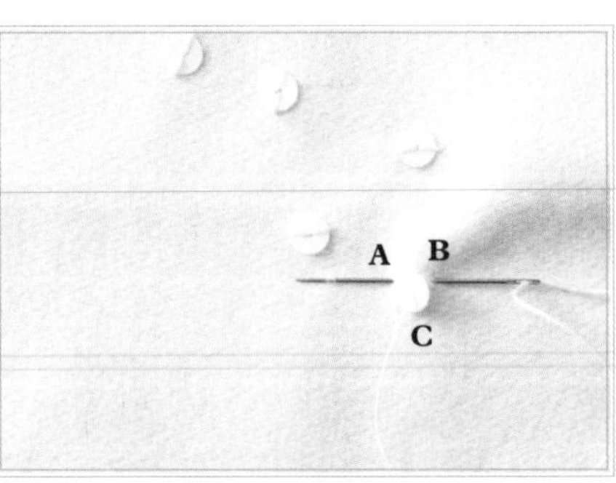

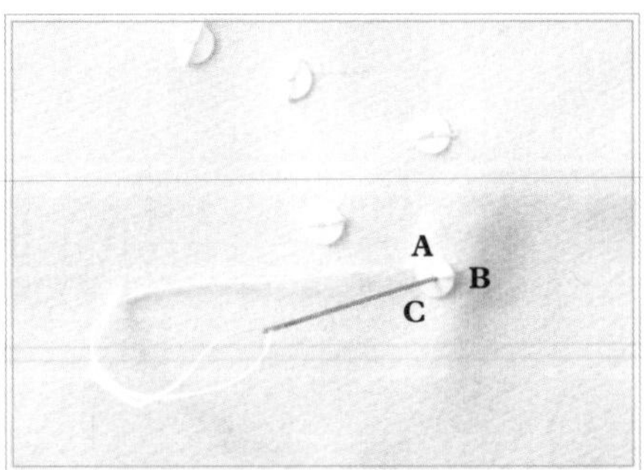

1 Sortir l'aiguillée en A au centre de la paillette.

2 Piquer en B sur le bord de la paillette et ressortir la pointe de l'aiguille en C, toujours sur le bord mais en vis-à-vis.

3 Repiquer en A pour former un point arrière. La paillette est retenue par deux points arrière.

Pose de paillettes en étoile

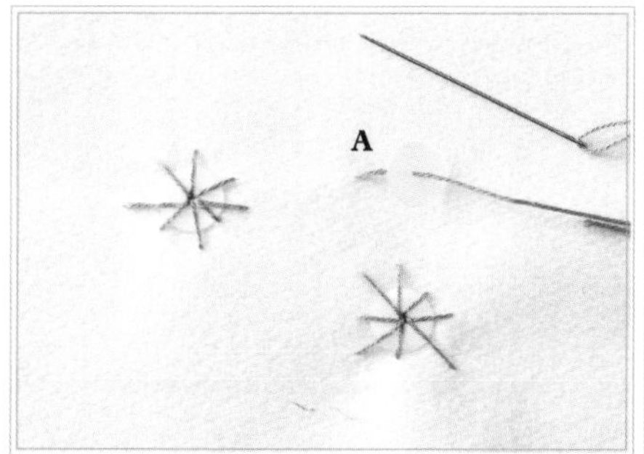

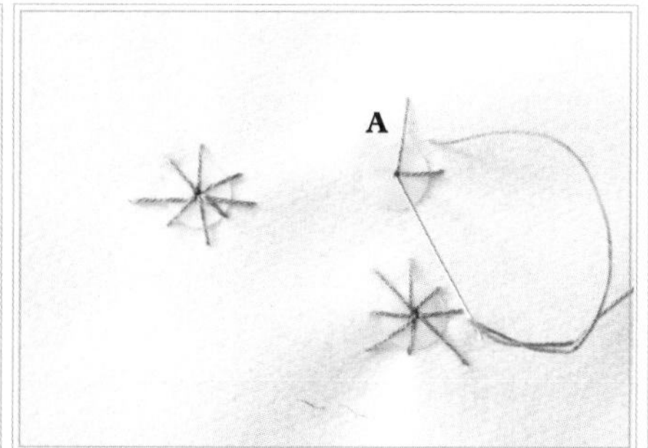

1 Sortir l'aiguillée en A au centre de la paillette et reprendre les étapes 1 et 2 de la pose par deux points.

2 Réaliser des points de différentes longueurs tout autour de la paillette.

3 Repiquer toujours au centre pour former ces points.

Pose de paillettes avec une perle

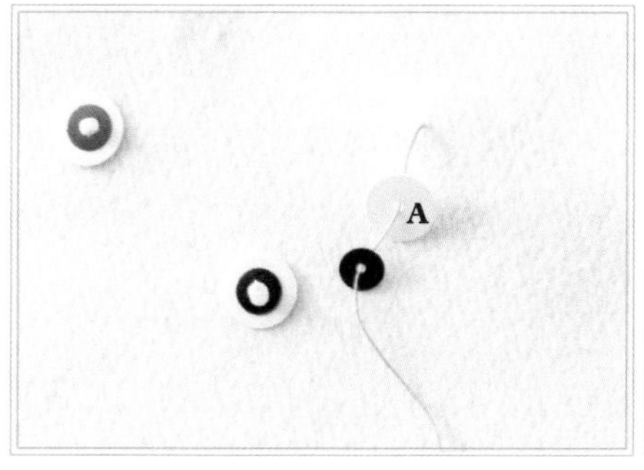

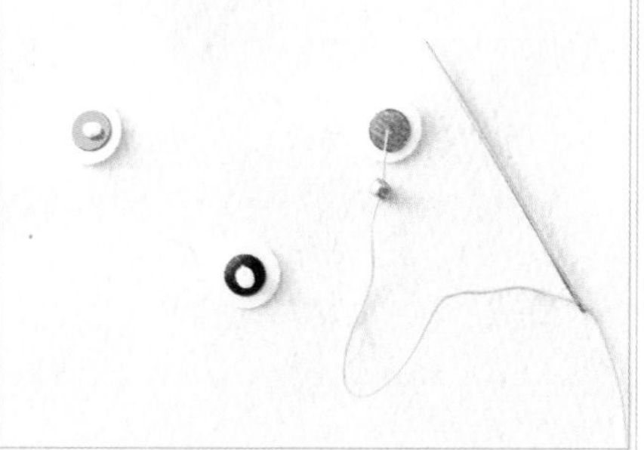

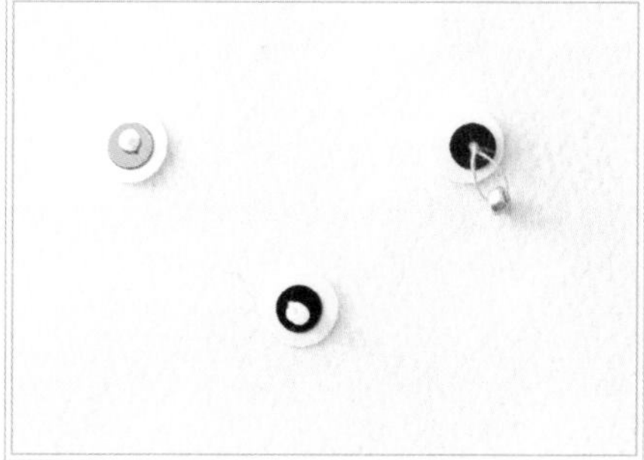

1 Enfiler du fil à coudre sur l'aiguille à perles. Sortir l'aiguillée en A au centre de la paillette ou de deux paillettes superposées.

2 Enfiler une perle sur l'aiguillée et la placer au centre des paillettes.

3 Repiquer en A et tirer sur l'aiguillée en plaçant les trous de la perle à l'horizontale.

Pose de paillettes au point de nœud

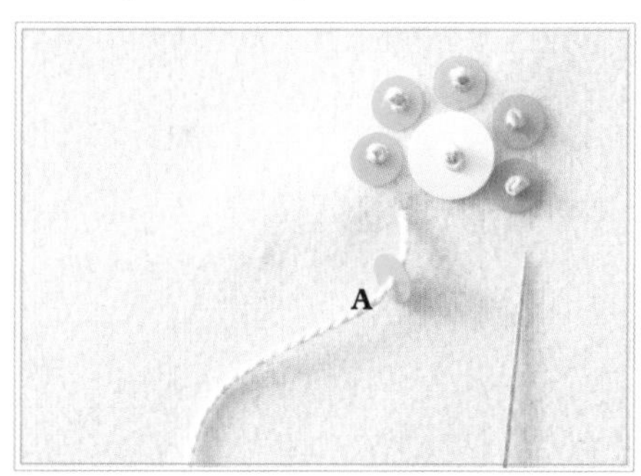

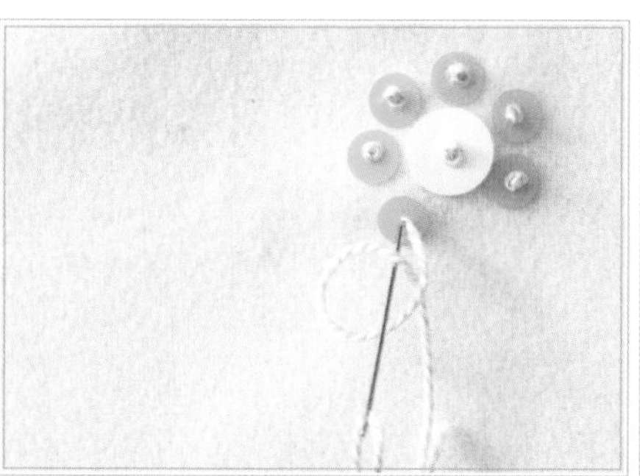

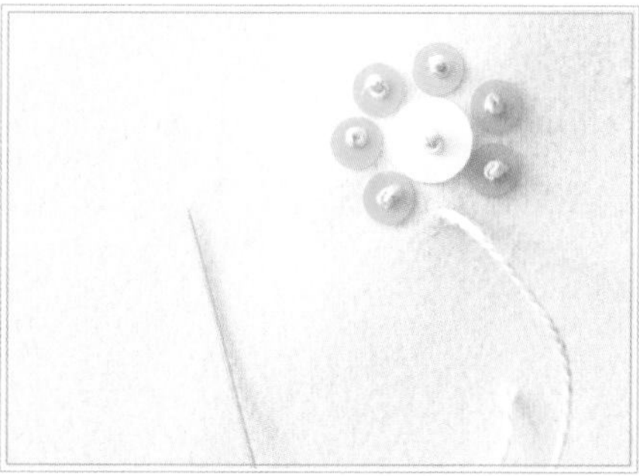

1 Sortir une aiguillée de coton en A au centre de la paillette.

2 Former avec le fil la boucle du point de nœud (voir le point de nœud en p. 174).

3 Repiquer dans le trou de la paillette en la déplaçant légèrement pour ne pas repiquer en A. Tirer l'aiguillée pour former le nœud.

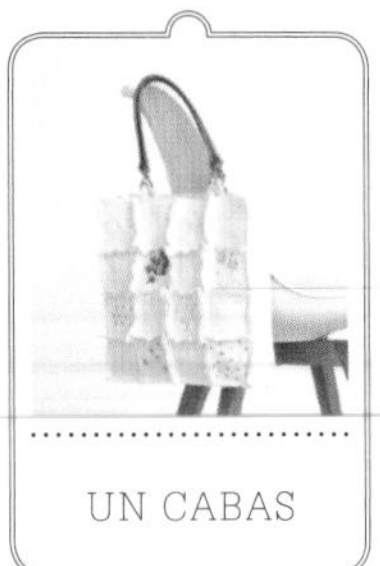

✻ schéma coté

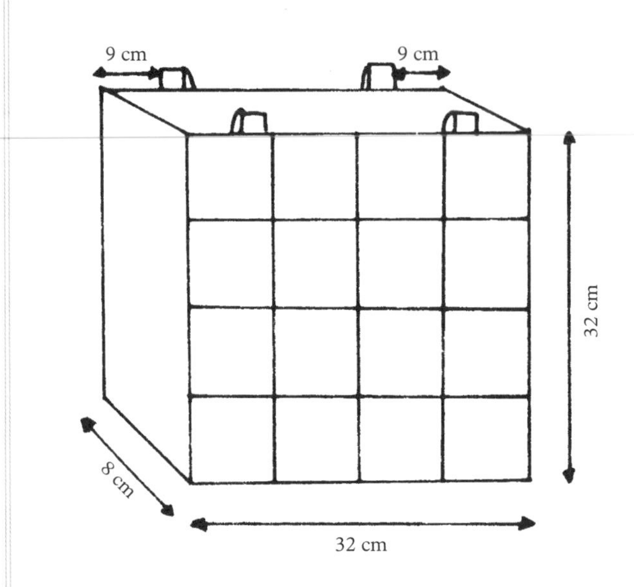

4 / Coudre

Assembler les différents carrés puis les soufflets pour former le sac. Réaliser les attaches et terminer en plaçant les anses.

1 Superposer deux carrés, tissus envers contre envers, les épingler puis piquer un côté à 0,5 cm du bord.

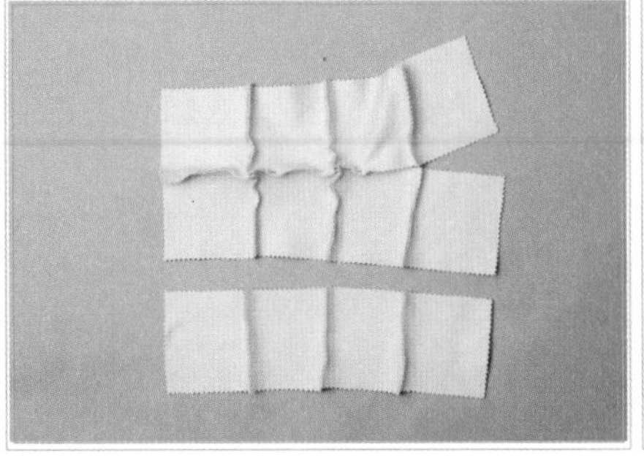

2 Assembler quatre carrés pour former une ligne. Réaliser quatre lignes puis assembler les lignes entre elles, toujours à 0,5 cm des bords.

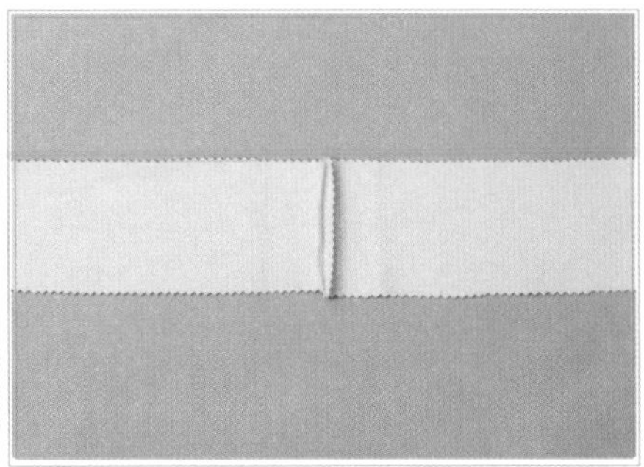

3 Assembler les extrémités des soufflets pour former une bande, tissus envers contre envers.

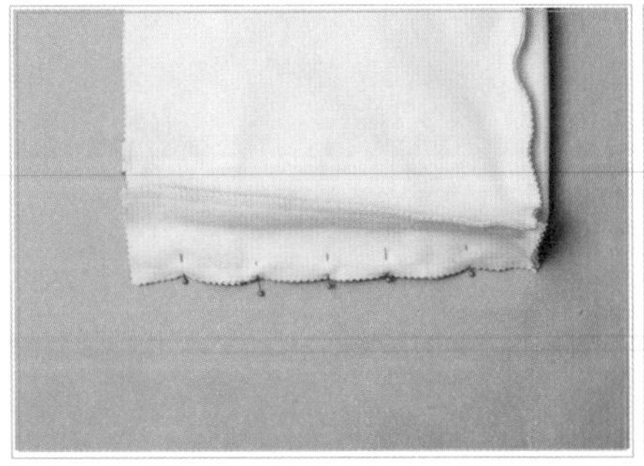

4 Épingler les soufflets aux deux faces du cabas et piquer à 0,5 cm des bords.

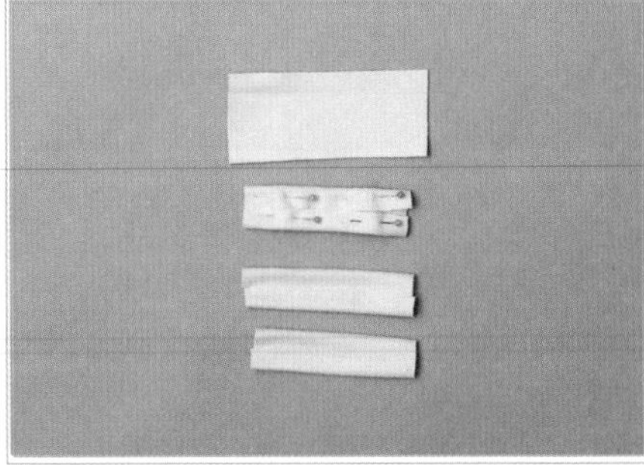

5 Couper quatre rectangles de 3 x 8 cm dans une chute de drap de laine. Les plier en trois dans le sens de la longueur, épingler et piquer les bords au point zigzag.

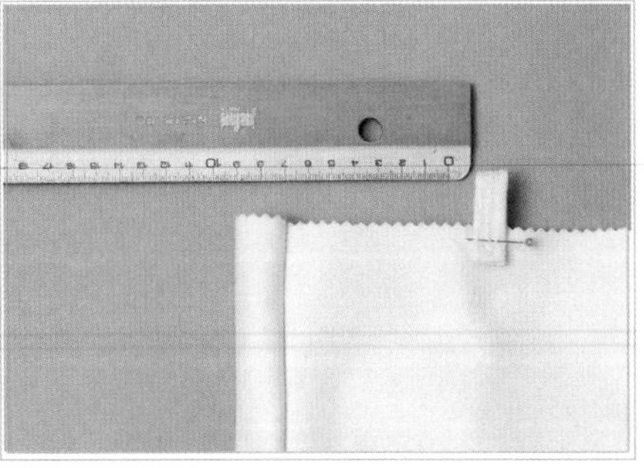

6 Plier chaque bande en deux et les épingler en haut du cabas, à l'intérieur, à 9 cm des côtés. Piquer pour fixer ces attaches. Passer les mousquetons des anses dans ces pattes.

point lancé au ruban   point de tige   point de nœud   point lancé

CHAPITRE 5

leçon n° 30

UN JEU DE BORDURES

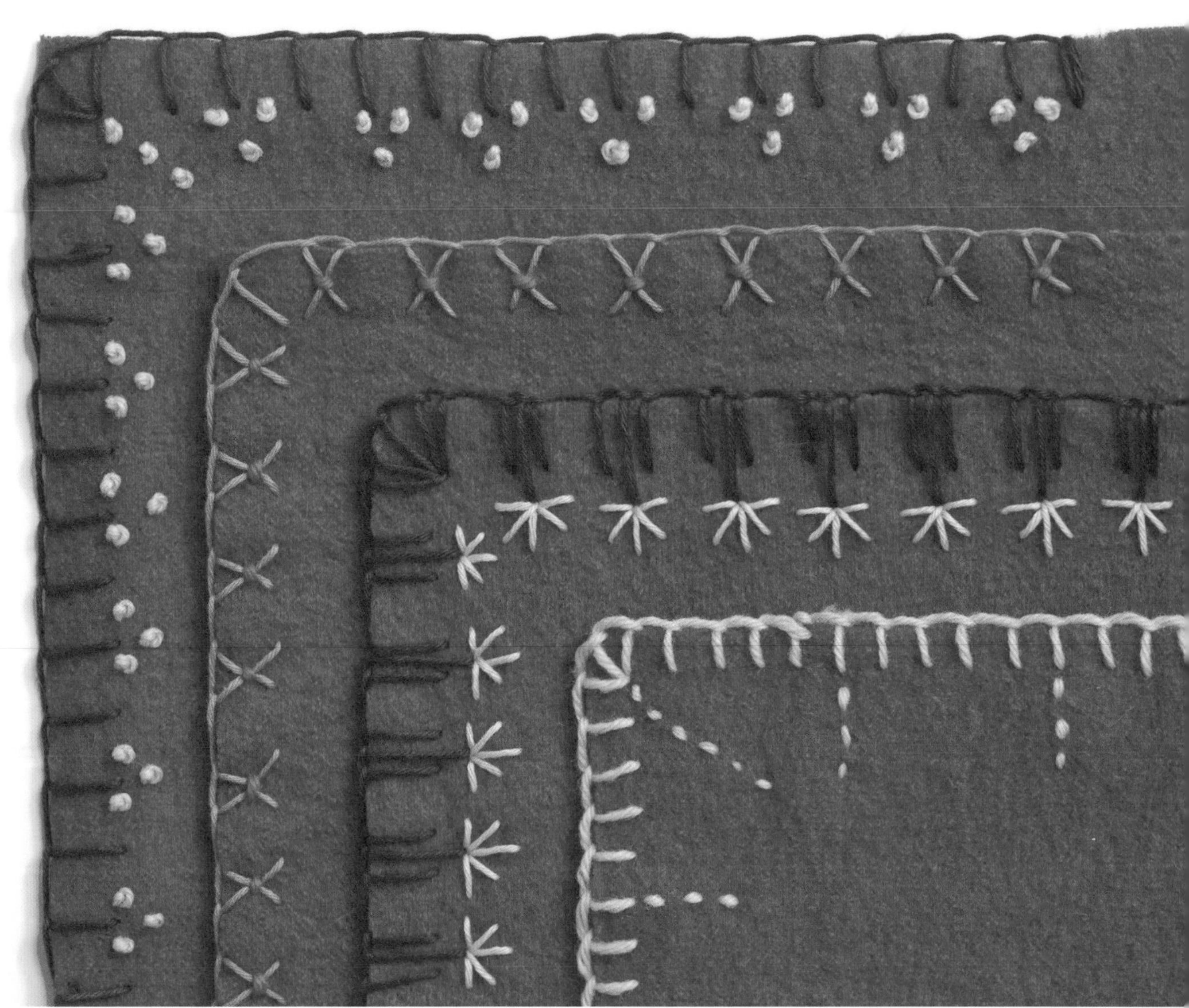

LEÇON N° 30

LE POINT DE GRÉBICHE*

exercice : réaliser un jeu de bordures

explications → page 204

FOURNITURES

Lainages ou laine bouillie

Échevette de coton Perlé n° 5 DMC écru (3033), rouge (321) et bleu (791)

Échevette de coton Retors n° 5 DMC vert (2012) et écru

MATÉRIEL

Aiguille à broder à bout pointu n° 7

Ciseaux à broder

DIMENSIONS DE L'OUVRAGE

Entre 2 et 4 cm de largeur suivant la bordure

POINTS EMPLOYÉS

Le point de grébiche

Le point de nœud

Le point lancé

Le point avant

Le point de chausson

Le point de bouclette

* Très décoratif, ce point s'apparente au point de feston. Les tiges du point peuvent être de différentes longueurs ou travaillées en oblique. Tout est permis !

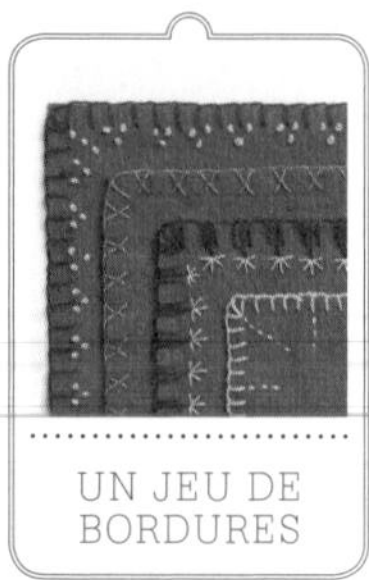

1 / Tracer

Ce point ne nécessite pas de traçage, il se fait à main levée.

2 / Broder

Broder le bord de la pièce au point de grébiche avec le coton Perlé ou le coton Retors. Ensuite, réaliser le point décoratif qui se place entre les points de la bordure. Travailler avec une autre couleur.

ASTUCE

Ces bordures sont des jeux d'associations de différents points à broder sur des objets de décoration, des vêtements ou tout autre support. Ces frises sont simples et faciles à réaliser.

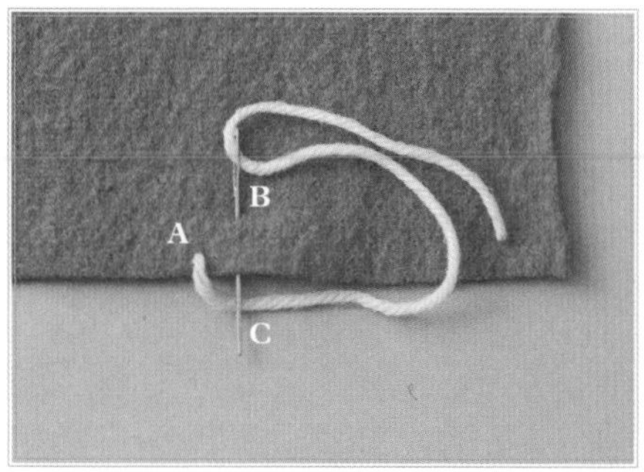

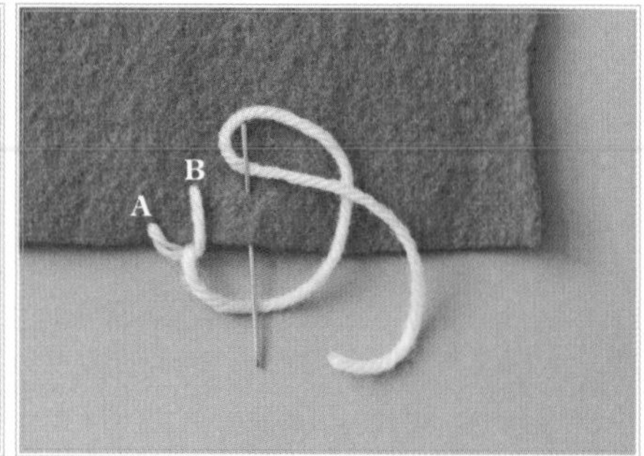

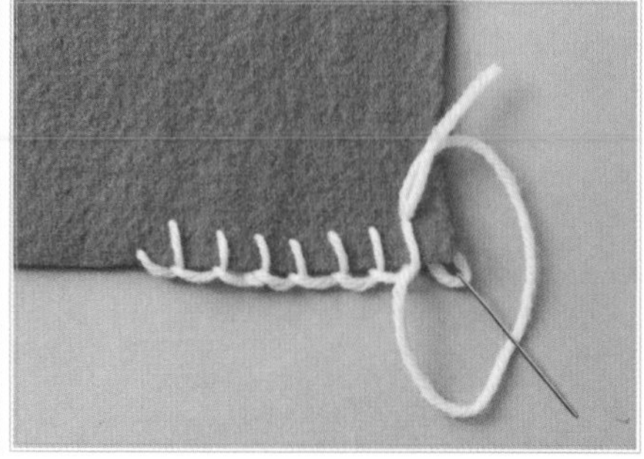

1 Commencer au milieu d'un côté à border. Sortir l'aiguille en A. Piquez en B à droite et quelques millimètres au-dessus du trou de sortie du fil. Ressortir la pointe de l'aiguille au-dessous en C, sous le bord.

2 Passer le fil sous l'aiguille et tirer souplement pour former le premier point. Piquer à droite à la même hauteur que le point B et ressortir en dessous près du bord. Réaliser de grands points bien espacés entre eux.

3 À l'angle, repiquer en haut dans le trou du dernier point formé et sortir la pointe de l'aiguille dans l'angle près du bord.

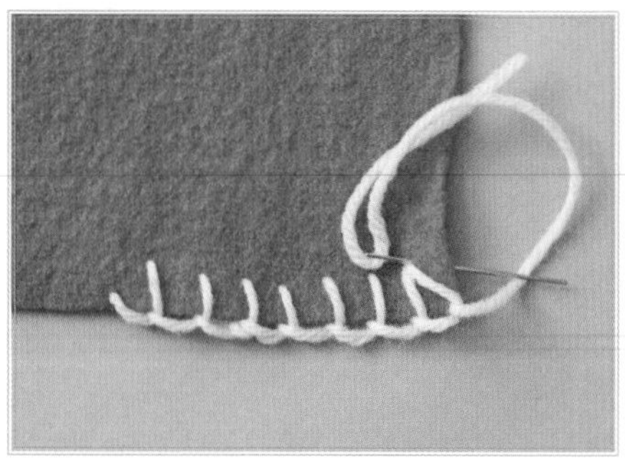

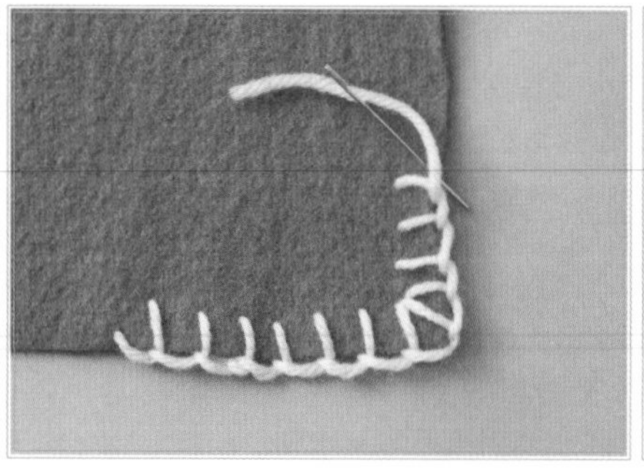

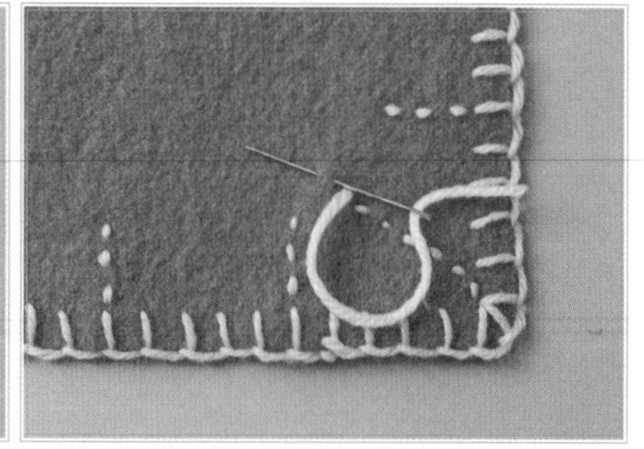

4 Reprendre sur le côté suivant par un point droit en piquant toujours dans le même trou.

5 Pour terminer le rang ou l'aiguillée, réaliser un petit point par-dessus le fil, au pied du point, afin de maintenir le fil contre la toile.

6 Broder entre les points de grébiche d'autres points comme le point avant, le point lancé ou le point de bouclette, etc.

LEÇONS DE POINTS

1 — Le point de grébiche (pp. 202 à 205)

2 — Le point d'araignée (pp. 188 à 191)

3 — Le point de nœud (pp. 172 à 177)

4 — La pose de paillettes en étoile + le point de bouclette + le point avant (pp. 196 à 201)

5 — La pose de paillettes au point de nœud + le point lancé + le point de tige (pp. 196 à 201)

6 — Le point de nœud + le point de bouclette + le point de tige (pp. 172 à 177)

7 — Le point de poste + le point avant + le point de sable (pp. 178 à 181)

8 — Le point de shisha + le point de piqûre + le point de bouclette (pp. 192 à 195)

Pour en savoir plus, retrouvez tous les points de ce chapitre, expliqués en schémas, pages 214 à 217.

PETITS EXERCICES

Ces boutons et ces badges regroupent tous les points appris au cœurs de ces leçons de broderie. À vos aiguilles !

1 — Le point de bouclette + le point de nœud + le point lancé

2 — Le point lancé + le point de piqûre

3 — Le point de nœud + le point de piqûre + le point lancé

4 — Le point de feston + le point de nœud

5 — Le passé plat + le point lancé + le point de nœud

6 — Le point de chaînette + le point avant

7 — Le point de croix

1 2 3

4 5 6

7 8 9

8 — Le point de chaînette + le point avant
9 — Le point d'araignée + le point avant
10 — Le point de croix + le point de trait
11 — Le point de poste + le point de piqûre + le point lancé
12 — Le passé plat + le point lancé
13 — Le point de nœud + le point de tige
14 — Le point de diable + le point de nœud
15 — Le point de nœud + le point de piqûre
16 — Le point de tissage
17 — La pose de paillettes avec perles + le point de tige
18 — Le point de chaînette + le point de nœud + le point de tige

10 11 12

13 14 15

16 17 18

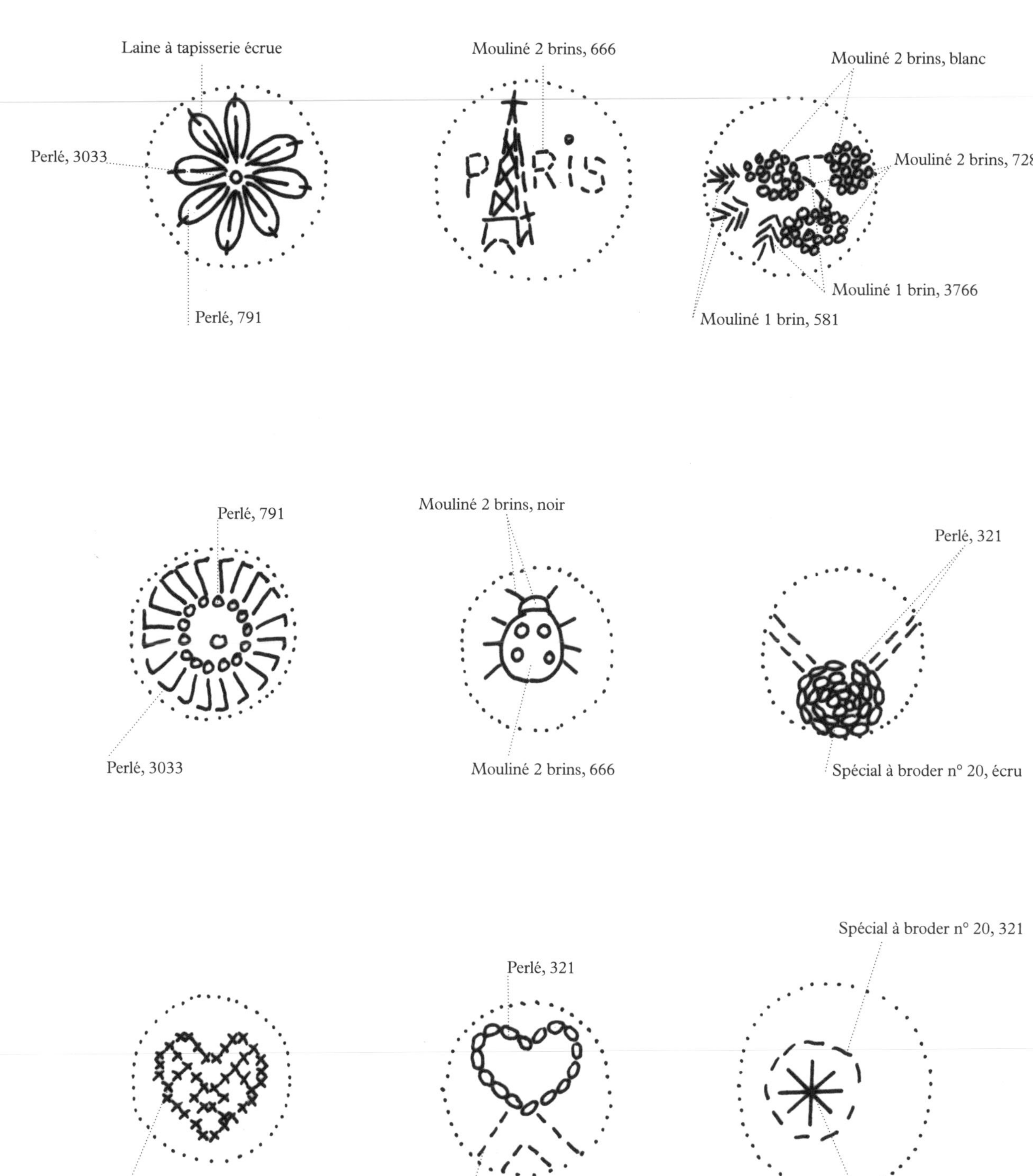
Laine à tapisserie écrue
Mouliné 2 brins, 666
Mouliné 2 brins, blanc
Perlé, 3033
PARIS
Mouliné 2 brins, 728
Mouliné 1 brin, 3766
Perlé, 791
Mouliné 1 brin, 581
Perlé, 791
Mouliné 2 brins, noir
Perlé, 321
Perlé, 3033
Mouliné 2 brins, 666
Spécial à broder n° 20, écru
Spécial à broder n° 20, 321
Perlé, 321
Mouliné 2 brins, 3033
Mouliné 3 brins, blanc
Spécial à broder n° 20, écru

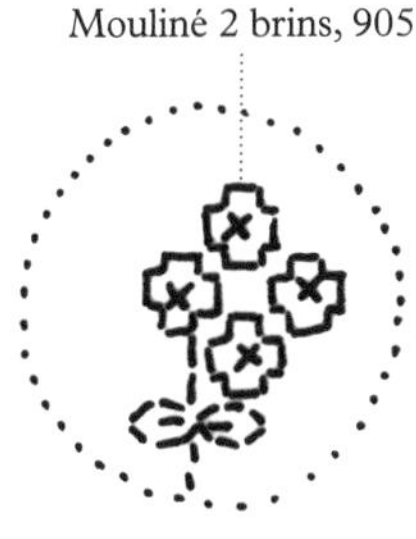
Mouliné 2 brins, 905

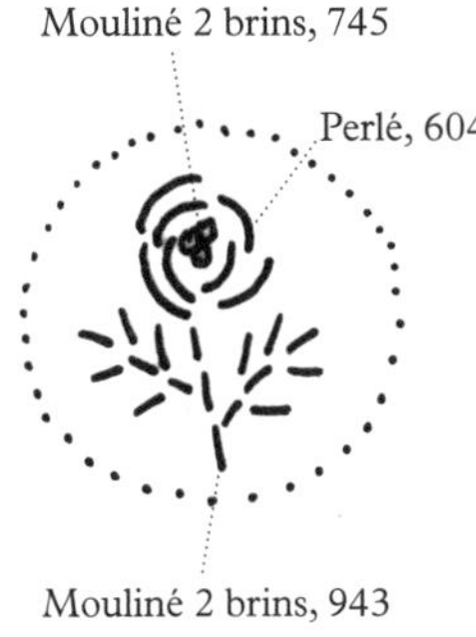
Mouliné 2 brins, 745
Perlé, 604
Mouliné 2 brins, 943

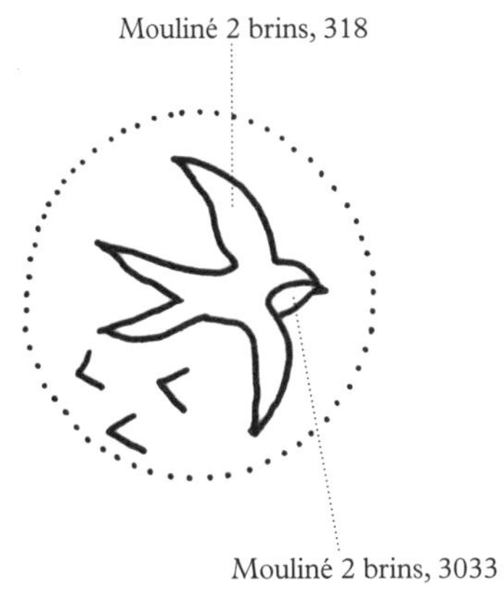
Mouliné 2 brins, 318
Mouliné 2 brins, 3033

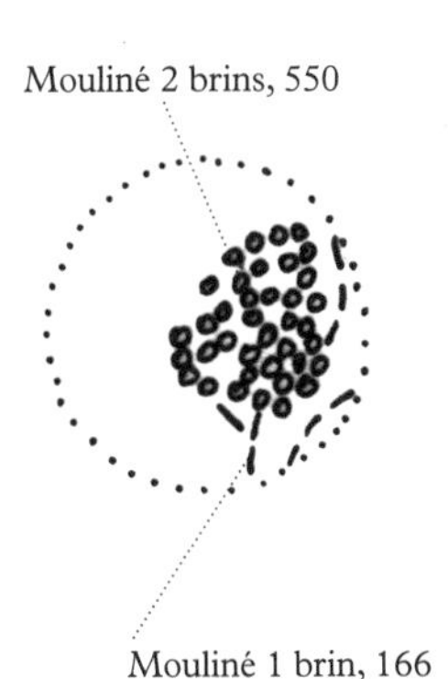
Mouliné 2 brins, 550
Mouliné 1 brin, 166

Ficelle de lin

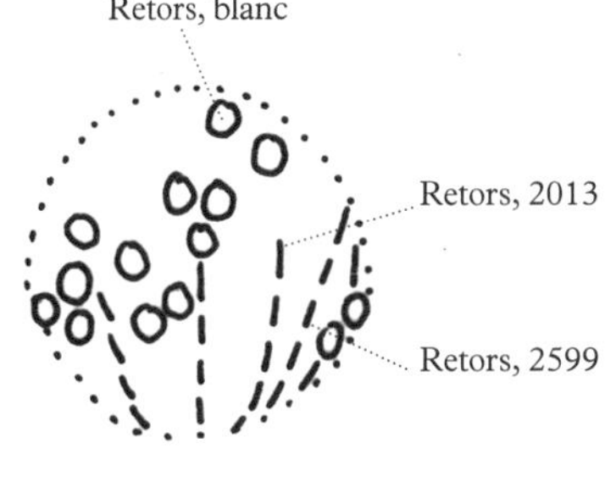
Retors, blanc
Retors, 2013
Retors, 2599

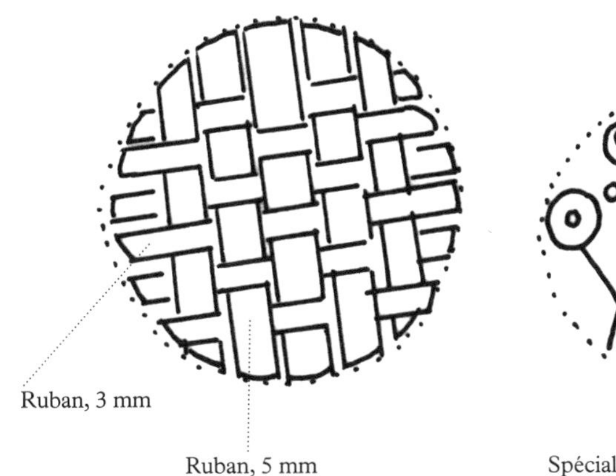
Ruban, 3 mm
Ruban, 5 mm

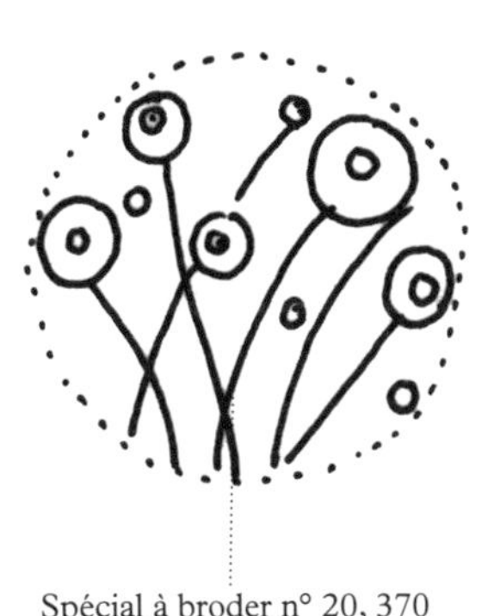
Spécial à broder n° 20, 370

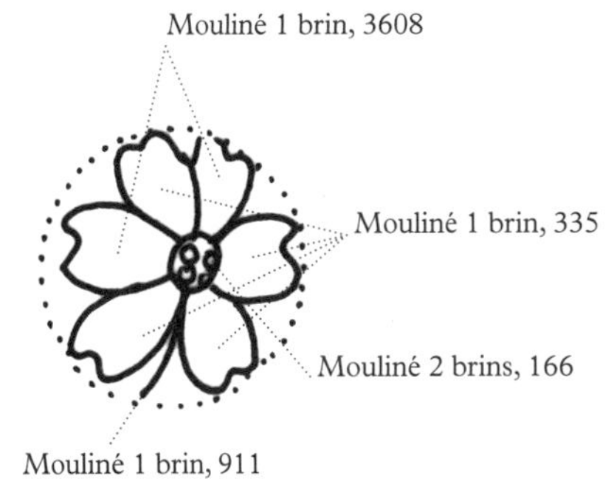
Mouliné 1 brin, 3608
Mouliné 1 brin, 335
Mouliné 2 brins, 166
Mouliné 1 brin, 911

INDEX DES POINTS

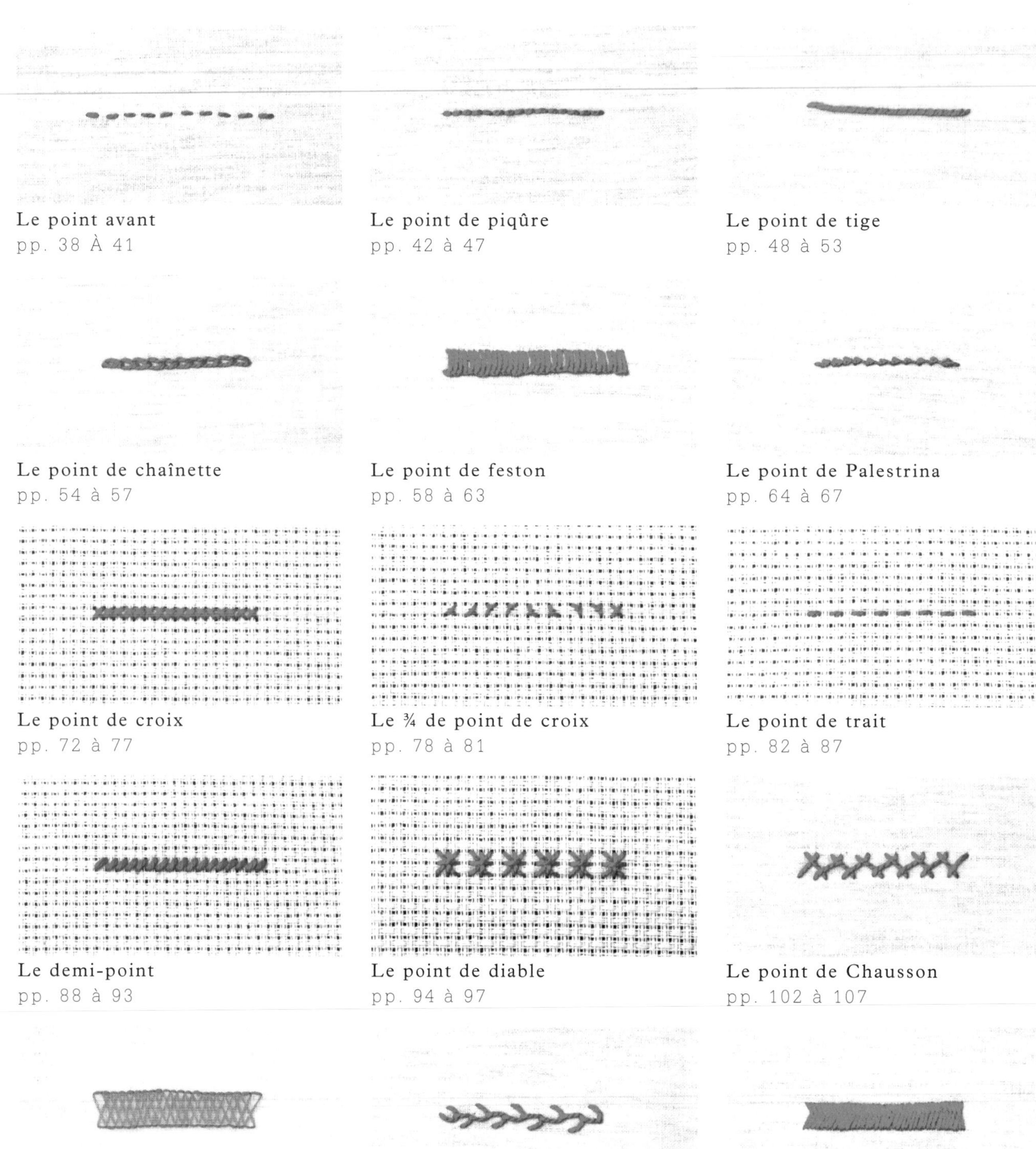

Le point de tissage
pp. 126 à 129

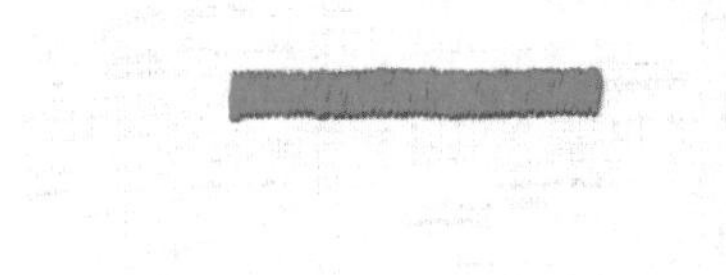

Le passé plat
pp. 134 à 139

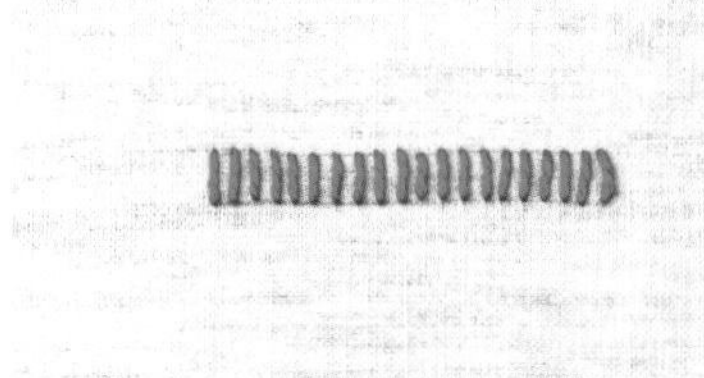

Le point lancé
pp. 140 à 143

Le passé empiétant
pp. 144 à 149

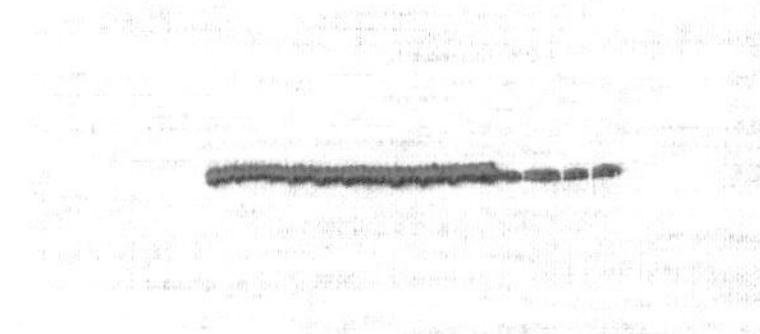

Le point de bourdon
pp. 150 à 153

Le point de plumetis
pp. 154 à 157

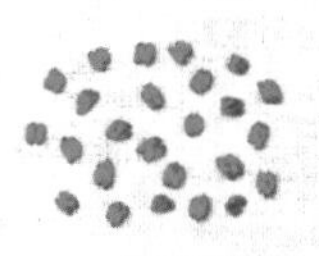

Le point de sable
pp. 158 à 163

Le point de Boulogne
pp. 164 à 169

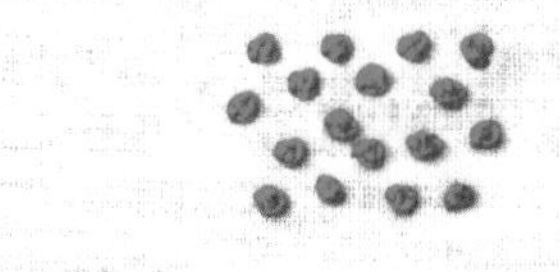

Le point de nœud
pp. 172 à 177

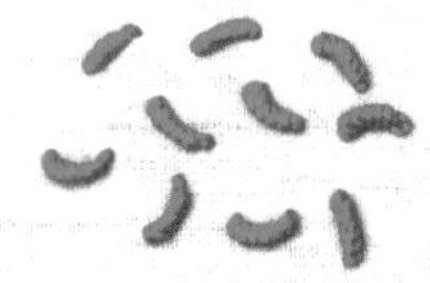

Le point de poste
pp. 178 à 181

Le point de bouclette
pp. 182 à 187

Le point d'araignée
pp. 188 à 191

Le point de shisha
pp. 192 à 195

La pose de paillettes
pp. 196 à 201

Le point de grébiche
pp. 202 à 205

INDEX DES POINTS

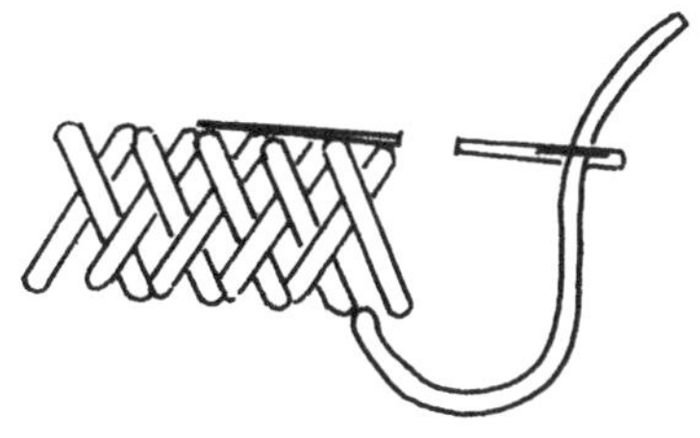

Le point de Chausson
pp. 102 à 107

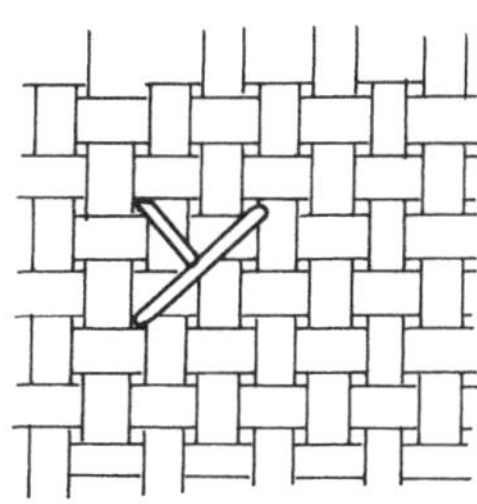

Le ¾ de point de croix
pp. 78 à 81

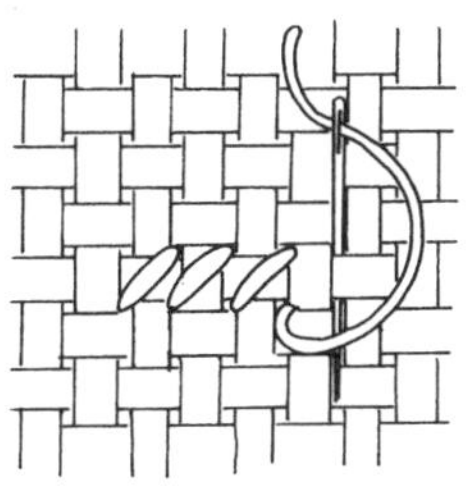

Le demi-point
pp. 88 à 93

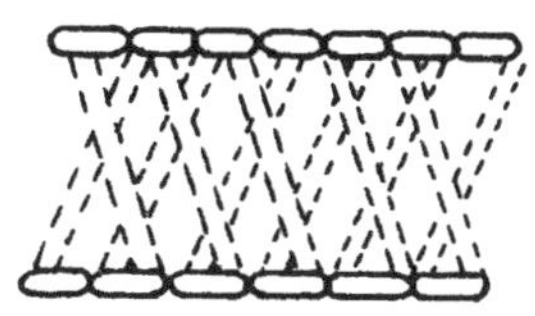

Le point d'ombre
pp. 108 à 113

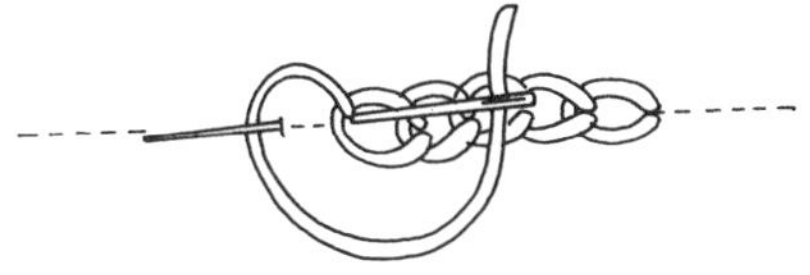

Le point de chaînette
pp. 54 à 57

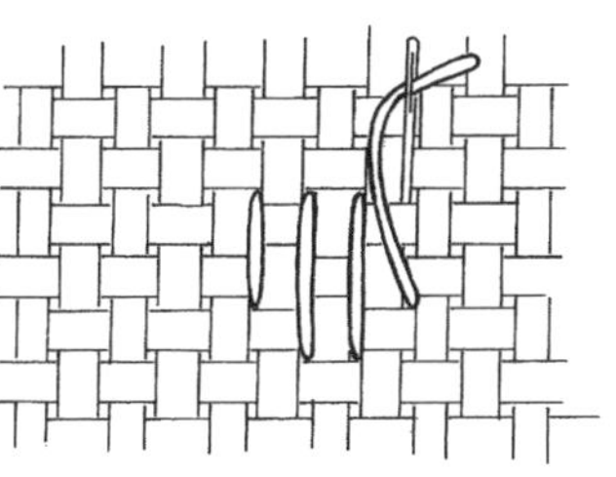

Le point de trait
pp. 82 à 87

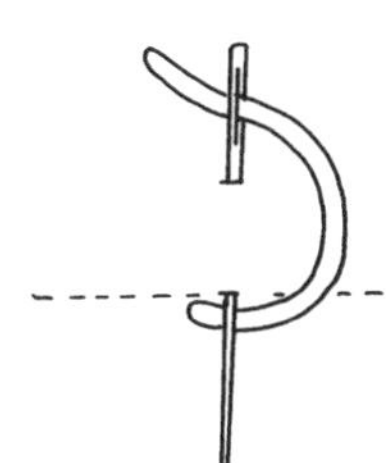

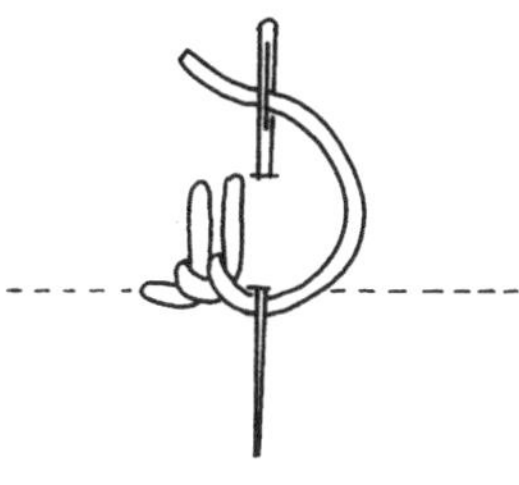

Le point de feston
pp. 58 à 63

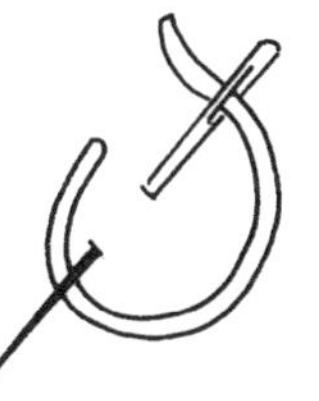

Le point d'épine
pp. 114 à 119

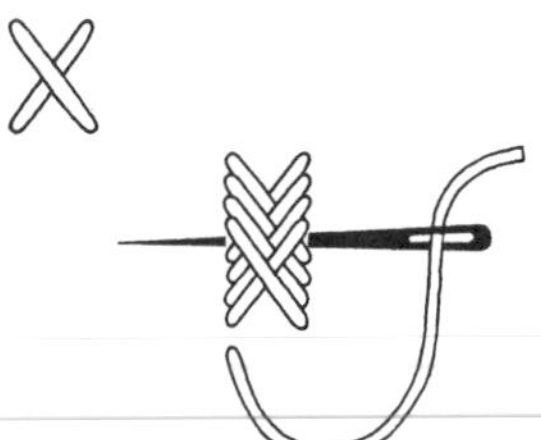

Le point de vannerie
pp. 120 à 125

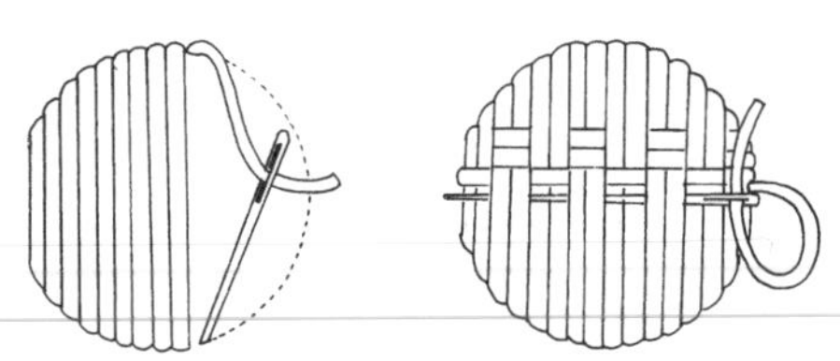

Le point de tissage
pp. 126 à 129

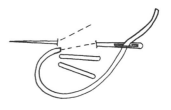

Le point de sable
pp. 158 à 163

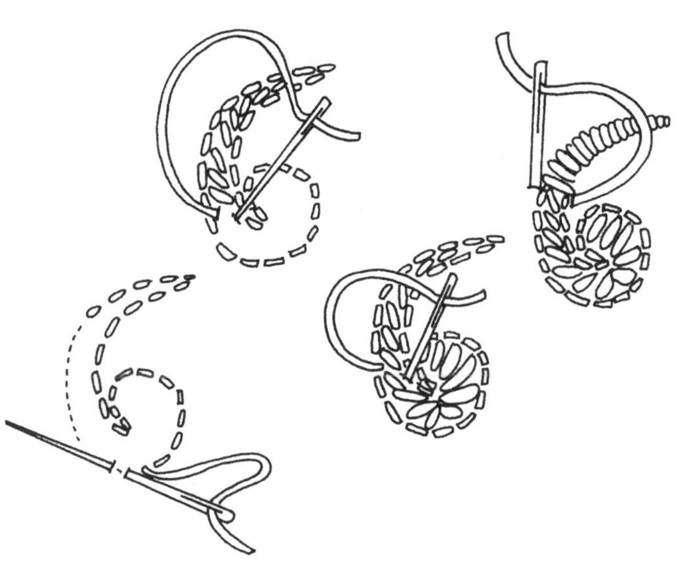

Le point de plumetis
pp. 154 à 157

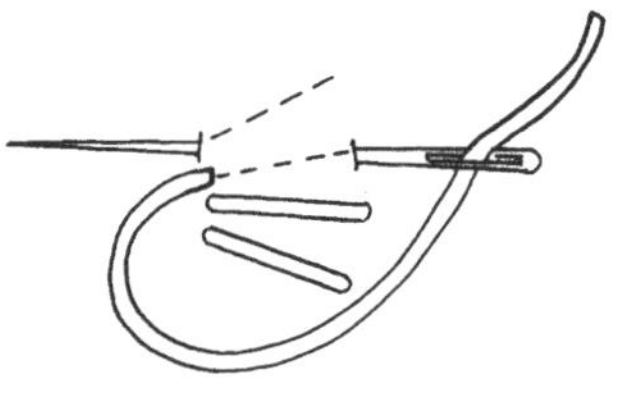

Le point lancé
pp. 140 à 143

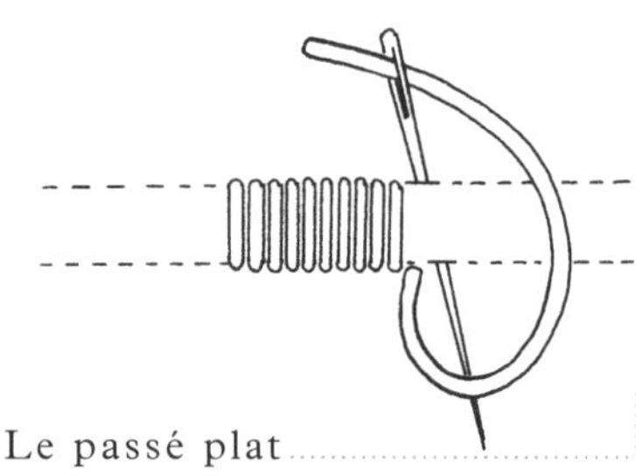

Le passé plat
pp. 134 à 139

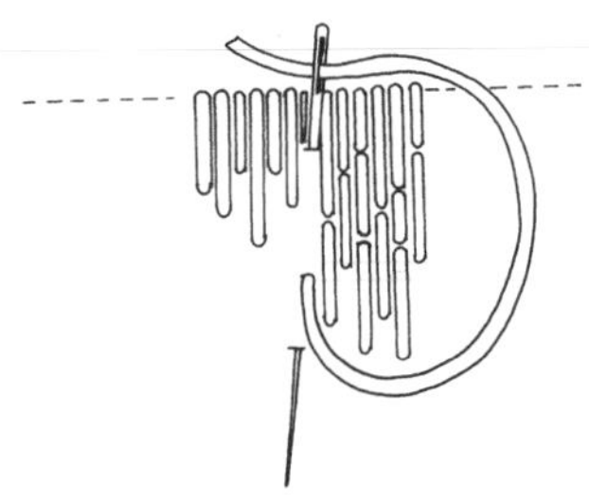

Le passé empiétant
pp. 144 à 149

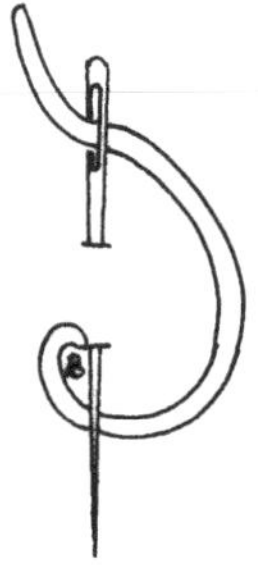

Le point de bouclette
pp. 182 à 187

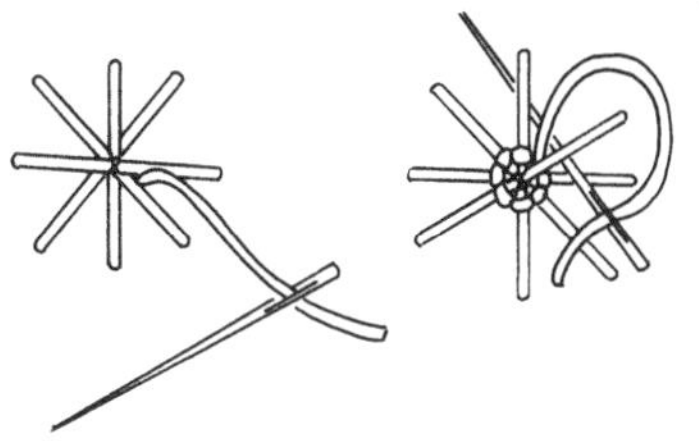

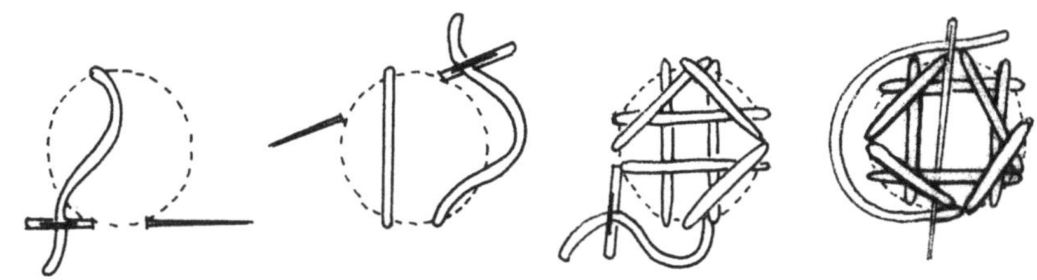

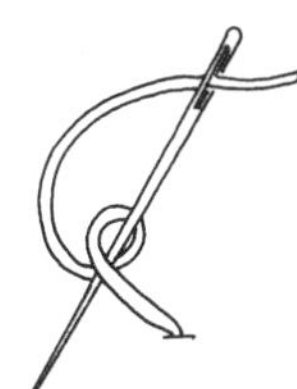

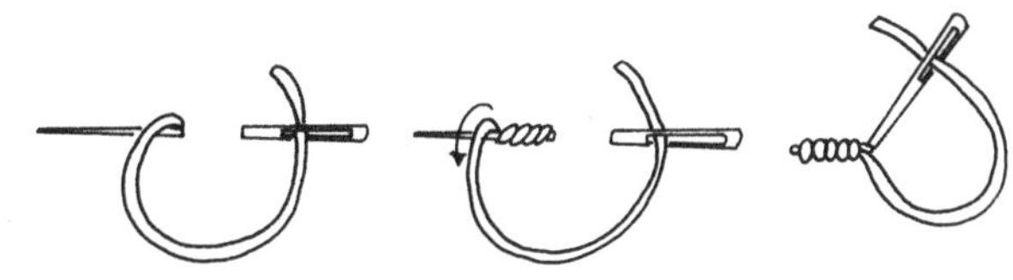

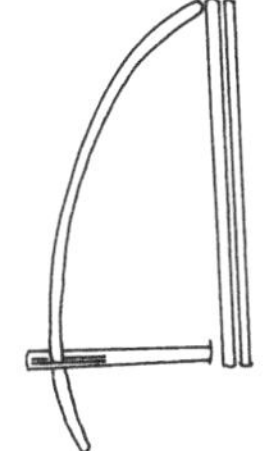

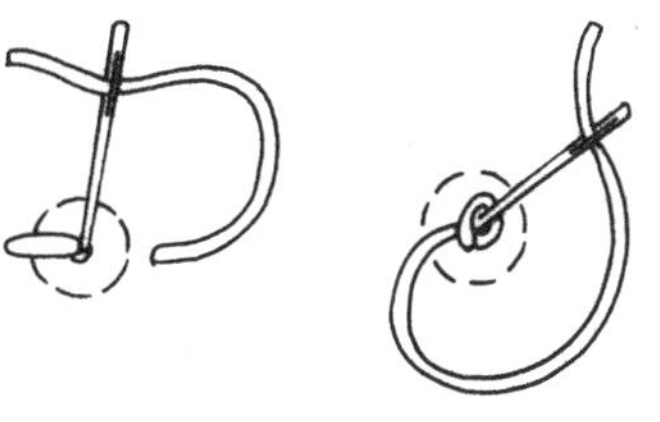

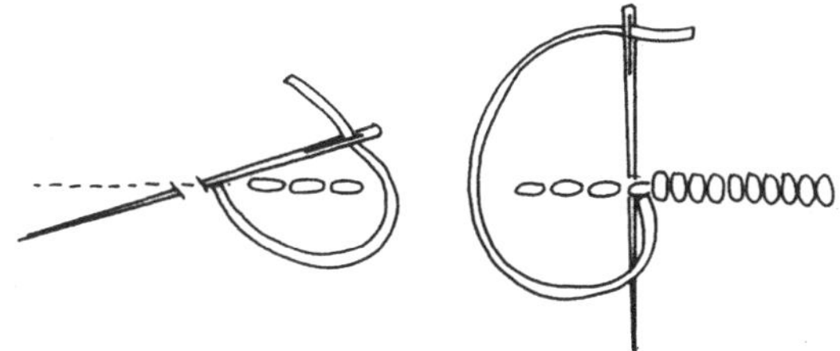

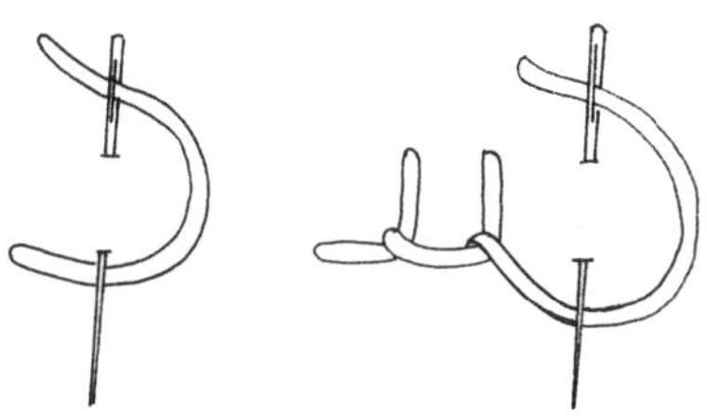

N°
MST

Table de matières

Couture

Fil

Matériel

Mercerie

Points

Projets

Reporter un motif

Tableau de points

Technique de broderie

Technique de couture

Tissu et toiles

Plumetis-Express N°4
Made in France
Brevet Français. N° 366.877
English Patent. N° 15.234
U. S. Pat. July 18 th 1906 N° 855.274
Deutsch Patent...... N° 230.834

Remerciements

Mes remerciements chaleureux à Christine, qui en un tour de main talentueux (et avec rapidité) à broder certains de mes modèles.
Mes remerciements particulier à Monique Lyonnet de la Croix et La manière pour ses superbes toiles à broder et à la société DMC qui à fournit toutes les qualités de ces merveilleux fils à broder.

Carnet d'adresses

Magasins de fournitures de broderie et de mercerie

La Croix & la Manière
36, rue Faidherbe
75011 Paris
www.lacroixetlamaniere.com

Mercerie Moline
2, 4 et 6, rue Livingstone
75018 Paris
www.moline-mercerie.com

Tissus Reine
3-5, place Saint-Pierre
75018 Paris
www.tissus-reine.com

i e boutique
128, rue Vieille-du-Temple
75013 Paris
www.ieboutique.com

Déballage Dreyfus-Marché Saint-Pierre
2, rue Charles-Noguier
75018 Paris
www.marchesaintpierre.com

Milpoint
(distribution en mercerie)
ZAES du Moulin Rouge
24120 TERRASSON
Tél. : 05 53 51 74 20
milpoint@free.fr
www.milpoint.com

Boutiques en ligne de fournitures de broderie et de mercerie

DMC
www.dmc.fr

Ma Petite Mercerie
www.mapetitemercerie.com

Le Bonheur des dames
www.bonheurdesdames.com

Des fils et une aiguille
www.desfilsetuneaiguille.com

À la pensée – ABC collection
www.alapensee.net

Maguelone broderies
www.maguelone-broderies.com

La fée pirouette
www.lafeepirouette.fr

House of Embrodery
www.houseofembrodery.com

Tissus Net
www.tissus.net

Tissu Max
www.tissu-max.com

Cousette
www.cousette.com

Y'a matières...
www.yamatieres.ch

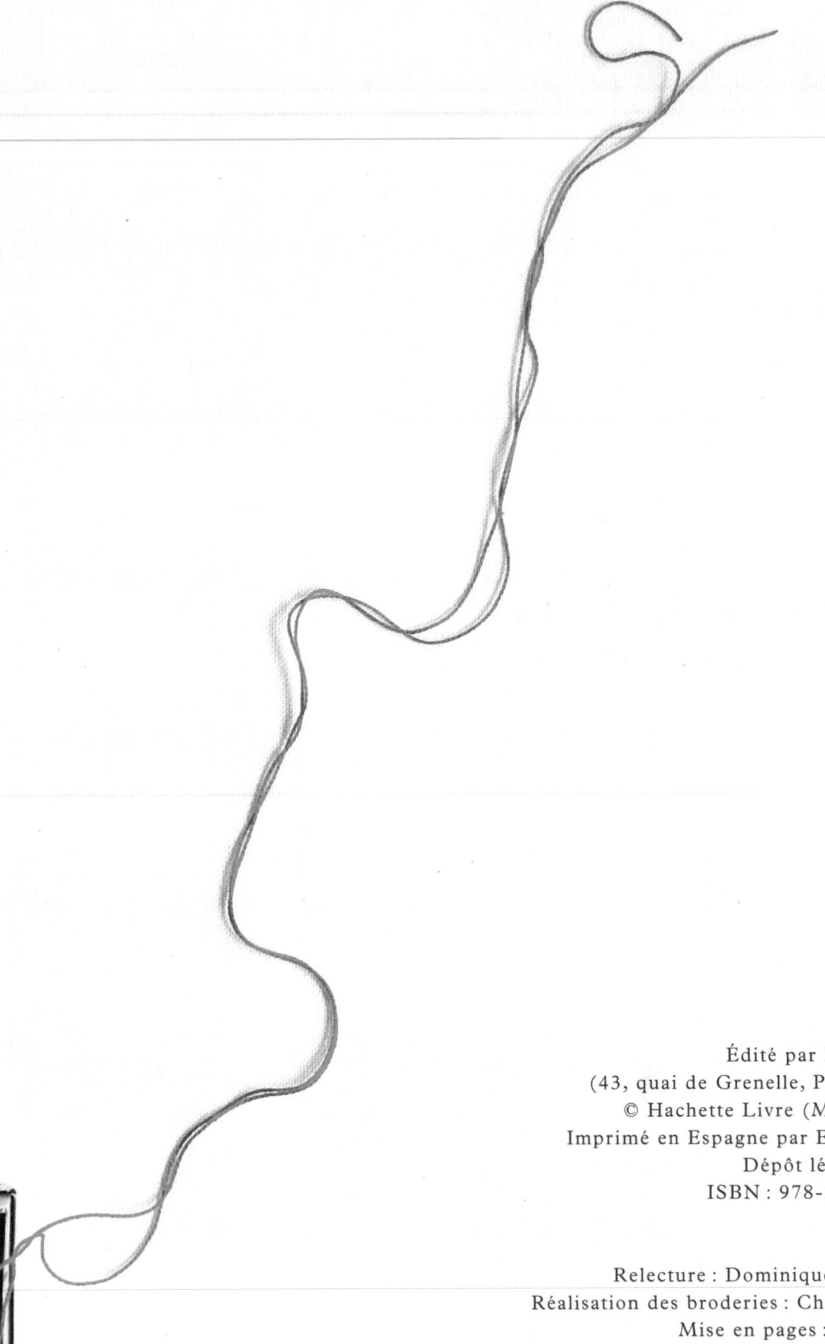

Édité par Hachette L
(43, quai de Grenelle, Paris Cedex

Imprimé en Espagne par Estella Graf
Dépôt légal : août 2
ISBN : 978-2-501-0777
411435

Relecture : Dominique Montemb
Réalisation des broderies : Christine Tou
Mise en pages : emigreen.

Pour l'éditeur le principe est d'utiliser des papiers composés de fibres naturelles, ren
velables, recyclables et fabriquées à partir de bois issus de forêts qui adoptent un syst
d'aménagement durable. En outre, l'éditeur attend de ses fournisseurs de papier qu'ils s'
crivent dans une démarche de certification environnementale recon